FABLEHAVEN
LE SANCTUAIRE SECRET

Pour Mary, qui m'a rendu l'écriture possible.

Titre original anglais : Fablehaven

Éditeur : François Doucet
Traduction : Marie-José Lamorlette
Révision : Nancy Coulombe, Carine Paradis
Montage de la couverture: Matthieu Fortin
Mise en pages : Matthieu Fortin
Illustration de la couverture : © 2006 Brandon Dorman
ISBN : 978-2-89565-921-1
Première impression : 2009
Dépôt légal : 2009
Bibliothèque et Archives nationales du Québec
Bibliothèque Nationale du Canada

Éditions AdA Inc.
1385, boul. Lionel-Boulet
Varennes, Québec, Canada, J3X 1P7
Téléphone : 450-929-0296
Télécopieur : 450-929-0220
www.ada-inc.com
info@ada-inc.com

Diffusion
Canada : Éditions AdA Inc.
France : D.G. Diffusion
Z.I. des Bogues
31750 Escalquens – France
Téléphone : 05.61.00.09.99
Suisse : Transat – 23.42.77.40
Belgique : D.G. Diffusion – 05.61.00.09.99

Imprimé au Canada

Participation de la SODEC.
Nous reconnaissons l'aide financière du gouvernement du Canada par l'entremise du Programme d'aide au développement de l'industrie de l'édition (PADIÉ) pour nos activités d'édition.
Gouvernement du Québec – Programme de crédit d'impôt pour l'édition de livres – Gestion SODEC.

Catalogage avant publication de Bibliothèque et Archives nationales du Québec et Bibliothèque et Archives Canada

Mull, Brandon, 1974-

Fablehaven

(Fablehaven ; 1)
Traduction de: Fablehaven.
Pour les jeunes.

ISBN 978-2-89565-921-1

I. Lamorlette, Marie-José. II. Titre.

PZ23.M842Fa 2009 j813'.6 C2009-941071-0

Brandon Mull

Fablehaven

Le Sanctuaire Secret

Traduit de l'anglais par
Marie-José Lamorlette

éditions

TABLE DES MATIÈRES

Qui entre ici
en ressortira
changé
à jamais

LES INTRUS
SERONT TRANSFORMÉS
EN PIERRE

CHAPITRE UN

VACANCES FORCÉES

Kendra observait le feuillage qui défilait, brouillé par la vitesse, à travers la vitre du VUS. Comme le mouvement finissait par lui donner le tournis, elle se mit à fixer un arbre. Elle le suivit des yeux tandis qu'il se rapprochait, passait comme une flèche le long de la voiture et s'éloignait peu à peu derrière elle.

Est-ce que la vie était ainsi ? se demanda-t-elle. On pouvait regarder en avant vers l'avenir ou en arrière vers le passé, mais le présent bougeait trop vite pour qu'on puisse le saisir. On y arrivait quelquefois, peut-être, mais ce jour-là pas du tout. Ce jour-là, ils roulaient sur une autoroute sans fin à travers les collines boisées du Connecticut.

– Vous auriez pu nous prévenir que Grand-Père Sorenson vivait au bout du monde, se plaignit Seth.

Son frère avait onze ans et allait entrer en sixième. Il avait fini par se lasser de sa console portative – preuve que leur voyage avait quelque chose d'épique.

Leur mère se tourna vers le siège arrière.

– On n'en a plus pour longtemps. Profitez du paysage.

– J'ai faim, dit Seth.

Maman farfouilla dans un grand sac en papier plein de provisions.

– Du beurre d'arachides et des craquelins ?

Seth se pencha en avant pour prendre les craquelins. Papa, qui conduisait, demanda des friandises Roca. Au dernier Noël, il avait décidé que les friandises Roca étaient sa gourmandise préférée et qu'il devait en avoir à sa disposition toute l'année. Six mois plus tard, il était resté fidèle à sa résolution.

– Tu veux quelque chose, Kendra ?

– Non, ça va.

Kendra reporta son attention sur les arbres qui défilaient. Ses parents partaient pour une croisière de dix-sept jours en Scandinavie, avec tous les oncles et tantes du côté de sa mère. Le voyage était offert, mais pas parce qu'ils avaient gagné un concours. S'ils partaient en croisière, c'était parce que les grands-parents de Kendra s'étaient asphyxiés.

Grand-Mère et Grand-Père Larsen étaient allés rendre visite à des parents qui vivaient dans une caravane en Caroline du Sud. Il y avait eu une fuite de gaz pendant la nuit et ils avaient tous péri dans leur sommeil. Longtemps auparavant, Grand-Mère et Grand-Père Larsen avaient décidé que lorsqu'ils mourraient, tous leurs enfants et leurs conjoints devraient utiliser une part de leur héritage pour faire une croisière en Scandinavie.

Les petits-enfants ne faisaient pas partie du voyage.

– Vous n'allez pas vous ennuyer, dix-sept jours sur un bateau ? demanda Kendra.

Papa la regarda dans le rétroviseur.

– Il paraît que la nourriture est incroyable : des escargots, du caviar… Le top !

– Nous ne sommes pas tellement emballés par ce voyage, déclara tristement Maman. Je ne crois pas que vos grands-parents pensaient disparaître comme ça quand ils ont imaginé cette histoire de croisière. Nous essaierons quand même d'en profiter autant que possible.

– Il y a plusieurs escales, ajouta Papa, changeant délibérément de sujet. On sera à terre une partie du temps.

– Est-ce que nous aussi on va rouler dix-sept jours ? demanda Seth.

– On y est presque, répondit Papa.

– On est vraiment obligés de rester avec Grand-Mère et Grand-Père Sorenson ? intervint Kendra.

– Ce sera amusant, dit Papa. Et puis vous devriez vous sentir honorés. Ils n'invitent presque personne à rester chez eux.

– Justement. On les connaît à peine. Ils vivent comme des ermites.

– Ce sont mes parents, observa Papa, et pourtant j'ai survécu.

La route cessa de tourner à travers les collines boisées pour traverser une ville. Ils s'arrêtèrent à un feu rouge et Kendra remarqua une femme obèse qui mettait de l'essence dans un minibus. Son pare-brise était sale, mais elle ne paraissait pas avoir l'intention de le laver.

Kendra regarda devant elle. Le pare-brise du VUS était tout aussi dégoûtant, couvert d'insectes morts, même si Papa l'avait nettoyé quand ils s'étaient arrêtés pour faire le plein. Mais ils avaient fait pas mal de route depuis Rochester.

Kendra savait que Grand-Mère et Grand-Père Sorenson ne les avaient pas vraiment invités. Elle avait entendu sa mère demander à leur grand-père de les accueillir. C'était à l'enterrement.

Le souvenir des funérailles la fit frissonner. Il y avait eu une veillée funèbre, pendant laquelle Grand-Mère et Grand-Père Larsen avaient été exposés dans des cercueils jumeaux. Kendra n'avait pas aimé voir son grand-père maquillé. Quel idiot avait décidé que, quand les gens mouraient, on engageait un embaumeur pour les arranger comme ça ? Elle préférait sans conteste se les rappeler vivants plutôt qu'exposés ainsi dans leurs habits du dimanche. Les Larsen étaient les grands-parents qui avaient fait partie de sa vie. Ils avaient passé des vacances et de longs moments ensemble.

En revanche, elle se souvenait à peine d'avoir passé du temps avec ses grands-parents Sorenson. Ils avaient hérité d'une propriété dans le Connecticut à l'époque où ses parents s'étaient mariés. Ils ne les avaient jamais invités et venaient rarement à Rochester. Les rares fois où on les avait vus, c'était séparément, sauf deux fois. Les Sorenson étaient gentils, mais leurs visites avaient été trop rares et trop brèves pour créer un vrai lien. Kendra savait que sa grand-mère avait enseigné l'histoire dans une faculté et que son grand-père avait beaucoup voyagé pour sa petite entreprise d'import. C'était à peu près tout.

Tout le monde avait été surpris que Grand-Père Sorenson vienne à l'enterrement alors qu'il n'avait pas rendu visite à la famille depuis plus de dix-huit mois. Il avait excusé Grand-Mère, qui était malade. Apparemment, ils avaient toujours une bonne excuse. Parfois, Kendra se demandait s'ils n'avaient pas divorcé en secret.

À la fin de la veillée funèbre, Kendra avait entendu Maman essayer de convaincre Grand-Père Sorenson d'accueillir ses enfants chez lui. Ils étaient dans un couloir, dissimulés par l'angle d'un mur. Kendra les avait écoutés sans se faire voir.

– Pourquoi ne restent-ils pas chez Marci ?

– Ce serait le cas en temps normal, mais Marci est de la croisière.

Kendra avait risqué un coup d'œil. Grand-Père Sorenson portait une veste marron avec des pièces aux coudes et un nœud papillon.

– Où vont ses enfants ?

– Chez ses beaux-parents.

– Et si vous preniez une baby-sitter ?

– Deux semaines et demie, ce serait trop long. Je me suis souvenue que vous aviez proposé de les prendre chez vous, une fois.

– Oui, je m'en souviens. Il faut vraiment que ce soit fin juin ? Pourquoi pas en juillet ?

– On ne peut pas modifier la date de la croisière. Qu'est-ce que ça change ?

– On est très occupés, à ce moment-là… Je ne sais pas trop, Kate. Je n'ai plus l'habitude des enfants.

– Stan, je n'ai pas envie de faire cette croisière. Mais c'était important pour mes parents, alors nous y allons. Ceci dit, je ne veux pas vous forcer la main…

Maman avait eu l'air d'être au bord des larmes.

Grand-Père Sorenson avait soupiré.

– On trouvera bien un endroit où les enfermer.

Kendra s'était éloignée à ce moment-là. Depuis, ce séjour chez Grand-Père Sorenson l'inquiétait.

Après avoir quitté la ville, le VUS grimpa une côte abrupte. Puis la route contourna un lac et se perdit de nouveau dans des collines boisées. De temps à autre, ils dépassaient une boîte aux lettres. Parfois une maison apparaissait entre les arbres, parfois on apercevait seulement une longue allée.

Ils s'engagèrent sur une route plus étroite. Kendra se pencha pour observer le niveau d'essence.

– Papa, le réservoir est presque vide, dit-elle.

– On est bientôt arrivés. Je ferai le plein après vous avoir déposés.

– On ne peut pas venir avec vous en croisière ? demanda Seth. On pourrait se cacher dans les canots de sauvetage, et vous nous apporteriez à manger en cachette.

– Vous vous amuserez beaucoup plus avec Grand-Mère et Grand-Père Sorenson, déclara Maman. Soyez patients, donnez-leur une chance.

– Cette fois, nous y sommes, dit Papa.

Ils quittèrent la route pour prendre une allée de gravier. Kendra ne voyait pas de maison, seulement cette allée qui se perdait entre les arbres.

Pendant que les pneus crissaient sur le gravier, ils dépassèrent plusieurs pancartes les avertissant qu'ils se trouvaient sur une propriété privée. D'autres panneaux décourageaient les intrus. Ils arrivèrent à un portail bas, en fer, qui était ouvert.

– C'est l'allée la plus longue du monde ! se lamenta Seth.

Plus ils avançaient, plus les pancartes devenaient bizarres : « Propriété privée » et « Défense d'entrer » laissèrent place à « Attention ! Calibre 12 » et « Les intrus seront châtiés ».

– Elles sont marrantes, ces pancartes, dit Seth.

– Dis plutôt qu'elle fichent la trouille, marmonna Kendra.

Au détour d'un virage, l'allée atteignit une haute barrière en fer forgé surmontée de fleurs de lis. Le portail était ouvert. La barrière s'étendait à perte de vue dans les deux directions, entre les arbres. À côté se dressait un dernier panneau :

« Une mort certaine vous attend. »

– Est-ce que Grand-Père Sorenson est parano ? demanda Kendra.

– C'est une blague, déclara Papa. Je suis sûr que ces pancartes étaient déjà là quand il a hérité de la propriété.

Lorsqu'ils eurent franchi le portail, aucune maison n'était encore en vue. Il n'y avait que des arbres et des buissons. Ils passèrent sur un petit pont qui enjambait un ruisseau et gravirent une pente douce. Soudain, il n'y eut plus d'arbres et la maison apparut au bout d'une vaste pelouse.

Elle était grande mais pas immense, avec plein de pignons et même une tourelle. Après la grille en fer forgé, Kendra s'était attendue à un château ou un manoir. Construite en pierre et en bois sombre, la demeure paraissait vieille, mais en bon état. Les terrains qui l'entouraient étaient plus impressionnants : un jardin de fleurs éclatantes resplendissait devant la façade, et des haies parfaitement taillées et un étang à poissons ajoutaient du caractère à l'ensemble. Derrière la maison se dressait une énorme grange marron d'au moins cinq étages, surmontée d'une girouette.

– Cet endroit est vraiment superbe, dit Maman. J'aurais bien aimé que nous puissions tous rester.

– Tu n'es jamais venue ? demanda Kendra.

– Non. Ton père oui, deux ou trois fois, mais c'était avant notre mariage.

– Ils font de leur mieux pour décourager les visiteurs, déclara Papa. Oncle Carl, tante Sophie et moi n'avons pas passé beaucoup de temps ici. Je suis surpris qu'ils aient accepté de vous recevoir. Vous avez de la chance, les enfants, vous allez vous amuser comme des fous. Et puis, au pire, vous pourrez toujours jouer au bord de l'étang.

Ils s'arrêtèrent devant le garage.

La porte d'entrée s'ouvrit et Grand-Père Sorenson sortit, suivi par un grand homme dégingandé aux oreilles décollées et une femme mince d'un certain âge. Maman, Papa et Seth descendirent de la voiture. Kendra resta assise et en profita pour les observer.

Grand-Père était bien rasé à l'enterrement mais là, il avait une courte barbe blanche. Il portait un jean délavé, des bottes de travail et une chemise en flanelle.

Kendra étudia la femme. Ce n'était pas Grand-Mère Sorenson.

Malgré ses cheveux blancs striés de quelques mèches noires, son visage paraissait sans âge. Ses yeux en amande étaient d'un noir de jais et ses traits suggéraient une origine asiatique. Petite et légèrement voûtée, elle gardait une beauté exotique.

Papa et l'homme maigre ouvrirent le coffre du VUS et commencèrent à décharger les valises et les sacs.

– Tu viens, Kendra ? demanda Papa.

Elle ouvrit la portière et mit le pied sur le gravier.

– Sortez juste les affaires de la voiture, dit Grand-Père à Papa, Dale les montera dans la chambre.

– Où est Maman ? demanda Papa.

– Chez ta tante Edna.

– Dans le Missouri ?

– Edna est mourante.

Kendra avait à peine entendu parler de tante Edna, aussi la nouvelle ne la toucha-t-elle pas beaucoup. Elle leva les yeux vers la maison et vit que les fenêtres avaient des vitres en verre soufflé. Des nids d'oiseaux étaient accrochés sous les avant-toits.

Ils se dirigèrent tous vers la porte d'entrée. Papa et Dale portaient les bagages les plus lourds. Seth tenait un sac plus petit et une boîte de céréales. Cette boîte était son kit d'urgence. Elle était remplie d'objets qu'il gardait pour le cas où une aventure se présenterait – des élastiques, une boussole, des barres de céréales, des pièces de monnaie, un pistolet à eau, une loupe, des menottes et des jumelles en plastique, de la ficelle, un sifflet.

– Voici Léna, notre gouvernante, dit Grand-Père.

La femme fit un signe de tête et agita la main.

– Dale m'aide à entretenir la propriété.

– Tu es très jolie, dit Léna à Kendra. Tu dois avoir autour de quatorze ans ?

Elle avait un léger accent que Kendra ne put identifier.

– Je les aurai en octobre.

Un heurtoir en fer ornait la porte d'entrée, un lutin aux paupières plissées qui tenait un anneau dans sa bouche. La porte, épaisse, avait des gonds volumineux.

Kendra pénétra dans la maison. Un parquet brillant recouvrait le sol du vestibule. Un bouquet de fleurs séchées était posé sur une table basse, dans un vase en céramique blanche. Un grand portemanteau en laiton se dressait d'un côté, près d'un banc noir au haut dossier sculpté. Au mur était accroché un tableau représentant une chasse au renard.

L'adolescente aperçut une autre pièce, où un immense tapis brodé couvrait la majeure partie du plancher. Comme la maison elle-même, le mobilier était ancien mais en bon état. Les canapés et les fauteuils étaient du style que l'on s'attend à voir dans une demeure historique.

Dale monta l'escalier avec une partie des bagages. Léna s'excusa et disparut dans une autre pièce.

– Votre maison est magnifique, dit Maman avec enthousiasme. C'est vraiment dommage que nous n'ayons pas le temps de la visiter.

– À votre retour, peut-être, répondit Grand-Père.

– Merci d'accueillir les enfants, déclara Papa.

– Le plaisir est pour nous. Mais je ne veux pas vous retarder.

– C'est vrai qu'on est assez pressés, s'excusa Papa.

– Les enfants, soyez sages et faites ce que Grand-Père Sorenson vous dira, dit Maman.

Elle prit Kendra et Seth dans ses bras.

Kendra sentit les larmes lui monter aux yeux. Elle lutta pour les réprimer.

– Bonne croisière, amusez-vous bien.

– Nous serons de retour avant que vous ayez eu le temps d'y penser.

Papa passa un bras autour de Kendra et ébouriffa les cheveux de Seth.

Papa et Maman sortirent de la maison en agitant la main. Kendra alla jusqu'au seuil et les regarda monter dans le VUS. Papa klaxonna quand ils démarrèrent. Lorsque la voiture disparut entre les arbres, Kendra ravala de nouveau ses larmes.

Ses parents étaient sûrement en train de rire, soulagés d'être seuls pour les plus longues vacances de leur vie conjugale. Elle pouvait quasiment entendre le tintement de leurs verres en cristal. Et elle, elle était là, abandonnée. Elle ferma la porte. Seth, indifférent comme toujours, examinait les pièces très travaillées d'un jeu d'échecs décoratif.

Grand-Père se tenait dans l'entrée, observant Seth. Il paraissait mal à l'aise sans oser le dire.

– Laisse ce jeu d'échecs, dit Kendra. Il a l'air de valoir très cher.

– Oh, il peut le toucher, dit Grand-Père.

Mais à la façon dont il l'avait dit, Kendra devina qu'il était soulagé de voir Seth reposer les pièces.

– Je vous montre votre chambre ?

Ils le suivirent dans l'escalier, puis le long d'un couloir garni d'un tapis jusqu'au pied d'étroites marches en bois menant à une porte blanche. Grand-Père monta les marches qui craquaient sous ses pas.

– Nous n'avons pas souvent d'invités, surtout des enfants, lança-t-il par-dessus son épaule. Je pense que vous serez mieux dans le grenier.

Il ouvrit la porte et les enfants entrèrent derrière lui. Kendra, qui s'apprêtait à voir des toiles d'araignée et des instruments de torture, fut rassurée de découvrir que le grenier était une belle salle de jeux. Spacieuse, propre et claire, la longue pièce contenait deux lits, des étagères pleines de livres pour enfants, des portants pour les habits, des commodes, une licorne à bascule, de nombreux coffres à jouets et une poule dans une cage.

Seth alla droit vers elle.

– Génial ! s'écria-t-il.

Il passa un doigt entre les barreaux, essayant de toucher le plumage orange et doré du volatile.

– Attention, Seth, l'avertit Kendra.

– Rien à craindre, dit Grand-Père. Boucles d'Or est davantage un animal de compagnie qu'une poule de basse-cour. C'est votre grand-mère qui s'en occupe, d'habitude. J'ai pensé que vous pourriez la remplacer pendant son absence. Il faudra juste la nourrir, nettoyer sa cage et ramasser ses œufs.

– Elle pond des œufs ! s'exclama Seth, l'air stupéfait et ravi.

– Un ou deux par jour si vous la nourrissez bien, déclara Grand-Père.

Il désigna un seau en plastique blanc rempli de grain.

– Une ration le matin et une autre le soir, ça ira. Vous devrez changer la garniture de sa cage tous les deux ou trois jours et vous assurer qu'elle ait toujours suffisamment d'eau. Chaque matin, nous lui donnons un petit bol de lait.

Il fit un clin d'œil.

– C'est le secret de sa ponte.

– Est-ce qu'on peut la faire sortir ?

La poule s'était approchée, assez près pour que Seth puisse caresser ses plumes du bout du doigt.

– Oui, mais remettez-la bien dans sa cage, après.

Grand-Père se pencha et passa un doigt entre les barreaux, mais Boucles d'Or le picora aussitôt. Il retira sa main.

– Elle ne m'a jamais beaucoup aimé.

– Certains de ces jouets paraissent très précieux, dit Kendra, debout près d'une maison de poupée victorienne richement décorée.

– Les jouets sont faits pour jouer, déclara Grand-Père. Faites de votre mieux pour les garder en bon état, et tout ira bien.

Seth se dirigea vers un petit piano dans le coin de la pièce. Il frappa sur les touches et les notes qui résonnèrent surprirent Kendra. C'était un clavecin.

– Considérez cette pièce comme votre domaine, dit Grand-Père. Je ne vous en voudrai pas si vous mettez du désordre – raisonnablement bien sûr –, à partir du moment où vous respectez le reste de la maison.

– D'accord, acquiesça Kendra.

– J'ai aussi une mauvaise nouvelle. Nous sommes en pleine saison des tiques. Vous avez entendu parler de la maladie de Lyme ?

Seth secoua la tête.

– Oui, je crois, dit Kendra.

– On l'a découverte pour la première fois dans la ville de Lyme, dans le Connecticut. Ce n'est pas très loin d'ici. On l'attrape par des morsures de tiques. Les bois en sont pleins, cette année.

– Qu'est-ce qu'on risque ? demanda Seth.

Grand-Père marqua une pause, l'air solennel.

– Ça commence par une éruption de boutons. Très vite, ça peut conduire à de l'arthrite, une paralysie et un arrêt du cœur. En outre, maladie ou pas, ce n'est pas très agréable d'avoir des tiques sous la peau en train de boire son propre sang. De plus, quand on essaye de les enlever, la tête se détache et il est alors très difficile de s'en débarrasser.

– C'est dégoûtant ! s'exclama Kendra.

Grand-Père hocha la tête, la mine sombre.

– Elles sont si petites qu'on les voit à peine, en tout cas jusqu'à ce qu'elles soient pleines de sang. Là, elles gonflent et prennent la taille d'un grain de raisin. De toute façon, vous n'avez pas le droit d'aller dans les bois, en aucune circonstance. Restez sur la pelouse. Si vous désobéissez à cette règle, vous n'aurez plus le droit de sortir. Nous nous comprenons bien ?

Kendra et Seth hochèrent la tête.

– Vous ne devez pas non plus entrer dans la grange. Il y a trop d'échelles et de vieux outils rouillés. La même règle est valable pour les bois comme pour la grange : mettez-y un pied et vous passerez le reste de votre séjour dans cette pièce.

– D'accord, dit Seth en traversant le grenier pour atteindre un petit chevalet dressé sur une bâche tachée de peinture.

Il était garni d'une toile blanche. D'autres toiles blanches étaient appuyées contre le mur, à côté d'étagères pleines de pots de peinture.

– Je peux peindre ? demanda-t-il.

– Je vous le répète, cette pièce est votre domaine, répondit Grand-Père. Essayez juste de ne pas l'abîmer. J'ai beaucoup de travail et je ne pourrai pas être très présent. Il devrait y avoir assez de jouets et de passe-temps ici pour vous occuper.

– Et la télé ? demanda Seth.

– Pas de télévision ni de radio, déclara Grand-Père. Règles de la maison. Si vous avez besoin de quelque chose, Léna ne sera jamais loin.

Il indiqua un cordon violet qui pendait le long du mur près d'un des lits.

– Tirez sur le cordon si vous voulez l'appeler. D'ailleurs, elle va vous monter votre dîner dans quelques minutes.

– On ne mange pas ensemble ? s'étonna Kendra.

– Ça dépendra des jours. Pour le moment, je dois aller dans le champ de foin qui est à l'est. Je rentrerai tard.

– Tu possèdes combien de terres ? voulut savoir Seth.

Grand-Père sourit.

– Plus que tu ne crois. Restons-en là. Je vous verrai demain matin, les enfants.

Alors qu'il allait partir, il mit une main dans sa poche et en sortit un minuscule porte-clés garni de trois clés miniatures de différentes tailles qu'il tendit à Kendra.

– Chacune de ces clés ouvre quelque chose dans cette pièce. Essayez de trouver quoi.

Grand-Père Sorenson sortit en fermant la porte derrière lui. Kendra l'écouta descendre l'escalier, attendant qu'il s'éloigne. Puis elle tourna doucement la poignée. La porte s'ouvrit. Elle regarda l'escalier vide. Au moins, il ne les avait pas enfermés à l'intérieur.

Seth avait ouvert un coffre à jouets dont il examinait le contenu. Les jouets étaient démodés, mais en excellent état : des soldats de plomb, des poupées, des puzzles, des animaux en peluche, des cubes de bois.

Kendra se dirigea vers un télescope près d'une fenêtre. Elle colla un œil au viseur, orienta le télescope vers une vitre et commença à tourner les boutons de réglage. Elle parvint à améliorer la vision sans pour autant réussir à faire le point correctement.

Elle cessa de toucher les boutons et considéra la fenêtre. Les vitres étaient en verre soufflé, comme celles de la façade, et elle réalisa que les images étaient déjà déformées.

Soulevant un loquet, elle ouvrit la fenêtre. Elle donnait sur la forêt à l'ouest de la maison, qui était illuminée par les lueurs dorées du soleil couchant. Elle approcha l'appareil de la fenêtre, passa un certain temps à manipuler les boutons et obtint une vision très précise des feuilles des arbres situés en contrebas.

– Laisse-moi regarder, dit Seth.

Il se tenait près d'elle.

– Ramasse d'abord tout ça.

Un tas de jouets s'amassait déjà près du coffre ouvert.

– Grand-Père a dit qu'on pouvait faire tout ce qu'on voulait, ici.

– Oui, mais sans semer la pagaille. Tu mets déjà le grenier sens dessus dessous.

– Je joue. C'est une salle de jeux.

– Tu te souviens que Maman et Papa ont dit que nous devions ranger derrière nous ?

– Tu te souviens qu'ils ne sont pas là ?

– Je le leur dirai.

– Comment ? En mettant un message dans une bouteille ? Tu auras déjà oublié quand ils reviendront.

Kendra remarqua un calendrier sur le mur.

– Je vais le noter sur le calendrier.

– Bon. Eh bien moi, pendant ce temps, je pourrai regarder dans le télescope.

– C'est la seule chose que je faisais. Pourquoi ne te trouves-tu pas une autre occupation ?

– Je n'avais pas vu le télescope. Pourquoi tu ne veux pas partager ? Maman et Papa ne nous ont pas dit de partager ?

– D'accord, céda Kendra, je te le laisse. Mais je ferme la fenêtre. Il y a des insectes qui entrent.

– Comme tu veux.

Elle ferma la fenêtre.

Seth colla l'œil au viseur et se mit à tourner les boutons. Kendra regarda le calendrier de plus près. Il datait de 1953. Chaque mois était illustré par un château de conte de fées.

Elle tourna les pages jusqu'au mois de juin. On était le 11. Les jours de la semaine ne correspondaient pas, mais elle pouvait quand même compter jusqu'au retour de ses parents. Ils reviendraient le 28 juin.

– Ce stupide appareil ne donne même pas d'images nettes, se plaignit Seth.

Kendra sourit.

CHAPITRE DEUX

À LA RECHERCHE D'INDICES

Le lendemain matin, au petit déjeuner, Kendra était assise en face de son grand-père. Une horloge en bois accrochée au mur au-dessus de lui indiquait 8 h 43. Elle avait le soleil dans les yeux : Seth se servait de son couteau à beurre pour diriger les rayons vers elle. Elle n'était pas assez près de la fenêtre pour lui rendre la pareille.

– Personne n'aime avoir le soleil dans les yeux, Seth, déclara Grand-Père d'un ton sévère.

Seth s'arrêta.

– Où est Dale ? demanda-t-il.

– Dale et moi sommes levés depuis quelques heures. Il travaille dehors. Je vous tiens un peu compagnie pour votre première matinée ici.

Léna plaça un bol devant Seth et un autre devant Kendra.

– Qu'est-ce que c'est ? questionna Seth.

– De la crème de blé, répondit Léna.

– Ça, ça vous colle aux côtes, ajouta Grand-Père.

Seth testa la crème avec sa cuillère.

– Qu'est-ce qu'il y a, là-dedans ? C'est du sang ?

– Des baies du jardin et des framboises en conserve maison, expliqua Léna en posant sur la table un plateau garni de toasts, de beurre, d'un pichet de lait, d'un bol de sucre et d'un pot de confiture.

Kendra goûta la crème de blé. C'était délicieux. Les baies et les framboises l'adoucissaient à la perfection.

– C'est bon ! s'exclama Seth. Quand on pense que Papa est en train de manger des escargots !

– Les enfants, n'oubliez pas les règles concernant les bois, dit Grand-Père.

– Et la grange, précisa Kendra.

– Très bien. Derrière la maison, il y a une piscine que nous avons préparée pour vous – et désinfectée, évidemment. Vous pouvez explorer les jardins et bien sûr jouer dans votre chambre. Respectez les règles et nous nous entendrons bien.

– Quand est-ce que Grand-Mère doit revenir ? demanda Kendra.

Grand-Père baissa les yeux sur ses mains.

– Ça dépendra de votre tante Edna. Peut-être la semaine prochaine, peut-être dans deux ou trois mois.

– Je suis bien contente que Grand-Mère soit rétablie, dit Kendra.

– Rétablie ?

– De la maladie qui l'a empêchée de venir à l'enterrement.

– Ah oui ! Oui, mais elle n'était toujours pas en très grande forme quand elle est partie pour le Missouri…

Grand-Père se comportait un peu bizarrement. Kendra se demanda s'il n'était pas tout simplement mal à l'aise avec les enfants.

– C'est dommage que nous l'ayons manquée, ajouta Kendra.

– Elle le regrette aussi. Bon, je ferais mieux d'y aller.

Grand-Père n'avait rien mangé. Il repoussa sa chaise, se leva et s'écarta de la table, frottant ses paumes sur son jean.

– Si vous allez vous baigner, n'oubliez pas de mettre de la crème solaire. Je vous verrai plus tard.

– Au déjeuner ? demanda Seth.

– Probablement pas avant le dîner. Léna vous donnera tout ce qu'il vous faut.

Il quitta la pièce.

Vêtue de son maillot de bain, une serviette sur l'épaule, Kendra sortit par la porte qui donnait sur le porche de derrière. Elle portait un miroir à main qu'elle avait trouvé dans sa table de nuit. Le manche était en nacre incrusté de faux diamants. La journée était un peu humide, mais la température agréable.

Elle alla à la balustrade du porche et contempla le jardin magnifiquement entretenu. Des allées de dalles en pierre blanche serpentaient parmi des massifs de fleurs, des haies, des potagers, des arbres fruitiers et des buissons fleuris. Des plantes grimpantes recouvraient des treillis. Toutes les fleurs semblaient épanouies. Kendra n'avait jamais vu autant de couleurs.

Seth nageait déjà. La piscine, tapissée d'un fond noir, était bordée de rochers, comme un étang. Kendra s'empressa de descendre les marches et se dirigea vers le bassin.

Le jardin bruissait de vie. Des colibris fendaient le feuillage, les ailes presque invisibles quand ils voltigeaient, d'énormes bourdons à l'abdomen velu voltigeaient eux aussi d'une fleur à l'autre et des papillons d'une stupéfiante variété voletaient de leurs ailes semblables à du papier de soie.

Kendra passa devant une petite fontaine vide représentant une grenouille. Elle s'arrêta lorsqu'un grand papillon se posa sur le bord d'une vasque pour oiseaux. Il avait des ailes énormes, avec du bleu, du noir et du violet. Elle n'avait jamais vu un papillon aux couleurs aussi vives. Bien sûr, elle n'avait jamais visité de jardin aussi raffiné. La maison n'était pas tout à fait un manoir, mais les terrains étaient dignes d'un roi. Pas étonnant que Grand-Père Sorenson ait tant de travail.

L'allée conduisit Kendra au bord de la piscine. Des dalles diaprées bordaient le bassin. Il y avait plusieurs chaises longues et une table ronde avec un grand parasol.

Seth sauta d'un rocher dans la piscine, les jambes repliées, et frappa l'eau à grand bruit. Kendra posa sa serviette et son miroir sur la table et prit un flacon de lotion solaire. Elle s'en passa sur le visage, les bras et les jambes jusqu'à ce qu'elle ait bien pénétré sa peau.

Pendant que Seth nageait sous l'eau, Kendra leva le miroir, l'inclina afin qu'il reflète la lumière du soleil et le dirigea vers l'eau. Quand son frère émergea, elle fit en sorte que le rayon le touche en plein visage.

– Hé ! cria-t-il en s'éloignant d'elle.

Elle maintint le reflet sur l'arrière de sa tête. S'agrippant au bord de la piscine, Seth se tourna vers elle, leva une main et plissa les paupières pour se protéger de la lumière. Il dut détourner les yeux.

Kendra rit.

– Arrête ça ! cria Seth.

– Tu n'aimes pas ?

– Arrête. Je ne le ferai plus. Grand-Père m'a déjà grondé.

Kendra posa le miroir sur la table.

– Ce miroir est bien plus brillant qu'un couteau à beurre, dit-elle. Je parie qu'il a déjà endommagé définitivement tes rétines.

– J'espère bien ! Je te ferai un procès pour un milliard de dollars.

– Bonne chance, je dois en avoir cent à la banque. Ça devrait te suffire pour acheter des lunettes d'aveugle.

Seth nagea vers elle, furieux, et elle s'avança au bord de la piscine. Quand il voulut sortir, elle le repoussa en arrière. Elle faisait presque une tête de plus que lui, et en genéral elle pouvait le dominer quand ils se battaient. Mais quand ils luttaient à terre, il était très doué pour se défiler en se tortillant.

Seth changea de tactique et se mit à l'éclabousser, projetant l'eau de ses deux mains avec des gestes rapides. L'eau parut froide à Kendra, qui commença à reculer. Puis elle sauta pardessus son frère. Après le premier choc, elle s'habitua vite à la température et nagea vers la partie la moins profonde de la piscine, loin de lui.

Il la poursuivit et ils finirent par un combat d'éclaboussures. Les mains jointes, Seth faisait de grands gestes avec les bras, rasant la surface de l'eau. Kendra repoussait l'eau de ses deux mains, provoquant des vagues mieux ciblées. Ils se lassèrent vite de ce jeu. Difficile de gagner un concours d'éclaboussures quand son adversaire est déjà trempé.

– Faisons la course, proposa Kendra.

Ils parcoururent la piscine en long et en large. D'abord, ils nagèrent librement, puis sur le dos, puis la brasse et la nage indienne. Ensuite, ils se donnèrent des handicaps, comme nager sans les bras ou sauter sur un pied du côté le moins profond de la piscine. En général, Kendra gagnait, mais Seth était plus rapide au dos crawlé et dans les courses à handicap.

Quand Kendra commença à s'ennuyer, elle alla prendre sa serviette sur la table et frotta ses cheveux longs, savourant le contact de l'étoffe rêche sur ses mèches mouillées.

Seth grimpa sur un gros rocher du côté le plus profond de la piscine.

– Regarde ce saut en ouvre-boîte ! lança-t-il.

Il sauta avec une jambe tendue et l'autre repliée.

– Pas mal, dit Kendra pour lui faire plaisir, quand il ressortit.

Portant son regard sur la table, elle se figea. Des colibris, des bourdons et des papillons voletaient au-dessus du miroir. Plusieurs papillons et deux grosses libellules s'étaient même posés sur la glace.

– Seth, viens voir ça ! lui lança-t-elle en chuchotant.

– Quoi ?

– Viens voir !

Seth sortit de la piscine et trottina jusqu'à sa sœur, les bras croisés. Il fixa le nuage vivant qui tourbillonnait au-dessus du miroir.

– Qu'est-ce qu'ils font ?

– Je ne sais pas, répondit Kendra. Est-ce que les insectes aiment les miroirs ?

– Ceux-là, oui, on dirait.

– Regarde le papillon blanc et rouge. Il est énorme.

– Cette libellule aussi, remarqua Seth.

– Je regrette de ne pas avoir d'appareil photo. Je te mets au défi d'attraper le miroir.

Seth haussa les épaules.

– Pas de problème.

Il trottina jusqu'à la table, saisit la poignée du miroir, fonça vers la piscine et sauta. Quelques insectes se dispersèrent aussitôt. La plupart volèrent dans sa direction mais s'éparpillèrent avant de toucher l'eau.

Seth refit surface.

– Les bestioles sont toujours là ?

– Sors le miroir de l'eau ! Tu vas l'abîmer !

– Calme-toi, ça ne craint rien, dit le jeune garçon en nageant vers le bord.

– Donne-le-moi.

Kendra lui prit le miroir des mains et le sécha avec sa serviette. Il ne paraissait pas endommagé.

– Et si on faisait une expérience ?

Elle posa le miroir sur une chaise longue, glace vers le haut, et recula.

– Tu crois qu'ils vont revenir ?

– On va bien voir.

Kendra et Seth s'assirent à la table, non loin de la chaise longue. Moins d'une minute plus tard, un colibri voletait au-dessus du miroir. Il fut bientôt rejoint par quelques papillons, puis un bourdon se posa sur la glace. Peu après, un autre essaim de petites créatures ailées entourait le miroir.

– Va le retourner, demanda Kendra. Je veux voir s'ils aiment leur reflet ou le miroir lui-même.

Seth se dirigea avec précaution vers le miroir. Les petites bêtes ne parurent pas lui prêter attention. Il tendit lentement la main, le retourna et rejoignit la table.

Les papillons et les abeilles qui s'étaient posés sur le miroir s'envolèrent, mais seuls quelques-uns d'entre eux s'éloignèrent. Deux papillons et une libellule se posèrent juste à côté, sur la chaise longue. Puis ils s'envolèrent, le retournant d'un coup sec et le faisant presque glisser du siège.

La glace étant de nouveau visible, l'essaim s'en approcha. Plusieurs insectes se posèrent à la surface.

– Tu as vu ça ? demanda Kendra.

– C'est plutôt bizarre, dit Seth.

– Comment ont-ils réussi à soulever ce miroir ?

– Ils s'y sont mis à plusieurs. Tu veux que je le retourne ?

– Non, j'ai peur qu'il tombe et qu'il se brise.

– Comme tu veux.

Seth jeta sa serviette sur son épaule.

– Je vais me changer.

– Tu peux récupérer le miroir, d'abord ?

– Oui, mais vite. Je n'ai pas envie de me faire piquer.

Seth se rapprocha lentement du miroir, l'attrapa d'un geste brusque et courut vers la maison. Une partie de l'essaim le poursuivit paresseusement avant de se disperser.

Kendra noua sa serviette autour de sa taille, ramassa la crème solaire que Seth avait laissée et rentra à son tour.

Quand elle arriva au grenier, Seth était habillé d'un jean et d'une chemise de camouflage à manches longues. Il prit la boîte de céréales qui contenait son équipement et se dirigea vers la porte.

– Où tu vas ?

– Ça ne te regarde pas… sauf si tu veux venir.

– Comment veux-tu que je sache si je veux venir si tu ne me dis pas où tu vas ?

Seth la mesura du regard.

– Tu promets de garder le secret ?

– Laisse-moi deviner… Dans les bois ?

– Tu veux venir ?

– Tu sais très bien que tu peux attraper la maladie de Lyme, l'avertit Kendra.

– Tu parles ! Il y a des tiques partout. C'est comme le lierre vénéneux, si les gens se laissaient arrêter par ça, personne n'irait jamais nulle part.

– Mais Grand-Père Sorenson ne veut pas qu'on aille dans les bois, protesta Kendra.

– Il ne sera pas là de toute la journée, personne ne le saura. Enfin, sauf si tu vas le raconter.

– Ne fais pas ça. Grand-Père a été gentil avec nous, on doit lui obéir.

– Tu es aussi courageuse qu'une poule mouillée.

– Qu'est-ce qu'il y a de si courageux à désobéir à Grand-Père ?

– Alors tu ne viens pas ?

Kendra hésita.

– Non.

– Tu vas me dénoncer ?

– Oui, si on me demande où tu es.

– Je n'en ai pas pour longtemps.

Seth marcha vers la porte. Kendra l'entendit dévaler l'escalier.

Elle alla à sa table de nuit, sur laquelle était posé le miroir à main, à côté de l'anneau avec les trois minuscules clés. Elle avait passé sa soirée à essayer de trouver à quoi ces clés correspondaient. La plus grosse ouvrait un coffret posé sur la commode, empli de faux bijoux pour se déguiser : des colliers de diamants, des boucles d'oreilles en perles, des pendentifs en émeraude, des bagues en saphir et des bracelets de rubis. Elle n'avait pas encore découvert ce que les deux autres clés ouvraient.

Elle prit l'anneau. Les clés étaient vraiment toutes petites. L'une d'entre elles n'était pas plus longue que le bout d'un ongle. Où allait-elle trouver une serrure aussi minuscule ?

La veille, elle avait surtout tenté sa chance avec des tiroirs et des coffres à jouets. Certains tiroirs avaient une serrure, mais ils étaient déjà ouverts et les clés ne correspondaient pas. Même chose pour les coffres à jouets.

La maison de poupée victorienne attira son attention. Quel meilleur endroit pour trouver de minuscules serrures qu'une maison miniature ? Elle défit les fermetures et ouvrit la maison, révélant deux étages et plusieurs pièces emplies de petits meubles. Cinq poupées l'habitaient : un papa, une maman, un garçon, une fille et un bébé.

Les détails étaient extraordinaires. Les lits avaient des draps, des couvertures et des oreillers, les canapés étaient garnis de coussins que l'on pouvait enlever, les robinets de la baignoire tournaient et des habits étaient suspendus dans des placards.

L'armoire de la chambre des parents éveilla l'attention de Kendra à cause de sa serrure étrangement disproportionnée. Kendra y inséra la plus petite clé et tourna. Les portes de l'armoire s'ouvrirent.

À l'intérieur, quelque chose était enveloppé dans du papier doré. Elle déplia le papier et découvrit un bonbon en chocolat en forme de bouton de rose. Derrière, elle trouva une petite clé en or qu'elle ajouta à l'anneau. Cette clé était plus grande que celle qui ouvrait l'armoire, mais plus petite que celle du coffret à bijoux.

Kendra mordit dans le bouton de rose en chocolat. Il était tendre et fondait dans la bouche. C'était le chocolat le plus savoureux et le plus crémeux qu'elle eût jamais goûté et elle en savoura chaque bouchée.

Elle continua ensuite à inspecter la maison de poupée, observant chaque meuble, fouillant chaque placard, vérifiant derrière chaque tableau miniature. Ne trouvant pas d'autre serrure, elle referma la maison.

Puis elle parcourut la pièce des yeux, cherchant à se décider. Il lui restait une clé, deux si la clé en or ouvrait elle aussi quelque chose. Elle avait examiné la plupart des jouets contenus dans les coffres, mais elle pouvait toujours vérifier de nouveau. Elle avait fouillé les tiroirs des tables de nuit, les commodes et les penderies, ainsi que les étagères de livres. Il pouvait y avoir des serrures dans des endroits improbables, comme sous les habits d'une poupée ou derrière un montant de lit.

Kendra arriva finalement près du télescope. Cela semblait peu vraisemblable, mais elle vérifia qu'il n'était pas muni d'une serrure. Rien.

Elle pouvait peut-être l'utiliser pour repérer Seth. En ouvrant la fenêtre, elle aperçut Dale qui marchait le long de la pelouse, à la lisière des bois. Il portait quelque chose à deux mains, mais elle ne pouvait pas voir ce que c'était car il lui tournait le dos. Il se baissa et posa l'objet derrière une haie basse, ce qui empêcha encore Kendra de l'identifier. Puis Dale s'éloigna d'un pas vif, regardant autour de lui comme pour s'assurer que personne ne le voyait, et bientôt il disparut.

Curieuse, Kendra descendit l'escalier en courant et franchit la porte de derrière. Dale était invisible. Elle traversa la pelouse jusqu'à la haie basse qui se trouvait sous la fenêtre du grenier. Derrière la haie, l'herbe se prolongeait sur environ deux mètres avant de s'arrêter brusquement au bord de la forêt. Posé sur l'herbe, elle vit une sorte de grand moule à gâteaux rempli de lait.

Un colibri chatoyant se tenait au-dessus du plat, dans un battement d'ailes empressé. Plusieurs papillons voletaient autour de lui. De temps en temps, l'un d'eux descendait et plongeait dans le lait. Puis le colibri s'envola et une libellule s'approcha. L'essaim était plus petit que celui du miroir, mais Kendra était surprise de voir autant d'insectes s'affairer autour d'une gamelle de lait.

Elle observa les petites créatures ailées qui allaient et venaient, s'abreuvant dans le moule à gâteaux. Les papillons buvaient du lait ? Et les libellules ? Apparemment, oui. Assez rapidement, le récipient se vida.

Kendra leva les yeux vers le grenier. Seules deux fenêtres donnaient du même côté de la maison. Elle se représenta la pièce derrière ces fenêtres en pignon et constata tout à coup que la salle de jeux n'occupait que la moitié du grenier.

Abandonnant le plat de lait, elle contourna la maison et vit deux nouvelles fenêtres qui correspondaient au grenier. Elle ne s'était pas trompée, il y avait bien une deuxième pièce là-haut. Pourtant, elle n'avait pas vu d'autre escalier menant dans les combles. Il devait donc exister une sorte de passage secret dans la salle de jeux ! Et peut-être que la dernière clé l'ouvrait !

Au moment où elle décidait de retourner au grenier pour chercher une porte cachée, Kendra aperçut Dale qui venait de la grange avec un autre moule à gâteaux. Elle se précipita vers lui. Quand il la vit arriver, il parut un instant mal à l'aise, puis il arbora un grand sourire.

– Qu'est-ce que vous faites ? demanda-t-elle.

– Je vais juste déposer un peu de lait à la maison, répondit-il en changeant de direction.

Un instant auparavant, il se dirigeait vers les bois.

– Ah oui ? Alors pourquoi avez-vous mis ce moule à gâteaux rempli de lait derrière la haie ?

– Derrière la haie ?

Il n'aurait pas pu avoir un air plus coupable.

– Oui, même que les papillons en boivent.

Dale s'arrêta et dévisagea Kendra d'un œil acéré.

– Tu peux garder un secret ?

– Bien sûr.

Il regarda autour de lui comme si quelqu'un pouvait les observer.

– On a des vaches laitières, ici. Elles donnent beaucoup de lait, alors je réserve une partie de l'excédent pour les insectes. Ça anime un peu le jardin.

– Pourquoi c'est un secret ?

– Je ne suis pas sûr que ton grand-père approuverait. Je ne lui ai jamais demandé la permission et il pourrait juger que c'est du gaspillage.

– Moi je trouve que c'est une bonne idée. Il y a des tas de papillons dans le jardin. Je n'en ai jamais vu autant ! Sans compter les colibris.

Dale hocha la tête.

– Moi aussi, ça me plaît bien. Ça crée une certaine atmosphère.

– Alors, vous n'alliez pas à la maison…

– Non. Ce lait n'a pas été pasteurisé, il est plein de bactéries. On pourrait attraper une foule de maladies en le buvant. En revanche, les insectes ont l'air d'en raffoler. Tu ne révéleras pas mon secret ?

– Promis !

– C'est bien, dit-il en lui lançant un clin d'œil complice.

– Où allez-vous déposer ce plat ?

– Par là-bas.

De la tête, il désigna les bois.

– Tous les jours, j'en mets un peu au bord du terrain.

– Et le lait ne tourne pas ?

– Je ne le laisse pas assez longtemps. Il y a des jours où les insectes boivent tout avant même que j'aie eu le temps de ramasser les gamelles. Ces bestioles sont assoiffées !

– Bon. Alors à plus tard, Dale.

– Tu as vu ton frère ?

– Je crois qu'il est à la maison.

– Tu en es sûre ?

Kendra haussa les épaules.

– Oui, enfin j'imagine.

Elle pivota et repartit vers la maison. Au moment où elle montait les marches du porche, elle jeta un coup d'œil en arrière et vit que Dale déposait son moule à gâteaux derrière un petit buisson rond.

CHAPITRE TROIS

LA HUTTE COUVERTE DE LIERRE

Seth se fraya un chemin parmi d'épais fourrés avant d'atteindre un petit sentier sinueux, le genre de piste que tracent les animaux. À côté se dressait un arbre ramassé et tordu, aux feuilles épineuses et à l'écorce noire. Seth examina ses manches à la recherche de tiques, scrutant le motif de camouflage. Jusqu'ici, il n'avait pas vu une seule de ces bestioles. Évidemment, il avait plus de chances d'être attaqué par des tiques qu'il ne voyait pas. Il espéra que le produit anti-insectes dont il s'était aspergé ferait de l'effet.

Il se baissa pour ramasser des pierres et édifia une petite pyramide pour marquer l'endroit où il avait croisé le sentier. Retrouver son chemin pour rentrer ne lui poserait probablement pas de problème, mais mieux valait se montrer prudent plutôt que d'avoir des regrets plus tard. S'il tardait trop, Grand-Père pourrait deviner qu'il avait désobéi.

Seth fouilla dans sa boîte de céréales et en sortit la boussole. La piste allait vers le nord-est. Il était parti vers l'est, mais les fourrés s'étaient épaissis au fur et à mesure qu'il avançait. Ce sentier était un bon prétexte pour changer un peu de direction. Il serait beaucoup plus facile de le suivre que d'essayer de s'ouvrir un chemin à travers les buissons avec un canif. Il regretta de ne pas avoir de machette.

Il suivit donc le sentier. Les grands arbres étaient très proches les uns des autres, diffusant la lumière du soleil en une lueur verdâtre mêlée d'ombres. Seth imagina que la forêt serait noire comme un four après la tombée de la nuit.

Quelque chose frémit dans les buissons. Il s'arrêta et sortit les petites jumelles en plastique de la boîte. Auscultant les alentours, il ne vit rien d'intéressant.

Il continua le long de la piste jusqu'à ce qu'un animal émerge des fourrés à moins de cinq mètres devant lui. C'était une bête ronde et hérissée, pas plus haute que ses genoux. Un porc-épic. L'animal se mit à suivre le sentier dans sa direction avec une parfaite assurance. Seth se figea. Le porc-épic était assez près, maintenant, pour qu'il puisse distinguer ses piquants minces et pointus.

Tandis que l'animal trottinait vers lui, Seth recula. Les bêtes sauvages n'étaient-elles pas censées fuir les humains ? Peut-être que celle-ci avait la rage. Ou qu'elle ne l'avait pas vu. Après tout, il portait une chemise de camouflage.

Il écarta les bras, tapa du pied par terre et gronda. Le porc-épic leva les yeux, remua le nez et se détourna du sentier. Seth l'écouta se faufiler dans le feuillage et s'éloigner.

Il inspira profondément. Pendant une minute, il avait vraiment eu peur et avait presque senti les piquants traverser son jean pour se planter dans sa jambe. Il aurait du mal à cacher son excursion dans les bois s'il ressemblait à une pelote d'épingles !

Même si ce n'était pas facile à admettre, il regrettait que Kendra ne soit pas venue. Elle aurait sûrement hurlé en voyant le porc-épic, et sa peur aurait décuplé son courage. Comme ça, il aurait pu se moquer d'elle au lieu d'être bêtement effrayé. Il n'avait jamais vu de porc-épic en liberté auparavant. Il avait été surpris de se sentir si menacé en regardant ses piquants. Et s'il marchait sur l'un d'eux, dans les fourrés ?

Il regarda autour de lui. Il avait parcouru un long chemin, mais retourner en arrière ne serait pas compliqué. Il devrait juste suivre la piste et prendre vers l'ouest. Mais s'il rentrait à la maison maintenant, il ne pourrait peut-être jamais revenir jusqu'ici.

Seth continua à avancer. Certains arbres étaient couverts de mousse et de lichen. Du lierre s'enroulait à la base de quelques-uns d'entre eux. Le sentier se partagea en deux. Consultant sa boussole, Seth vit qu'une bifurcation allait vers le nord-ouest et l'autre vers l'est. Il s'en tint à ce qu'il avait décidé et prit à l'est.

Les arbres commencèrent à s'espacer et les buissons se firent plus bas. Bientôt, il put voir beaucoup plus loin dans toutes les directions, et la forêt s'éclaira un peu. D'un côté du sentier, à la limite de son champ de vision, il aperçut quelque chose d'anormal. On aurait dit un gros cube de lierre caché entre les arbres. Comme son but, en explorant les bois, était de découvrir des choses étranges, il quitta le sentier et marcha dans cette direction.

Les fourrés lui arrivaient aux mollets et lui agrippaient les chevilles à chaque pas. Alors qu'il piétinait vers le cube, il se rendit compte que c'était un bâtiment complètement recouvert de lierre. Une sorte de grand appentis.

Il s'arrêta et regarda avec plus d'attention. Le lierre était si épais qu'il ne pouvait dire de quoi l'appentis était fait ; il ne voyait que des lianes feuillues. Il contourna l'édifice. De l'autre côté, une porte était ouverte. Seth faillit crier lorsqu'il jeta un coup d'œil à l'intérieur.

L'appentis était en fait une hutte construite autour d'une grosse souche d'arbre. À côté de la souche, vêtue de haillons, une vieille femme maigre était assise et rongeait le nœud d'une grosse corde. Ratatinée par l'âge, elle la serrait dans des mains osseuses aux articulations noueuses. Elle avait de longs cheveux emmêlés, d'une vilaine couleur jaunâtre. Un de ses yeux laiteux était injecté de sang. Il lui manquait des dents et le nœud qu'elle mâchonnait était taché du sang qui s'écoulait de ses gencives. Ses bras pâles, nus jusqu'aux épaules, étaient maigres et ridés, avec des veines bleues et quelques croûtes violettes.

Quand la vieille femme vit Seth, elle lâcha aussitôt la corde et essuya la salive rose qui perlait au coin de ses lèvres fines. Prenant appui sur la souche, elle se leva. Seth remarqua ses longs pieds, de la couleur de l'ivoire, parsemés de piqûres d'insectes. Les ongles gris de ses orteils ressemblaient à du moisi.

– Bonjour, jeune homme, qu'est-ce qui vous amène chez moi ?

Sa voix, étonnamment douce et mélodieuse, contrastait avec son apparence.

Pendant un moment, Seth ne put que la fixer. Même si elle était voûtée et tordue, la vieille femme était grande. En plus, elle sentait mauvais.

– Vous vivez ici ? finit-il par demander.

– Oui. Vous voulez entrer ?

– Pas trop. Je faisais juste une promenade.

La femme plissa les paupières.

– Drôle d'endroit pour se promener quand on est un jeune garçon seul.

– J'aime bien explorer. Ces bois appartiennent à mon grand-père.

– Ils lui appartiennent, dites-vous ?

– Est-ce qu'il sait que vous êtes ici ? demanda Seth.

– Ça dépend. Qui est-ce ?

– Stan Sorenson.

Elle eut un large sourire.

– Alors il le sait.

La corde qu'elle avait mâchée était par terre, sur le sol en terre battue. Il y avait un autre nœud à côté de celui qu'elle était en train de ronger.

– Pourquoi mordez-vous cette corde ? dit Seth.

La vieille le regarda d'un air soupçonneux.

– Je n'aime pas les nœuds.

– Vous êtes une sorte d'ermite ?

– On pourrait dire ça. Entrez, je vais vous préparer une tisane.

– Je préfère pas.

Elle baissa les yeux sur ses mains.

– Je dois avoir l'air terrible. Laissez-moi vous montrer quelque chose.

La vieille femme se tourna et s'accroupit derrière la souche. Un rat s'aventura hors d'un trou dans un coin de la cabane. Quand elle se releva, il retourna aussitôt dans sa cachette.

Elle s'assit, le dos appuyé à la souche. Elle tenait une petite poupée en bois d'environ vingt centimètres de haut. La poupée paraissait primitive, faite entièrement de bois sombre, sans habits ni visage peint, juste une silhouette humaine rudimentaire avec de petits crochets dorés aux articulations. Elle avait un bâton dans le dos. La vieille femme posa une planche sur ses genoux et se mit à faire danser le pantin en actionnant le bâton et en tapant sur la planche. Le rythme régulier avait quelque chose de musical.

– C'est quoi ce truc ? demanda Seth.

– C'est un gigueux, répondit-elle.

– Un quoi ?

– Un gigueux. Une poupée en bois, un sautilleur, comme Dan le Danseur ou Georges le Gigoteur. Je l'appelle Mendigo. Il me tient compagnie. Entrez, je vous laisserai l'essayer.

– Je préfère pas, répéta Seth. Je ne comprends pas comment vous pouvez vivre ici, dans ces conditions, et ne pas être folle.

– Parfois, les bonnes gens se lassent de la société.

La femme parut un peu agacée.

– Vous êtes tombé sur moi par hasard ? En explorant ?

– En fait, je vends des friandises pour mon équipe de foot. C'est pour une bonne cause.

Elle le fixa.

– Mais j'avoue que ça marche mieux dans les beaux quartiers.

Elle continua à le fixer.

– C'est une blague, je plaisante.

La voix de la femme se fit sévère :

– Vous êtes un jeune homme bien impudent.

– Et vous, vous vivez dans une souche d'arbre.

Elle le mesura du regard.

– Très bien, mon jeune et arrogant aventurier, pourquoi ne pas tester votre courage ? Chaque aventurier doit avoir la chance de prouver qu'il a du cran.

Elle se retira dans la cabane et s'accroupit de nouveau derrière la souche. Elle revint sur le seuil en tenant une boîte grossière toute en longueur, faite de bouts de bois, de fil de fer et de longs clous qui dépassaient.

– Qu'est-ce que c'est que ça ?

– Mettez votre main dans la boîte pour prouver votre valeur et vous gagnerez une récompense.

– Je préférerais jouer avec la marionnette.

– Mettez votre main et touchez le fond de la boîte.

Elle la secoua bruyamment. La boîte était si longue que, pour toucher le fond, il serait probablement obligé d'y mettre le bras jusqu'au coude.

– Vous êtes une sorcière ?

– Un homme à la langue bien pendue devrait être capable d'autant de courage dans ses actes que dans ses paroles.

– En tout cas, ça ressemble au genre de chose que ferait une sorcière.

– Prenez garde à ce que vous dites, jeune homme, ou votre trajet de retour pourrait s'avérer des plus déplaisants.

Seth recula sans la quitter des yeux.

– Je ferais mieux d'y aller. Amusez-vous bien à ronger votre corde.

Elle fit claquer sa langue.

– Quelle insolence !

Sa voix restait calme et douce, mais contenait une pointe de menace.

– Pourquoi ne pas entrer et prendre une tasse de tisane ?

– Une autre fois !

Seth contourna la hutte, sans détacher les yeux de la femme en haillons debout sur le seuil. Elle ne fit pas mine de le poursuivre. Avant qu'il ne disparaisse de sa vue, elle leva une main arthritique, les doigts du milieu croisés et les autres repliés. Les yeux mi-clos, elle parut marmonner quelque chose. Puis Seth ne la vit plus.

De l'autre côté de la cabane, il plongea dans les fourrés pour rejoindre le sentier, sans cesser de regarder par-dessus son épaule. La vieille femme ne le suivait pas. Le seul fait d'apercevoir la hutte couverte de lierre le faisait frissonner. Cette vieille mégère avait l'air si bizarre et elle sentait tellement mauvais ! Pas question de mettre la main dans son étrange boîte. Quand elle lui avait lancé ce défi, il n'avait pu s'empêcher de penser à ce qu'il avait appris à l'école – que les dents des requins étaient inclinées vers l'arrière pour que les poissons puissent entrer, mais pas ressortir. Il imaginait que cette boîte faite de bric et de broc était pleine de clous ou de bouts de verre inclinés de la même manière.

La femme avait beau ne pas le suivre, Seth ne se sentait pas tranquille. Sa boussole à la main, il se hâta le long du sentier pour rentrer à la maison. Sans prévenir, quelque chose le frappa à l'oreille, à peine assez fort pour que cela fasse mal. Un caillou de la taille d'un dé à coudre tomba à ses pieds.

Seth fit une pirouette sur lui-même. Quelqu'un lui avait lancé un caillou, mais il n'y avait personne. Est-ce que la vieille femme le suivait en cachette ? Elle connaissait probablement les bois comme sa poche.

Un autre petit objet rebondit sur sa nuque. Ce n'était pas aussi dur ni aussi lourd qu'un caillou. En se tournant, il vit un gland arriver droit vers lui et se baissa pour l'éviter. Les glands et le caillou étaient venus des deux côtés du sentier. Que se passait-il ?

Un craquement de bois résonna au-dessus de lui, puis une grosse branche s'abattit dans son dos, quelques feuilles et brindilles l'effleurant au passage. S'il s'était trouvé deux ou trois mètres en arrière, la branche, qui était plus grosse que sa jambe, l'aurait assommé.

Il jeta un regard au branchage et détala sur le sentier à toute allure. Il lui sembla entendre des frôlements dans les buissons de chaque côté de la petite piste, mais il ne ralentit pas pour voir ce que c'était.

Soudain, quelque chose lui saisit vigoureusement la cheville et le fit tomber. Affalé à plat ventre, une coupure à la main et la bouche pleine de terre, il entendit quelque chose bouger dans le feuillage derrière lui, puis un son étrange qui ressemblait à la fois à un rire et à de l'eau qui coule. Une branche se brisa dans un bruit aussi sec qu'un coup de feu. Sans regarder derrière lui, de peur de ce qu'il pourrait voir, Seth se releva et fonça en avant.

Ce qui l'avait fait trébucher n'était ni une racine, ni une pierre. Il avait eu l'impression que c'était plutôt une grosse corde tendue en travers du sentier. Un piège. Il n'avait rien vu de tel à l'aller, mais il était impossible que ce soit un tour de la vieille femme, même en imaginant qu'elle s'était mise à courir dès qu'il avait disparu de sa vue.

Seth passa en courant devant l'endroit où le sentier se partageait en deux et continua par où il était venu. Il inspectait la piste devant lui pour repérer d'éventuels fils de fer ou autres pièges. Il avait le souffle court, mais il ne ralentit pas. L'air lui paraissait plus chaud et plus humide que dans la journée. De la sueur commença à mouiller son front et à couler le long de son visage.

Il cherchait des yeux la petite pyramide de pierres qui indiquerait l'endroit où il devrait quitter le sentier. Lorsqu'il atteignit un petit arbre tordu aux feuilles épineuses et à l'écorce noire, il s'arrêta. Il se rappelait cet arbre. Il l'avait remarqué quand il avait coupé le sentier. À partir de ce repère, il trouva l'endroit où il avait entassé les pierres, mais elles n'étaient plus là.

Des feuilles craquèrent derrière lui d'un côté de la piste. Seth jeta un coup d'œil à sa boussole pour vérifier qu'il allait bien vers l'ouest et s'enfonça en courant dans les bois. Il avait parcouru ce chemin en prenant son temps, à l'aller, examinant des champignons vénéneux et des pierres singulières. À présent, il filait à toute vitesse. Les fourrés lui écorchaient les jambes, des branches lui cinglaient le visage et la poitrine.

Finalement, à bout de souffle, l'énergie que lui avait donnée sa panique s'épuisant, il aperçut la maison devant lui à travers les arbres. Les bruits de poursuite s'étaient tus. Quand il pénétra dans les jardins ensoleillés, Seth se demanda s'il avait vraiment entendu quelque chose le poursuivre, ou si cela avait été le fruit de son imagination affolée.

Le mur situé en face des fenêtres, dans la salle de jeux, était occupé par plusieurs étagères pleines de livres et par la porte qui donnait sur l'escalier. En outre, un des volumineux portants était poussé contre ce mur.

Kendra tenait à la main un livre bleu incrusté de lettres dorées, intitulé *Journal des secrets*. Il était protégé par trois solides fermoirs, chacun doté d'une serrure. La dernière clé que Grand-Père Sorenson lui avait donnée ne correspondait à aucune d'entre elles, mais la petite en or qu'elle avait trouvée dans l'armoire de la maison de poupée ouvrait celle du bas. Ainsi, elle avait pu ouvrir un fermoir.

Elle avait découvert le livre en fouillant les étagères, à la recherche d'un déclic actionnant un passage secret. En montant sur un tabouret, elle avait atteint les rayonnages les plus hauts mais jusqu'à présent, elle n'avait rien trouvé. Aucune trace d'une porte secrète. Lorsqu'elle avait remarqué ce livre fermé au titre captivant, elle avait arrêté ses recherches pour essayer les clés.

Le fermoir inférieur déverrouillé, Kendra essaya de soulever le coin du livre pour jeter un coup d'œil à l'intérieur. Mais la couverture était rigide et la reliure solide. Il fallait qu'elle trouve les autres clés.

Elle entendit quelqu'un monter l'escalier en trombe et sut que ce ne pouvait être qu'une seule personne. Elle rangea prestement le livre et mit les clés dans sa poche. Elle ne voulait pas que son frère, qui se mêlait de tout, interfère dans son mystère.

Seth fit irruption dans la pièce et claqua la porte derrière lui. Il était tout rouge et avait le souffle court. Son jean portait des taches de terre au niveau des genoux, et son visage était maculé de sueur et de boue.

– Tu aurais dû venir, dit-il dans un soupir, en s'affalant sur son lit.

– Tu vas salir le dessus de lit.

– C'était terrifiant, mais super.

– Que s'est-il passé ?

– J'ai trouvé un sentier dans les bois et j'ai rencontré une vieille femme bizarre qui vit dans une hutte. Je crois que c'est une sorcière, une vraie !

– Si tu le dis.

Seth roula sur lui-même et regarda sa sœur.

– Je suis sérieux. Tu aurais dû la voir, elle était affreuse.

– Toi aussi tu es affreux.

– Non, je veux dire vraiment dégoûtante, pleine de croûtes… Elle rongeait une vieille corde et elle a essayé de me faire mettre la main dans une espèce de boîte.

– Et tu l'as fait ?

– Tu plaisantes ! J'ai déguerpi, mais elle m'a poursuivi. Elle m'a jeté des pierres et a fait tomber une grosse branche sur moi. Elle aurait pu me tuer !

– Tu dois vraiment t'ennuyer pour inventer des trucs pareils.

– Mais c'est vrai !

– Je demanderai à Grand-Père Sorenson s'il y a des gens qui vivent dans les bois, déclara Kendra.

– Non ! Il saura que j'ai désobéi.

– Tu ne crois pas qu'il aurait envie de savoir qu'une sorcière a construit une cabane sur sa propriété ?

– Elle semblait le connaître, mais je suis allé très loin. J'avais peut-être dépassé les limites de son domaine.

– Ça m'étonnerait, je crois qu'il possède tout à des lieues à la ronde.

Seth s'allongea, croisant les mains sous sa tête.

– Tu devrais venir la voir avec moi. Je pourrai retrouver le chemin.

– Tu es fou ? Tu dis qu'elle a essayé de te tuer.

– On devrait l'espionner pour trouver ce qu'elle mijote.

– S'il y a vraiment une vieille femme bizarre qui vit dans la forêt, tu devrais le dire à Grand-Père pour qu'il prévienne la police.

Seth s'assit.

– D'accord, laisse tomber, j'ai tout inventé. Tu te sens mieux ?

Kendra plissa les paupières.

– J'ai trouvé un autre truc super, reprit Seth. Tu as vu la cabane dans l'arbre ?

– Non.

– Tu veux que je te la montre ?

– Elle est dans le jardin ?

– Oui, juste au bord.

– Alors d'accord.

Kendra et Seth sortirent et traversèrent la pelouse. Effectivement, dans le coin du terrain à l'opposé de la grange, une cabane bleu clair était perchée dans un gros arbre. Elle donnait sur le bois, ce qui fait qu'on la remarquait à peine lorsqu'on était dans le jardin. La peinture s'écaillait un peu, mais elle était couverte de bardeaux et les fenêtres avaient des rideaux. Des planches avaient été clouées le long du tronc pour former une échelle.

Seth monta le premier. Les marches menaient à une trappe, qu'il souleva. Kendra grimpa après lui.

À l'intérieur, la cabane paraissait plus grande que vue du sol. Elle contenait une petite table et quatre chaises. Sur la table étaient étalées les pièces d'un puzzle. Deux seulement avaient été assemblées.

– C'est pas mal, dit Seth. Et j'ai commencé le puzzle.

– Magnifique ! Tu as l'air très doué, ironisa Kendra.

– Je n'y ai pas travaillé longtemps.

– Tu as trouvé tous les bords, au moins ?

– Non.

– C'est toujours par là qu'il faut commencer.

Kendra s'assit et se mit à chercher les bords du puzzle. Seth prit une chaise et l'aida.

– Je croyais que tu n'aimais pas les puzzles, dit-elle.

– C'est plus drôle de les faire dans un arbre.

– C'est sûr.

Seth trouva une pièce et la plaça.

– Tu crois que Grand-Père me laisserait m'installer ici ?

– Tu débloques !

– Il me faudrait juste un sac de couchage.

– Tu auras peur dès qu'il fera nuit.

– Mais non.

– Et puis… la sorcière pourrait venir te chercher.

Au lieu de répondre, Seth se concentra sur le puzzle. Kendra se rendit compte que sa remarque l'avait touché. Elle décida de ne pas le taquiner davantage. Le fait qu'il semble effrayé par la femme qu'il avait rencontrée dans les bois donnait du crédit à son histoire. Seth ne se laissait pas effrayer facilement. Il avait déjà sauté d'un toit en pensant – à tort – qu'un sac poubelle pouvait servir de parachute. Il avait aussi mis la tête d'un serpent vivant dans sa bouche pour gagner un pari.

Ils trouvèrent les coins et avaient presque fini le contour du puzzle quand ils entendirent Léna qui les appelait pour dîner.

CHAPITRE QUATRE

L'ÉTANG CACHÉ

La pluie tambourinait sans arrêt sur le toit. Kendra n'avait jamais entendu une averse aussi bruyante. Mais après tout, elle ne s'était jamais retrouvée dans un grenier sous des trombes d'eau. Il y avait quelque chose de relaxant dans ce bruit régulier, si constant qu'on finissait presque par ne plus l'entendre.

Debout à la fenêtre près du télescope, elle contemplait le déluge. La pluie tombait tout droit, avec force. Il n'y avait pas de vent, juste des rideaux de gouttes de pluie qui zébraient le ciel et se fondaient en un brouillard gris dans le lointain. La gouttière en dessous d'elle était sur le point de déborder.

Seth peignait, assis sur un tabouret. Léna lui avait préparé des toiles avec des nombres indiquant les couleurs à employer, dessinant avec une rapidité d'experte, créant chaque image à sa demande. Pour l'instant, il peignait un dragon luttant contre un chevalier au milieu d'un désert fumant. Léna avait dessiné les tableaux avec une foule de détails, y compris des jeux d'ombres et de lumière, si bien que le résultat valait vraiment le coup d'œil. Elle avait montré à Seth comment faire les mélanges et lui avait fourni des échantillons des couleurs qui correspondaient aux nombres. Pour ce tableau, elle avait utilisé plus de quatre-vingt-dix nuances différentes.

Kendra avait rarement vu son frère montrer autant d'application qu'il en mettait à peindre. Après quelques brèves leçons sur la façon d'appliquer la peinture et l'usage des différents pinceaux, il avait déjà fini une grande toile représentant des pirates attaquant une ville, et une plus petite sur laquelle un charmeur de serpents s'écartait d'un cobra prêt à frapper. Deux tableaux impressionnants en trois jours. Il avait attrapé le virus ! Et il avait presque terminé son dernier projet.

Kendra s'approcha des étagères de livres et passa la main sur le dos des volumes. Elle avait fouillé la pièce à fond et n'avait toujours pas trouvé la dernière serrure ni de passage secret menant à l'autre partie du grenier. Seth pouvait être insupportable, mais maintenant qu'il était absorbé par sa peinture, il commençait à lui manquer.

Léna lui dessinerait peut-être une toile, à elle aussi. Kendra avait commencé par refuser, car elle avait cru qu'il s'agissait de faire du coloriage. Mais en voyant le résultat, elle trouvait cette activité beaucoup moins puérile.

Elle ouvrit la porte et descendit l'escalier. La maison était tranquille, plongée dans la pénombre. Le bruit de la pluie devenait plus lointain tandis qu'elle s'éloignait du grenier. Elle longea le couloir et descendit les marches qui menaient au rez-de-chaussée.

La maison paraissait trop silencieuse. Toutes les lampes étaient éteintes, mais il y avait quand même une faible lumière.

– Léna ?

Pas de réponse.

Kendra traversa la salle de séjour, la salle à manger et pénétra dans la cuisine. Aucun signe de la gouvernante. Était-elle partie ?

L'adolescente ouvrit la porte du sous-sol et scruta l'escalier qui descendait dans l'obscurité. Les marches étaient en pierre, comme celles qui conduiraient à un cachot.

– Léna ? appela-t-elle encore, d'une voix incertaine.

La domestique n'était sûrement pas descendue dans le noir.

Kendra retourna dans le vestibule et fit glisser la porte du bureau. Comme elle n'était pas encore entrée dans cette pièce, elle remarqua d'abord l'énorme bureau encombré de livres et de papiers. La tête massive d'un sanglier aux défenses proéminentes était accrochée au mur. Une collection de masques en bois grotesques était posée sur une étagère. Des trophées de golf s'alignaient sur une autre. Des plaques décoraient les murs lambrissés, ainsi qu'un sous-verre exposant des médailles militaires et des rubans. Il y avait une photo en noir et blanc de Grand-Père Sorenson beaucoup plus jeune, exhibant un énorme marlin. Sur le bureau, une boule en verre au socle plat contenait une étrange réplique d'un crâne humain pas plus gros que l'ongle d'un pouce. Kendra referma la porte du bureau.

Elle visita encore le garage, le salon et la pièce familiale. Léna était peut-être allée faire des courses.

Elle sortit sous le porche de derrière, abritée de la pluie par l'auvent. Elle adorait l'odeur fraîche et mouillée de l'averse. Il continuait à pleuvoir très fort et des flaques se formaient dans le jardin. Où les papillons s'abritaient-ils de ces trombes d'eau ?

C'est alors qu'elle vit Léna. La gouvernante était agenouillée dans la boue à côté d'un buisson couvert de grosses roses bleues et blanches, complètement trempée. Apparemment, elle désherbait. Ses cheveux blancs étaient plaqués sur sa tête et sa blouse ruisselait.

– Léna ?

La domestique leva les yeux, sourit et fit un signe de main.

Kendra prit un parapluie dans le placard de l'entrée et rejoignit Léna dans le jardin.

– Vous dégoulinez, dit-elle.

Léna arracha une mauvaise herbe.

– La pluie est chaude. J'aime bien être dehors par ce temps.

Elle mit la mauvaise herbe dans un gros sac poubelle.

– Mais vous allez prendre froid !

– Je ne suis pas souvent malade.

La gouvernante s'arrêta pour contempler les nuages.

– Ça ne durera plus très longtemps.

Kendra pencha le parapluie en arrière et regarda le ciel. Il était gris de tous les côtés.

– Vous croyez ?

– Attends et tu verras. La pluie s'arrêtera dans l'heure.

– Vos genoux sont pleins de boue.

– Tu dois me prendre pour une folle !

La petite femme se leva et étendit les bras sur les côtés, renversant la tête en arrière.

– Est-ce que tu regardes parfois la pluie d'en bas, Kendra ? On dirait que le ciel tombe.

Kendra pencha de nouveau le parapluie. Des millions de gouttes se précipitaient sur elle ; certaines lui picotaient le visage et la faisaient battre des cils.

– Ou qu'on s'envole vers les nuages, dit-elle.

– Je suppose que je devrais te faire rentrer avant que mes habitudes peu courantes déteignent sur toi.

– Non, je ne voulais pas vous déranger.

S'abritant de nouveau sous le parapluie, Kendra essuya des gouttes d'eau sur son front.

– Je présume que vous ne voulez pas le parapluie.

– Cela gâcherait tout. Je ne vais pas tarder.

Kendra rentra dans la maison et jeta un coup d'œil à Léna par une fenêtre. Cette scène était si particulière qu'elle ne put s'empêcher d'observer la gouvernante. Parfois Léna travaillait, parfois elle respirait une fleur ou caressait ses pétales. Et la pluie continuait à tomber.

Kendra était assise sur son lit à lire des poèmes de Shel Silverstein, quand la pièce s'éclaira tout à coup. Le soleil était réapparu.

Léna ne s'était pas trompée. La pluie s'était arrêtée quarante minutes environ après sa prédiction. La gouvernante était rentrée, s'était changée et préparait des sandwiches.

Au bout de la salle de jeux, le tableau du chevalier chargeant le dragon était terminé. Seth était sorti. Kendra se sentait paresseuse.

Alors qu'elle reportait son attention sur le dernier poème, Seth surgit dans la pièce, hors d'haleine. Il était en chaussettes, les vêtements maculés de boue.

– Il faut que tu viennes voir ce que j'ai trouvé dans les bois.

– Une autre sorcière ?

– Non, quelque chose de bien plus chouette.

– Un campement de vagabonds ?

– Je ne te le dirai pas ; tu dois venir voir !

– Ça concerne des ermites ou des fous ?

– Pas des gens.

– C'est loin des jardins ?

– Pas tellement.

– On pourrait avoir des ennuis, et en plus il y a de la boue dehors.

– Grand-Père cache un parc magnifique dans les bois, lâcha Seth.

– Quoi ?!

– Il faut que tu viennes voir. Mets des bottes ou quelque chose comme ça.

Kendra referma son livre.

Le soleil apparaissait et disparaissait au gré des nuages. Une douce brise agitait les feuilles. Les bois sentaient l'humus. Alors qu'elle enjambait une branche pourrissante, Kendra poussa un cri en voyant une grenouille blanche et luisante.

Seth se retourna.

– Impressionnant.

– Dégoûtant, tu veux dire !

– Je n'avais jamais vu de grenouille blanche, dit Seth.

Il essaya d'attraper l'animal, mais la grenouille fit un énorme bond quand il s'approcha.

– Waouh ! Cette bestiole vole !

Il fouilla les fourrés où la grenouille avait atterri, sans rien trouver.

– Dépêche-toi, dit Kendra en regardant derrière elle le chemin qu'ils avaient parcouru.

La maison n'était plus visible. L'adolescente ne pouvait se débarrasser de la nervosité qui lui nouait l'estomac et la mettait mal à l'aise.

Contrairement à son petit frère, il n'était pas dans la nature de Kendra de désobéir. Au collège, elle était toujours au premier rang, avait des notes presque parfaites, gardait sa chambre en ordre et travaillait son piano tous les jours. Seth, en revanche, était abonné aux mauvaises notes, ne faisait pas ses devoirs et récoltait souvent des retenues. Mais c'était aussi un garçon qui avait plein de copains. C'était peut-être ça, sa méthode.

– Pourquoi on se dépêche ? demanda Seth.

Seth reprit les devants, ouvrant une piste dans les fourrés.

– Plus on part longtemps, plus on a de chances que quelqu'un se rende compte de notre absence.

– Ce n'est plus très loin. Tu vois cette haie ?

Ce n'était pas vraiment une haie, plutôt une haute barrière de buissons.

– Tu appelles ça une haie ?

– Le parc est juste derrière.

Le mur de broussailles s'étendait aussi loin que Kendra pouvait voir, dans les deux directions.

– Comment on va faire pour la contourner ?

– On va la traverser, tu vas voir.

Ils atteignirent les buissons et Seth tourna à gauche, étudiant la barricade feuillue, s'accroupissant de temps en temps pour mieux voir. Les buissons emmêlés faisaient plus de trois mètres de haut et paraissaient vraiment très épais.

– Voilà, je crois que je suis passé par là.

Il y avait un trou entre deux buissons. Seth se mit à quatre pattes et se faufila à l'intérieur.

– Tu vas ramasser un milliard de tiques !

– Elles se cachent après la pluie, répondit-il avec une parfaite assurance.

Kendra se baissa et le suivit.

– Finalement, ça ne devait pas être par là, reconnut Seth. C'est un peu plus touffu, mais ça devrait marcher.

Maintenant, il rampait à plat ventre.

– J'espère pour toi que ça vaut vraiment le coup.

Kendra rampait, les paupières plissées. Le sol était froid et humide, et des gouttes tombaient des buissons qu'elle traversait.

Seth atteignit l'autre côté et se redressa. Kendra se faufila aussi et ouvrit de grands yeux en se relevant.

Devant elle s'étalait un étang magnifique, d'environ deux cents mètres de long et autant de large, avec une petite île verdoyante au milieu. Une série d'élégants pavillons entouraient la nappe d'eau, reliés par une promenade faite de planches peintes en blanc. Des plantes grimpantes fleuries garnissaient les treillis qui bordaient cette impressionnante promenade. Des cygnes gracieux glissaient sur l'eau. Des papillons et des colibris voletaient parmi les fleurs. À l'autre bout de l'étang, des paons se pavanaient et faisaient la roue.

– Incroyable ! s'exclama Kendra à mi-voix.

– Suis-moi.

Seth s'élança à travers la pelouse verte et bien tondue vers le pavillon le plus proche. Kendra regarda en arrière et comprit pourquoi son frère avait appelé la barrière de buissons une haie. De ce côté, les buissons étaient taillés avec soin. La haie entourait tout l'endroit, avec une entrée arrondie sur un côté.

– Pourquoi on n'est pas passés par l'entrée ? demanda Kendra, trottinant derrière son frère.

– C'était un raccourci.

Seth s'arrêta devant les marches blanches qui menaient au pavillon pour cueillir un fruit d'un espalier.

– Goûtes-en un.

– Tu devrais d'abord le laver, dit Kendra.

– Il vient de pleuvoir.

Il mordit dans le fruit.

– C'est super bon !

Kendra en prit un à son tour. C'était la nectarine la plus sucrée qu'elle eût jamais goûtée.

– Génial !

Ils gravirent ensemble les marches de l'extravagant pavillon. La rampe était parfaitement lisse. L'édifice avait beau être exposé aux éléments, le bois était superbement entretenu : la peinture n'était pas écaillée et il n'y avait ni fentes ni échardes.

Le pavillon était meublé de canapés et de fauteuils en rotin blanc. À certains endroits, des plantes grimpantes avaient été tressées en couronnes et en guirlandes. Un oiseau aux couleurs vives était juché sur un grand perchoir et les regardait de haut.

– Regarde ! Un perroquet ! s'exclama Kendra.

– La dernière fois, j'ai vu des singes, déclara Seth. De petits chimpanzés aux longs bras qui se balançaient un peu partout. Il y avait aussi une chèvre mais elle s'est sauvée quand qu'elle m'a aperçu.

Il détala, courant bruyamment sur les planches. Kendra le suivit plus lentement, s'imprégnant du paysage. On aurait dit le décor d'un mariage de conte de fées. Elle compta douze pavillons, tous uniques. L'un d'eux possédait une petite jetée blanche qui s'avançait dans l'étang. Elle était reliée à un appentis flottant qui devait être un abri à bateaux.

Kendra se promena derrière Seth, dont le vacarme faisait fuir les cygnes à l'autre bout de l'étang, laissant des rides en forme de V derrière eux. Le soleil sortit des nuages et resplendit sur l'eau.

Pourquoi Grand-Père Sorenson gardait-il un tel endroit secret ? C'était une vraie merveille ! Pourquoi se donner la peine de l'entretenir si ce n'était pas pour en profiter ? Des centaines de personnes pouvaient se réunir ici, largement.

Kendra alla au pavillon qui avait une jetée et constata que l'abri à bateaux était fermé à clé. Il n'était pas grand et elle supposa qu'il contenait des canoës ou des barques. Peut-être que leur grand-père leur donnerait l'autorisation de ramer sur l'étang ? Mais elle ne pouvait même pas lui dire qu'elle connaissait cet endroit ! Était-ce pour cela qu'il leur avait parlé des tiques et interdit d'aller dans les bois ? Pour garder son petit paradis caché ? Pouvait-il être aussi égoïste et cachottier ?

Kendra fit un tour complet de l'étang, marchant tout le long sur des planches à la propreté parfaite. De l'autre côté, Seth cria, et un petit groupe de cacatoès s'envola. Le soleil se cacha derrière des nuages. Il fallait qu'ils rentrent. L'adolescente se dit qu'elle pourrait toujours revenir plus tard.

Kendra fronça les sourcils en coupant son steak. L'intérieur était rose, presque rouge au milieu. Grand-Père Sorenson et Dale avaient l'air de se régaler.

– Est-ce que mon steak est cuit ? se risqua-t-elle à demander.

– Bien sûr qu'il est cuit, répondit Dale, la bouche pleine.

– Il est rouge au milieu.

– C'est la seule façon de manger un steak : bleu, déclara Grand-Père en s'essuyant la bouche avec sa serviette. Ainsi, il reste juteux et tendre. Si tu le cuis complètement, tu pourrais aussi bien manger de la semelle.

Kendra regarda Léna.

– Tu peux y aller, ma chérie, dit la gouvernante. Tu ne seras pas malade, je l'ai fait suffisamment cuire.

– Moi ça me va comme ça, annonça Seth en mâchant. Il y a du ketchup ?

– Pourquoi gâcher ce délicieux steak avec du ketchup ? se lamenta Dale.

– Vous en mettez bien sur vos œufs, lui rappela Léna en posant la bouteille devant Seth.

– Ça n'a rien à voir. Du ketchup et des oignons, c'est indispensable sur des œufs.

– Ça me donne mal au cœur, dit Seth en retournant la bouteille sur son steak.

Kendra prit une bouchée de pommes de terre à l'ail. Elles avaient bon goût. Rassemblant son courage, elle goûta le steak. Bien assaisonné, il était beaucoup plus facile à mâcher que tous les autres steaks qu'elle avait mangés dans sa vie.

– C'est vrai qu'il est délicieux, reconnut-elle.

– Merci, ma chérie, dit Léna.

Ils mangèrent en silence. Au bout d'un moment, Grand-Père se tamponna de nouveau la bouche et s'éclaircit la gorge.

– À votre avis, pourquoi les gens sont-ils incapables de résister à l'envie d'enfreindre les règles ?

Kendra sentit monter une bouffée de culpabilité. Sa question, lancée à la cantonade, planait dans l'air, attendant une réponse. Comme personne ne réagissait, Grand-Père reprit :

– Est-ce simplement par pur plaisir de désobéir ? L'excitation de se rebeller ?

Kendra jeta un coup d'œil à Seth. Il fixait son assiette, picorant ses pommes de terre.

– Est-ce que les règles étaient injustes, Kendra ? Me suis-je montré déraisonnable ?

– Non.

– Vous ai-je laissés sans rien à faire, Seth ? Sans piscine ? Sans cabane dans l'arbre ? Sans jouets ni passe-temps ?

– C'est vrai, on avait de quoi faire.

– Alors pourquoi êtes-vous allés dans les bois ? Je vous avais avertis que cela aurait des conséquences.

– Pourquoi est-ce que tu caches des vieilles femmes bizarres dans ta forêt ? lança Seth.

– Des vieilles femmes bizarres ? releva Grand-Père.

– Oui, bizarres. Qu'est-ce que tu dis de ça ?

Grand-Père hocha la tête d'un air pensif.

– Elle a une vieille corde pourrie. Tu n'as pas soufflé dessus, au moins ?

– Je ne me suis pas approché d'elle. Elle me fichait la trouille.

– Elle est venue me voir et m'a demandé si elle pouvait construire une hutte sur ma propriété. Elle m'a promis de rester tranquille. Je n'y ai pas vu de mal. Vous ne devriez pas aller l'ennuyer.

– Seth a découvert ton refuge secret, déclara Kendra. Il voulait que je le voie et ma curiosité l'a emporté.

– Mon refuge secret ?

– Un grand étang ? Une jolie promenade ? Des perroquets, des cygnes et des paons ?

Grand-Père regarda Dale, muet. Dale haussa les épaules.

– J'espérais que tu nous emmènerais faire un tour en barque, ajouta Kendra.

– Qui t'a parlé de barques ?

Elle leva les yeux au ciel.

– J'ai vu l'abri à bateaux, Grand-Père.

Il leva les mains et secoua la tête.

Kendra posa sa fourchette.

– Pourquoi laisses-tu un si bel endroit inutilisé ?

– C'est mon affaire. La vôtre était d'obéir à mes règles, pour votre propre protection.

– On n'a pas peur des tiques, déclara Seth.

Grand-Père croisa les mains et baissa les yeux.

– Je n'ai pas été tout à fait honnête sur la raison pour laquelle vous devez vous tenir à l'écart des bois.

Il releva les yeux.

– Sur mes terres, je fournis un refuge à des animaux dangereux, dont beaucoup sont en péril. Ça comprend des serpents, des crapauds, des araignées et des scorpions venimeux, ainsi que de plus grosses bêtes : des loups, des grands singes, des panthères. J'utilise des produits chimiques et d'autres moyens pour les éloigner des jardins, mais les bois sont extrêmement dangereux. En particulier l'île qui se trouve au milieu de l'étang. Elle est infestée de taïpans, également appelés « serpents redoutables », les serpents les plus mortels connus des hommes.

– Pourquoi tu ne nous as pas prévenus ? demanda Kendra.

– Ma réserve est un secret. J'ai toutes les autorisations nécessaires, mais si mes voisins se plaignaient, elles pourraient être révoquées. Vous ne devez rien dire à personne, pas même à vos parents.

– On a vu une grenouille blanche, dit Seth, le souffle court. Elle était venimeuse ?

Grand-Père hocha la tête.

– Mortelle ! En Amérique centrale, les indigènes s'en servent pour confectionner des flèches empoisonnées.

– Seth a essayé de l'attraper.

– S'il avait réussi, dit gravement Grand-Père, il n'aurait pas survécu.

Seth déglutit.

– Je ne retournerai plus jamais dans les bois.

– J'y compte bien. Néanmoins, une règle ne vaut rien si la punition n'est pas appliquée. Vous devrez donc rester dans votre chambre jusqu'à la fin de votre séjour.

– Quoi ? s'exclama Seth. Mais tu nous as menti ! Avoir peur des tiques est une mauvaise raison pour ne pas aller dans les bois ! Je croyais que tu nous traitais comme des bébés !

– Vous auriez dû m'en parler, déclara Grand-Père. Est-ce que je n'ai pas été clair sur les règles et leurs conséquences ?

– Tu n'as pas été clair sur les raisons, répliqua Seth.

– C'est mon droit. Je suis votre grand-père, et c'est ma propriété.

– Et moi je suis ton petit-fils. Tu devais me dire la vérité. Tu ne donnes pas le bon exemple.

Kendra s'efforça de ne pas rire. Seth jouait à l'avocat. Il essayait toujours de manœuvrer de la sorte avec leurs parents pour se tirer d'embarras. Parfois, il marquait de très beaux points.

– Qu'en penses-tu, Kendra ? demanda Grand-Père.

Elle ne s'attendait pas à ce qu'il lui demande son avis. Elle tenta de rassembler ses idées.

– Eh bien, je suis d'accord sur le fait que tu ne nous as pas dit la vérité. Je ne serais jamais allée dans les bois si j'avais su qu'il y avait des animaux dangereux.

– Moi non plus, assura Seth.

– J'ai établi deux règles simples, vous les avez comprises et vous en avez enfreint une. Vous pensez que vous ne devriez pas être punis juste parce que j'ai choisi de ne pas vous donner toutes mes raisons ?

– Oui, dit Seth. Pour cette fois.

– Cela ne me semble pas juste, déclara Grand-Père. Si les punitions ne sont pas appliquées, les règles perdent tout leur pouvoir.

– Mais nous ne recommencerons pas, insista Seth. On le promet. Tu ne vas pas nous enfermer dans la maison pendant deux semaines !

– Ne me blâmez pas. C'est vous qui vous êtes punis en enfreignant les règles. Kendra, qu'est-ce qui te paraîtrait juste ?

– Peut-être que tu pourrais nous donner une punition réduite, comme avertissement, et toute la punition si on désobéit encore.

– Une punition réduite… réfléchit Grand-Père. Pour que vous payiez votre désobéissance, mais en vous laissant une chance. Je pourrais accepter ça. Seth ?

– Ce serait mieux que la punition entière.

– C'est réglé. Je réduis votre punition à un seul jour. Demain vous passerez la journée dans le grenier. Vous pourrez descendre pour les repas et pour aller à la salle de bains, mais c'est tout. Enfreignez encore une de mes règles, et vous ne quitterez plus le grenier avant le retour de vos parents. C'est compris ?

– Oui, répondit Kendra.

Seth hocha la tête.

CHAPITRE CINQ

LE JOURNAL DES SECRETS

– Tu as remarqué la serrure sous le ventre de la licorne ? demanda Seth.

Il était allongé par terre à côté de la jolie licorne à bascule, les mains sous la tête.

Kendra leva les yeux de sa peinture. Elle avait demandé à Léna de lui préparer une toile avec des nombres pour l'aider à supporter son emprisonnement. Elle voulait peindre les pavillons au bord de l'étang, et Léna avait rapidement dessiné le paysage avec une précision étonnante, comme si elle connaissait l'endroit parfaitement. Seth avait refusé de faire une autre toile. Enfermé au grenier ou non, il en avait assez de peindre.

– Une serrure ?

– Tu ne cherchais pas des serrures ?

Kendra se leva de son tabouret et vint s'accroupir près de son frère. Il y avait en effet une minuscule serrure sous le ventre de la licorne. Elle alla prendre les clés dans le tiroir de sa table de nuit. La troisième clé que Grand-Père Sorenson lui avait donnée correspondait. Une petite trappe s'ouvrit. Il en tomba plusieurs chocolats en forme de roses, enveloppés dans du papier doré, identiques à celui qu'elle avait trouvé dans l'armoire miniature.

– Qu'est-ce que c'est ? demanda Seth.

– C'est du savon, ça ne se voit pas ?

Kendra passa la main dans la trappe et tâta l'intérieur de la licorne. Elle trouva d'autres chocolats et une petite clé en or comme celle de l'armoire. La deuxième clé du journal !

– On dirait plutôt des bonbons, dit Seth en prenant un des dix chocolats.

– Prends-en un, ils sont parfumés. Comme ça, tu sentiras meilleur.

Seth défit un papier.

– Drôle de couleur, pour du savon. Ça sent plutôt le chocolat.

Il en fourra un dans sa bouche et ses sourcils se relevèrent.

– C'est super bon !

– Puisque c'est toi qui as trouvé la serrure, on n'a qu'à faire moitié-moitié ?

Au moins, comme ça, Kendra était sûre qu'il ne les mangerait pas tous.

– Ça me paraît correct.

Il en prit quatre autres.

Kendra mit ses cinq chocolats dans le tiroir de sa table de nuit et en sortit le livre verrouillé. Ainsi qu'elle s'y attendait, la deuxième clé en or ouvrit un autre fermoir. Où pouvait être la troisième ?

Elle se frappa le front. Les deux premières étaient cachées dans des objets que les autres clés ouvraient. La dernière devait être dans le coffret à bijoux !

Elle ouvrit le coffret et fouilla dans les compartiments pleins de pendentifs scintillants, de broches et de bagues. Et en effet, cachée sur un bracelet à breloques, elle trouva une petite clé en or assortie aux deux autres.

Kendra traversa la pièce d'un pas vif et glissa la clé dans la dernière serrure du *Journal des secrets*. Le dernier fermoir céda et elle ouvrit le livre. La première page était blanche. La deuxième aussi. Elle feuilleta rapidement le volume. Toutes les pages étaient blanches, ce n'était qu'un livre vide. Grand-Père Sorenson essayait-il de l'encourager à tenir un journal ?

Mais ce jeu de piste avec les clés avait été si tordu... Peut-être y avait-il un autre tour là-dedans. Un message caché, de l'encre invisible ou quelque chose dans le genre. Comment faisait-on pour déchiffrer de l'encre invisible, déjà ? Il fallait l'asperger de jus de citron et tendre la feuille à la lumière ? Un truc comme ça. On pouvait aussi frotter doucement la page avec un crayon pour faire apparaître un message. Mais c'était sans doute encore plus compliqué.

Kendra inspecta le journal avec soin, cherchant des indices. Elle colla quelques pages contre la fenêtre pour voir si la lumière révélait des filigranes ou une autre trace mystérieuse.

– Qu'est-ce que tu fais ? demanda Seth.

Il ne lui restait plus qu'un chocolat. Elle devrait cacher les siens dans un endroit plus sûr que le tiroir de la table de nuit.

Elle tendit une autre page. La lumière ne révéla rien.

– Je m'entraîne pour mon admission à l'asile de fous.

– Je parie que tu vas gagner le premier prix, la taquina Seth.

– Sauf s'ils voient ta tête, rétorqua Kendra.

Seth traversa la pièce et emplit une mesure de grain pour Boucles d'Or.

– Elle a pondu un autre œuf !

Il ouvrit la cage pour le prendre et caressa les plumes douces de la poule.

Kendra se laissa tomber sur son lit et feuilleta encore les dernières pages. Soudain, elle s'arrêta. Quelque chose était écrit à la fin du livre, pas vraiment caché, juste inscrit dans un endroit difficile à voir : trois mots serrés contre la reliure, en bas d'une page blanche.

Buvez le lait.

Repliant le coin de la page, Kendra feuilleta encore le livre du début à la fin pour s'assurer qu'elle n'avait pas manqué d'autres messages du même genre. Il n'y avait pas d'autre indice énigmatique.

Buvez le lait.

Peut-être que si elle trempait une page dans du lait, elle ferait apparaître d'autres mots ? Elle pourrait en tremper une dans un des moules à gâteaux que Dale déposait dehors.

Ou alors, ce lait était celui dont le message parlait, un défi consistant à boire du lait de vache non pasteurisé. Mais pour quoi faire ? Lui donner la diarrhée ? Dale avait pris soin de l'avertir de *ne pas* boire ce lait. Certes, il s'était conduit assez bizarrement. Il pouvait cacher quelque chose.

Buvez le lait.

Elle s'était donné tant de mal pour trouver des serrures correspondant aux clés que Grand-Père Sorenson lui avait remises et découvrir d'autres clés ouvrant le journal cadenassé. Et tout ça pour trouver cet étrange message ? Est-ce que quelque chose lui échappait, ou est-ce qu'elle cherchait trop la petite bête ? Ce jeu de piste avait peut-être simplement pour but de l'occuper.

– Tu crois que Maman et Papa nous laisseraient avoir une poule de compagnie ? demanda Seth, tenant Boucles d'Or.

– Probablement, juste après nous avoir donné un bison apprivoisé.

– Pourquoi tu ne prends jamais Boucles d'Or dans tes bras ? Elle est vraiment gentille.

– Tenir un poulet vivant me dégoûte.

– C'est mieux que d'en tenir un mort.

– La caresser me suffit.

– Tu rates quelque chose.

Seth leva la poule devant son visage.

– Tu es une brave poule. Pas vrai, Boucles d'Or ?

La poule caqueta doucement.

– Elle finira par te crever les yeux, l'avertit Kendra.

– Sûrement pas, elle est apprivoisée.

Fourrant une rose en chocolat dans sa bouche, Kendra replaça le *Journal des secrets* dans le tiroir de sa table de nuit et se remit à peindre. Elle fronça les sourcils. Entre les pavillons, l'étang et les cygnes, le tableau nécessitait plus de trente nuances de blanc, de gris et d'argent. Elle prépara sa prochaine couleur en mélangeant les échantillons que lui avait fournis Léna.

Le lendemain, le soleil brillait. Rien ne montrait qu'il avait plu ou qu'il pleuvrait de nouveau un jour. Les colibris, les papillons et les abeilles étaient revenus dans le jardin. Léna jardinait derrière la maison, abritée sous un grand chapeau de paille.

Kendra était assise à l'ombre sous le porche de derrière. N'étant plus prisonnière du grenier, elle n'en appréciait que davantage le beau temps. Elle se demanda si les différents papillons qu'elle voyait faisaient partie des espèces que Grand-Père Sorenson avait importées. Comment empêchait-on un papillon de quitter une propriété ? Avec du lait, peut-être ?

Elle passait le temps avec un jeu qu'elle avait trouvé sur une étagère du grenier – un support triangulaire avec quinze trous et quatorze bâtonnets. Le but du jeu était de sauter des bâtonnets, comme aux dames, jusqu'à ce qu'il n'en reste qu'un, ce qui paraissait simple au départ. Le problème, c'est qu'au bout d'un moment, certains bâtonnets se retrouvaient isolés, ne pouvant ni prendre ni être pris. Le nombre de bâtonnets qui restaient à la fin de la partie indiquait le score.

Le mieux que Kendra avait obtenu jusque-là était trois, ce que la règle du jeu indiquait comme un résultat moyen. Deux, c'était bien. Un, c'était génial. À cinq ou plus, vous étiez un cas désespéré.

En replaçant les bâtonnets pour un nouvel essai, Kendra aperçut ce qu'elle attendait : Dale longeait le bord du jardin avec un moule à gâteaux. Elle posa son jeu sur la table et s'empressa d'aller l'intercepter.

Il parut légèrement contrarié.

– Je ne veux pas que Léna nous voie, murmura-t-il. Je suis censé déposer le lait en cachette.

– Je croyais que personne ne le savait.

– C'est vrai. Ton grand-père ne le sait pas, mais Léna est au courant, et on essaie de garder notre secret.

– Je me demande quel goût il a, ce lait.

Dale parut nerveux.

– Tu ne m'as pas entendu la dernière fois ? Tu pourrais avoir un zona, la gale ou… le scorbut.

– Le scorbut ?

– Ce lait est un nid à bactéries. C'est pour ça que les insectes l'aiment tant.

– J'ai des copains qui ont bu du lait tout juste tiré des mamelles. Ils ont survécu.

– Je suis sûr que c'étaient des vaches saines, dit Dale. Ces vaches sont… peu importe. L'idée, c'est que ce n'est pas n'importe quel lait. Il est hautement contaminé. D'ailleurs, je dois me laver soigneusement les mains à chaque fois que je le manipule.

– Alors vous ne pensez pas que je pourrais le goûter ?

– Sauf si tu veux mourir prématurément.

– Vous pourriez au moins m'emmener dans la grange, pour voir les vaches ?

– Voir les vaches ? Ce serait enfreindre les règles de ton grand-père !

– Il a juste dit qu'il avait peur qu'on se blesse, dit Kendra. Mais je n'aurai rien à craindre si je suis avec vous.

– Les règles de ton grand-père sont les règles de ton grand-père. Il a ses raisons. Je ne les enfreindrai pas, et je ne les contournerai pas non plus.

– Ah bon ? En tout cas, si vous me laissiez voir les vaches, peut-être que je ne répéterais pas votre secret à propos du lait.

– C'est du chantage ! Je ne céderai pas au chantage.

– Je me demande ce que Grand-Père dira quand je lui en parlerai au dîner, ce soir...

– Il te dira probablement de te mêler de tes affaires. Maintenant, si tu permets, j'ai du travail.

Kendra le regarda s'éloigner avec le plat de lait. Il s'était vraiment montré bizarre et sur la défensive. Il y avait à n'en point douter un mystère autour de ce lait. Mais toutes ces histoires de bactéries la rendaient réticente à le goûter. Elle avait besoin d'un cobaye.

Seth essaya de faire une pirouette en sautant du rocher dans la piscine, mais il atterrit sur le dos. Il n'y arrivait jamais complètement. Il émergea et nagea jusqu'au bord pour essayer de nouveau.

– Beau *flat* ! dit Kendra, debout à côté de la piscine. Un de plus pour le concours de gaffes !

Seth sortit de l'eau.

– Je voudrais t'y voir. Où tu étais ?

– J'ai découvert un secret.

– Quel secret ?

– Je ne peux pas t'expliquer, mais je peux te montrer.

– C'est aussi bien que l'étang ?

– Pas tout à fait. Dépêche-toi.

Seth posa une serviette sur ses épaules et enfila ses sandales. Kendra le conduisit à travers le jardin jusqu'à des buissons en fleurs à la lisière du terrain. Derrière les buissons, un grand moule à gâteaux plein de lait attirait une nuée de colibris.

– Ils boivent du lait ? s'étonna Seth.

– Oui, mais ce n'est pas le problème. Goûte-le.

– Pourquoi ?

– Tu verras.

– Tu l'as goûté, toi ?

– Oui.

– Et alors ?

– Je te l'ai dit, goûte-le et tu verras.

Kendra regarda avec curiosité son frère s'agenouiller près du plat. Les colibris s'envolèrent. Seth plongea un doigt dans le lait et le mit dans sa bouche.

– Il est super bon, et sucré.

– Sucré ?

Seth baissa la tête et posa les lèvres à la surface du lait. En se redressant, il s'essuya la bouche.

– Oui, sucré et crémeux, mais un peu chaud.

Alors qu'il regardait au-delà de Kendra, les yeux lui sortirent soudain de la tête. Il sauta sur ses pieds en criant et en pointant un doigt devant lui.

– Mince, qu'est-ce que c'est que ça ?

Kendra se retourna. Elle ne vit qu'un papillon et deux colibris. Elle regarda de nouveau son frère. Il décrivait des cercles, portant les yeux dans tous les coins du jardin, l'air perplexe et stupéfait.

– Il y en a partout ! s'exclama-t-il, captivé.

– Quoi ?

– Regarde ! Des fées !

Kendra le fixa. Le lait avait-il pu lui brouiller le cerveau ? Ou alors il la faisait marcher ? Il ne semblait pourtant pas jouer la comédie. Il se tenait près d'un rosier et contemplait un papillon, médusé. Il tendit la main vers lui, mais le papillon s'envola.

Seth se tourna vers Kendra.

– C'est le lait ? C'est encore mieux que l'étang !

Son excitation paraissait sincère.

Kendra regarda le plat. *Buvez le lait.* Si Seth faisait un numéro, ses talents d'acteur avaient brusquement été multipliés par dix. Elle plongea un doigt dans le lait et le porta à sa bouche. Seth avait raison, il était chaud et sucré. Un instant, le soleil lui tapa dans les yeux et elle cligna des paupières.

Elle jeta un nouveau coup d'œil à son frère, qui s'approchait lentement d'un petit groupe de fées qui voletaient. Trois d'entre elles avaient des ailes de papillon, et la dernière des ailes de libellule. Kendra ne put retenir un cri devant ce spectacle incroyable.

Elle regarda à nouveau le lait. Une fée avec des ailes de colibri buvait dans le plat. À part ses ailes, la fée avait l'air d'une mince jeune femme qui ne mesurait pas tout à fait cinq centimètres. Elle portait une tunique turquoise brillante et avait de longs cheveux noirs. Quand Kendra se pencha plus près, la fée s'éclipsa.

Elle ne pouvait pas réellement voir ça ? Il devait y avoir une explication. Mais les fées étaient partout, scintillant de couleurs vives ici et là. Comment pouvait-elle nier ce qu'elle avait devant les yeux ?

Tandis que Kendra continuait à observer le jardin, son incrédulité stupéfaite fit place à de la fascination. Des fées de toutes les sortes possibles et imaginables voltigeaient, explorant des fleurs, glissant sur la brise et esquivant agilement son frère.

En longeant les allées du jardin, abasourdie, l'adolescente vit que les fées semblaient venir de tous les continents. Certaines paraissaient asiatiques, d'autres hindoues, d'autres africaines, d'autres européennes. Quelques-unes étaient moins comparables à des êtres humains, avec la peau bleue ou des cheveux émeraude. Plusieurs avaient des antennes. Leurs ailes étaient toutes différentes, la plupart ressemblant à des ailes de papillon, mais en plus élégant et plus coloré. Toutes les fées resplendissaient, dépassant en éclat les fleurs du jardin, comme le soleil éclipse la lune.

Au coin d'une allée, Kendra s'arrêta net. Grand-Père Sorenson se tenait là, bras croisés. Il portait une chemise en flanelle et des bottes de travail.

– Il faut qu'on parle, dit-il.

L'horloge grand-père sonna l'heure, trois coups après une courte mélodie. Assise dans un fauteuil en cuir à haut dossier, dans le bureau de Grand-Père Sorenson, Kendra se demanda si les horloges grand-père s'appelaient ainsi parce que seuls les grands-pères en possédaient.

Elle regarda Seth, assis dans un fauteuil identique. Le siège paraissait trop grand pour lui. C'étaient des fauteuils pour adultes.

Pourquoi Grand-Père Sorenson avait-il quitté la pièce ? Avaient-ils des ennuis ? Après tout, il lui avait donné les clés qui avaient fini par les conduire à goûter le lait, elle et son « cobaye ».

Malgré tout, elle ne pouvait s'empêcher de s'inquiéter. Elle avait peut-être découvert quelque chose qui devait rester caché. Non seulement les fées étaient réelles, mais Grand-Père Sorenson en avait des centaines dans son jardin.

– C'est un crâne de fée ? demanda Seth en désignant la boule en verre sur le bureau.

– Il y a des chances, répondit Kendra.

– On va se faire attraper ?

– J'espère que non. Il n'y avait pas de règle interdisant de boire du lait.

La porte du bureau s'ouvrit en coulissant. Grand-Père entra avec Léna, qui portait trois tasses sur un plateau. La gouvernante en offrit une à Kendra, puis les deux autres à Seth et Grand-Père. Les tasses contenaient du chocolat chaud. Léna sortit tandis que Grand-Père prenait place derrière son bureau.

– Je suis impressionné par la rapidité avec laquelle vous avez résolu mon puzzle, dit-il en buvant une gorgée de chocolat.

– Tu *voulais* qu'on boive le lait ? demanda Kendra, stupéfaite.

– En supposant que vous étiez les gens qu'il fallait. Franchement, je ne vous connais pas très bien. J'espérais que le genre de personnes qui prendrait la peine de résoudre ma petite charade serait aussi le genre de personnes capable d'admettre l'idée d'une réserve pleine de créatures magiques. Fablehaven,

« le refuge des créatures fabuleuses », est quelque chose de trop dur à avaler pour la plupart des gens.

– Fablehaven ? répéta Seth.

– C'est le nom que ses fondateurs ont donné à cette réserve. Fablehaven est un refuge pour les créatures mythiques que ses gardiens se transmettent depuis des siècles.

Kendra goûta son chocolat. Il était excellent ! La saveur lui rappelait les roses en chocolat.

– Qu'est-ce qu'il y a d'autre ici, à part des fées ? questionna Seth.

– Beaucoup d'êtres fabuleux, grands et petits. Ce qui est la vraie raison pour laquelle les bois sont interdits. Il y a là des créatures bien plus dangereuses que des serpents venimeux ou des singes sauvages. Seules certaines catégories de créatures magiques ont le droit d'entrer dans les jardins. Les fées et les lutins, par exemple.

Grand-Père but une autre gorgée.

– Ce chocolat vous plaît ?

– Il est délicieux, répondit Kendra.

– On le prépare avec le même lait que celui que vous avez goûté dans le jardin aujourd'hui. C'est celui que boivent les fées, et c'est à peu près la seule nourriture qu'elles absorbent. Quand les mortels en boivent, leurs yeux s'ouvrent sur un monde invisible, mais les effets se dissipent au bout d'un jour. Léna vous en préparera une tasse chaque matin, pour que vous arrêtiez de voler celui des fées.

– D'où vient ce lait ? demanda Kendra.

– Nous le fabriquons dans la grange. Mais il y a des créatures dangereuses là-bas. Elle vous est donc toujours interdite.

– Pourquoi tout est interdit ? se plaignit Seth. Je me suis aventuré quatre fois dans les bois et il ne m'est rien arrivé.

– Quatre fois ? releva Grand-Père.

– C'était avant l'avertissement, s'empressa de préciser Seth.

– Bon, c'est que tes yeux n'étaient pas encore ouverts à ce qui t'entourait réellement. Et tu as eu de la chance. Même si tu étais aveugle aux créatures enchantées qui peuplent la forêt, tu aurais pu te retrouver dans des endroits dont tu ne serais pas revenu. Et maintenant que vous pouvez les voir, ces créatures peuvent agir sur vous plus aisément, ce qui augmente le danger de manière considérable.

– Sans vouloir te blesser, Grand-Père, est-ce que tu dis vraiment la vérité ? demanda Kendra. Tu nous as donné tant de versions expliquant pourquoi les bois sont interdits !

– Vous avez vu les fées, répondit-il.

Kendra se pencha en avant.

– Peut-être que le lait nous a donné des hallucinations. Peut-être que c'étaient des hologrammes. Peut-être que tu continues juste à nous dire ce que tu penses que nous croirons.

– Je comprends ton souci. Je voulais vous protéger de la vérité sur Fablehaven, à moins que vous ne la découvriez par vous-mêmes. Ce n'est pas le genre d'information que je voulais vous asséner brusquement. C'est la vérité. Ce que je vous dis maintenant est vrai. Vous aurez largement l'occasion de vérifier mes paroles.

– Alors les animaux que nous avons vus près de l'étang étaient en réalité d'autres créatures, comme les papillons ?

– Absolument. L'étang peut être un endroit dangereux. Retournez-y, et vous y trouverez de gentilles naïades vous faisant signe d'approcher pour vous attirer au fond de l'eau et vous noyer.

– C'est horrible ! s'écria Kendra.

– Ça dépend comment on voit les choses, expliqua Grand-Père en étalant les mains sur son bureau. Pour elles, votre vie est si ridiculement courte que vous tuer est quelque chose d'anodin et d'amusant, pas plus tragique que d'écraser un moucheron. En outre, elles ont le droit de punir les intrus. L'île au centre de l'étang est un lieu sacré consacré à la Reine des Fées. Aucun mortel n'a le droit d'y pénétrer. Un gardien de la réserve a enfreint cette règle, une fois. Au moment où il a mis le pied sur l'île, il a été changé en duvet de pissenlit. Il a été éparpillé par le vent et on ne l'a plus jamais revu.

– Pourquoi était-il allé là-bas ? demanda Kendra.

– La Reine des Fées est considérée de loin comme la créature la plus puissante du royaume des fées. Le gardien avait désespérément besoin de quelque chose et il est allé demander son assistance. Apparemment, elle ne s'est pas laissé impressionner.

– En d'autres termes, il n'a pas respecté l'interdiction, conclut Kendra, en lançant à Seth un coup d'œil significatif.

– En effet, acquiesça Grand-Père.

– La Reine des Fées vit sur cette petite île ? demanda Seth.

– Non, l'île est simplement un lieu sacré destiné à l'honorer. D'autres lieux semblables abondent sur ma propriété, et ils peuvent tous être dangereux.

– Si l'étang est dangereux, pourquoi y a-t-il un abri à bateaux ? voulut savoir Kendra.

– Un ancien gardien de la réserve était fasciné par les naïades.

– Le type aux pissenlits ? demanda Seth.

– Non, un autre. C'est une longue histoire. Questionnez Léna à ce sujet ; je crois qu'elle la connaît bien.

Kendra remua dans le grand fauteuil.

– Pourquoi vis-tu dans un endroit aussi effrayant ?

Grand-Père croisa les bras sur son bureau.

– Il n'est effrayant que lorsqu'on va là où on ne devrait pas. Ce domaine est un lieu sacré, régi par des lois qui ne doivent pas être enfreintes par les créatures qui y vivent. Ici, et ici seulement, les mortels peuvent avoir des relations avec ces créatures dans une relative sécurité. À partir du moment où les mortels restent dans leurs limites, ils sont protégés par les clauses fondatrices de cette réserve.

– Des clauses ? répéta Seth.

– Des accords, si tu préfères. En fait, un traité ratifié par toutes les espèces de créatures magiques qui vivent ici assure une certaine sécurité aux gardiens mortels. Dans un monde où les humains sont devenus la force dominante, la plupart des créatures enchantées se sont réfugiées dans des lieux comme celui-ci.

– Quelles sont ces clauses ? demanda Kendra.

– Les détails sont complexes, avec beaucoup de limitations et d'exceptions. En gros, elles se fondent sur la loi du donnant-donnant. Si vous n'ennuyez pas les créatures, elles ne vous ennuieront pas. C'est pourquoi vous ne risquez pratiquement rien quand vous ne pouvez pas les voir. Généralement, si vous n'avez aucune relation avec elles, elles vous laissent tranquilles.

– Mais maintenant on peut les voir, remarqua Seth.

– C'est pourquoi vous devez être prudents. Les fondements de la loi sont méchanceté pour méchanceté, magie pour magie, violence pour violence. Les créatures fabuleuses ne vous causeront pas d'ennuis les premières, sauf si vous enfreignez les règles, vous exposant ainsi à leur vengeance. Si vous les harcelez, elles vous harcèleront. Si vous leur faites du mal, elles pourront vous en faire. Si vous utilisez la magie contre elles, elles utiliseront la magie contre vous.

– De la magie ? releva Seth, avidement.

– Les mortels n'ont jamais été faits pour utiliser la magie, expliqua Grand-Père. Nous ne sommes pas des êtres magiques, mais j'ai appris quelques principes pratiques qui m'aident à gérer les choses. Rien de très remarquable.

– Tu peux changer Kendra en crapaud ?

– Non, mais il y a ici des créatures qui le pourraient. Et je ne serais pas capable de lui rendre son apparence. C'est pourquoi je dois insister sur ce point : enfreindre les règles comprend le fait d'aller là où vous n'avez pas le droit d'aller. Des limites géographiques ont été fixées, où certaines créatures sont admises et d'autres, comme les mortels, ne le sont pas. Ces limites fonctionnent de façon à contenir les créatures maléfiques sans causer de troubles. Si vous allez là où vous n'avez pas votre place, vous pouvez vous exposer à de terribles châtiments de la part d'ennemis très puissants.

– Alors seules les bonnes créatures peuvent pénétrer dans les jardins, dit Kendra.

Grand-Père devint très sérieux.

– Aucune de ces créatures n'est bonne, en tout cas pas de la façon dont nous voyons le bien. Aucune n'est inoffensive. La morale est propre aux mortels. Les meilleures créatures qui sont ici ne sont simplement pas maléfiques.

– Les fées ne sont pas inoffensives ? demanda Seth.

– Elles ne sont pas enclines à faire du mal, sinon je ne les accepterais pas dans les jardins. Je suppose qu'elles sont capables de faire de bonnes actions, mais pas pour ce que nous appellerions de bonnes raisons. Prenez les brownies, par exemple. Ce sont des lutins qui réparent tout, mais ils ne le font pas pour aider les gens. Ils réparent les choses simplement parce qu'ils aiment ça.

– Est-ce que les fées parlent ? demanda Kendra.

– Elles ne parlent pas beaucoup aux humains. Elles ont un langage à elles, bien qu'elles se parlent rarement, sauf pour s'insulter. La plupart ne s'abaissent jamais à utiliser le langage humain. Elles se considèrent au-dessus de tout. Les fées sont des créatures vaniteuses et égoïstes. Vous avez peut-être remarqué que j'ai vidé toutes les fontaines et vasques à oiseaux. Quand elles sont pleines, les fées s'y attroupent toute la journée pour contempler leur reflet.

– Kendra serait-elle une fée ? demanda Seth, pince-sans-rire.

Grand-Père se mordit la lèvre et baissa les yeux, s'efforçant visiblement de ne pas s'esclaffer.

– Nous avons sorti un miroir, une fois, et elles se sont rassemblées autour, dit Kendra, ignorant soigneusement la question de son frère et la réaction de son grand-père. Je n'ai pas compris ce qui se passait.

Grand-Père se ressaisit.

– C'est exactement le genre de chose que j'essaye d'éviter en vidant les bassins. Les fées sont remarquablement prétentieuses. Hors d'un sanctuaire comme celui-ci, elles ne laisseraient jamais un mortel les apercevoir. Comme elles considèrent que se regarder représente le plaisir suprême, elles le refusent aux autres. La plupart des nymphes ont la même mentalité.

– Pourquoi ça ne leur fait rien, ici ? demanda Kendra.

– Ça les ennuie sans doute. Mais comme elles ne peuvent se cacher quand on boit leur lait, elles se sont habituées bon gré mal gré à ce que des mortels les voient. Parfois, elles me font rire. Elles feignent de ne pas se soucier de ce que les mortels pensent d'elles, mais essayez de faire un compliment à l'une d'elles : elle rougira de plaisir, et les autres arriveront pour avoir le leur. Elles ne se montrent pas du tout embarrassées.

– Moi, je les trouve plutôt jolies, dit Seth.

– Elles sont superbes ! Et elles peuvent être utiles. Elles s'occupent du jardinage, par exemple. Mais bonnes ? Inoffensives ? Pas vraiment.

Kendra finit son chocolat.

– Alors, si nous n'allons pas dans les bois ni dans la grange, et si nous n'ennuyons pas les fées, tout ira bien ?

– Oui. Cette maison et le terrain qui l'entoure sont les endroits les plus protégés de Fablehaven. Seules les créatures les plus aimables y sont admises. Néanmoins, il y a quelques nuits dans l'année où toutes les créatures entrent en furie, et une de ces nuits approche. Mais je vous en dirai plus au moment voulu.

Seth s'avança dans son fauteuil.

– J'ai envie d'en savoir plus sur les mauvaises créatures. Qu'est-ce qu'il y a, dans les bois ?

– Pour te permettre de dormir la nuit, je garderai ça pour moi.

– Et la vieille femme bizarre que j'ai rencontrée ? Est-ce qu'elle est autre chose ?

Grand-Père agrippa le bord de son bureau.

– Cette rencontre est un exemple effrayant de la raison pour laquelle les bois sont interdits. Cela aurait pu être désastreux. Tu t'es aventuré dans une zone très dangereuse.

– C'est une sorcière ?

– Oui. Elle s'appelle Muriel Taggert.

– Comment se fait-il que j'aie pu la voir ?

– Les sorcières sont mortelles.

– Alors pourquoi tu ne te débarrasses pas d'elle ? suggéra Seth.

– La hutte n'est pas sa maison, c'est sa prison. Elle personnifie les motifs pour lesquels il est risqué d'explorer les bois. Son mari était le gardien de Fablehaven, il y a plus de cent soixante ans. C'était alors une femme intelligente et charmante. Mais elle s'est mise à fréquenter les parties les plus sombres de la forêt et s'est alliée à des créatures peu recommandables. Ces créatures l'ont formée. Très vite, elle s'est éprise du pouvoir de la sorcellerie, et elles ont pris une influence considérable sur elle. Elle est devenue instable. Son mari a essayé de l'aider, mais elle était déjà folle. Quand elle a tenté de soutenir la révolte de certains des mauvais habitants des bois, son mari a demandé de l'aide et l'a fait emprisonner. Depuis, elle est prisonnière de cette hutte, retenue captive par les nœuds de la corde que tu as vue. Que son histoire soit pour vous un avertissement supplémentaire : vous n'avez rien à faire dans les bois.

– Je saisis, dit Seth, l'air solennel.

– Assez parlé de règles et de monstres, dit Grand-Père en se levant. J'ai du travail. Et vous avez un nouveau monde à explorer. Le jour tire à sa fin, profitez de ce qui en reste. Mais cantonnez-vous aux jardins.

– Et qu'est-ce que tu fais toute la journée ? demanda Kendra en sortant du bureau en même temps que son grand-père.

– Oh, j'ai beaucoup de tâches à accomplir pour garder cet endroit en ordre. Fablehaven est le siège de nombreux miracles et de plaisirs extraordinaires, mais le domaine demande beaucoup d'entretien. Vous pourrez peut-être m'accompagner quelquefois, maintenant que vous connaissez sa vraie nature. En général, les tâches sont assez banales. Je pense que vous vous amuserez davantage en jouant dans le jardin.

Kendra posa une main sur le bras de son grand-père.

– Je veux voir le plus de choses possibles.

CHAPITRE SIX

MADDOX

Kendra se réveilla brusquement, ses draps sur la tête. Il y avait comme une excitation en elle. Elle avait l'impression d'être un matin de Noël, ou un jour où elle allait manquer la classe pour se rendre en famille dans un parc d'attractions. Mais non, elle était chez Grand-Père Sorenson. Les fées !

Elle repoussa ses draps. Seth était allongé dans une position tordue, les cheveux en bataille, la bouche ouverte, les jambes emmêlées dans ses couvertures. Il dormait encore comme une bûche. Ils avaient veillé tard en discutant des événements de la journée, comme des copains plutôt que comme frère et sœur.

Kendra se leva et alla à la fenêtre. Le soleil apparaissait à l'horizon, dorant la cime des arbres. Elle prit des habits et descendit à la salle de bains. Là, elle quitta sa chemise de nuit et s'habilla pour la journée.

En bas, la cuisine était vide. Kendra trouva Léna sous le porche, perchée sur un tabouret. La gouvernante accrochait des carillons. Elle en avait déjà suspendu plusieurs le long du porche. Un papillon voleta autour de l'un d'eux, jouant une mélodie à la fois simple et douce.

– Bonjour, dit Léna. Tu es debout de bonne heure.

– Je suis encore si excitée à propos d'hier !

Kendra regarda dans le jardin. Les papillons, abeilles et autres colibris vaquaient déjà à leurs occupations. Grand-Père avait raison : beaucoup s'attroupaient autour des fontaines et des vasques à oiseaux qui avaient été remplies, admirant leur reflet.

– Ils ne sont plus qu'une flopée d'insectes, observa Léna.

– Je peux avoir du chocolat chaud ?

– Laisse-moi d'abord accrocher les derniers carillons.

La gouvernante déplaça le tabouret et y grimpa sans crainte. Elle était si vieille ! Si elle tombait, elle se tuerait sûrement !

– Faites attention à vous, recommanda Kendra.

Léna agita la main.

– Le jour où je serai trop vieille pour monter sur un tabouret, je me jetterai du toit.

Elle accrocha le dernier carillon.

– Nous avions dû les enlever à cause de vous, les enfants. Vous auriez pu avoir des soupçons en voyant des colibris faire de la musique.

Kendra suivit la gouvernante dans la maison.

– Il y a des années, on entendait sonner les cloches d'une église du voisinage, dit Léna. C'était si drôle de voir les fées imiter leur musique. Elles jouent encore ces vieilles mélodies, parfois.

Léna ouvrit le réfrigérateur et en sortit un vieux pot à lait. Kendra s'assit à la table. La gouvernante versa du lait dans une casserole sur le poêle et se mit à y ajouter divers ingrédients. Kendra s'aperçut qu'elle n'ajoutait pas seulement du chocolat en poudre mais qu'elle puisait dans de multiples boîtes.

– Grand-Père nous a dit que vous pourriez nous raconter l'histoire du gardien qui a fait construire l'abri à bateaux, déclara Kendra.

Léna s'arrêta de remuer.

– Ah oui ? Je suppose que cette histoire m'est plus familière qu'à beaucoup.

Elle recommença à remuer le lait.

– Que vous a-t-il dit ?

– Que cet homme était fasciné par les naïades. C'est quoi une naïade, au juste ?

– Une nymphe des eaux. Qu'a-t-il dit d'autre ?

– Juste que vous connaissiez l'histoire.

– Cet homme s'appelait Patton Burgess, dit Léna. Il est devenu gardien de cette propriété en 1878, à la suite de son grand-père maternel. C'était un jeune homme, à l'époque, très beau. Il portait une moustache – il y a des photos en haut. L'étang était l'endroit de la propriété qu'il préférait.

– C'est aussi le mien.

– Il allait regarder les naïades pendant des heures. Elles essayaient de l'attirer au bord de l'eau, selon leur habitude, afin de le noyer. Il s'approchait et faisait même parfois semblant de vouloir sauter, mais il restait toujours hors d'atteinte.

Léna goûta le chocolat et le remua encore un peu.

– Contrairement à la plupart des visiteurs, qui ne semblaient pas faire la différence entre les naïades, il s'intéressait particulièrement à une nymphe qu'il appelait par son nom. Il a commencé à n'accorder que peu d'attention aux autres naïades et les jours où sa favorite ne se montrait pas, il s'en allait plus tôt.

La gouvernante emplit deux tasses de chocolat.

– Il est devenu obsédé par elle. Quand il a construit l'abri à bateaux, les naïades se sont demandé ce qu'il fabriquait. Il a construit une barque large et solide pour pouvoir être plus près de l'objet de sa fascination.

Léna posa les tasses sur la table et s'assit.

– Les naïades essayaient de renverser son embarcation chaque fois qu'il la sortait, mais elle était trop habilement construite. Elles réussissaient seulement à la pousser autour de l'étang.

Kendra but une gorgée. Le chocolat était une merveille, ni trop chaud, ni trop froid.

– Patton a commencé à essayer de convaincre sa naïade préférée de quitter l'eau pour se promener avec lui à terre. Elle se contentait de lui demander de la rejoindre dans l'étang, car quitter l'eau, pour elle, signifiait devenir mortelle. Leur jeu a duré plus de trois ans. Il lui jouait des sérénades sur son violon, lui lisait des poèmes, lui faisait des promesses sur les joies qu'ils auraient à vivre ensemble. Il montrait une telle sincérité et une telle persévérance que, parfois, elle regardait ses yeux pleins d'amour et hésitait.

Léna but à son tour.

– Un jour de mars, Patton est devenu téméraire. Il s'est trop penché par-dessus bord et une naïade l'a attrapé par la manche pendant qu'il discutait avec sa favorite. Comme il était fort, il lui a résisté, mais il a perdu l'équilibre. Deux naïades ont réussi à soulever la barque et elle s'est renversée.

– Il est mort ? demanda Kendra, horrifiée.

– Il a bien failli. Les naïades avaient ce qu'elles voulaient. Dans leur domaine, il n'était pas de taille à les vaincre. Étourdies par cette victoire si longtemps attendue, elles l'ont entraîné vers le fond de l'étang pour l'ajouter à leur collection de victimes mortelles. Mais sa favorite n'a pas pu le supporter. Elle s'était attachée à Patton, il l'avait séduite par ses attentions et, contrairement aux autres, la perspective de sa mort ne l'amusait pas du tout. Elle a combattu ses sœurs et l'a ramené sur la rive. C'est ce jour-là que j'ai quitté l'étang.

Kendra s'étrangla avec son chocolat et en recracha un peu sur la table.

– Vous êtes une naïade ?

– Je l'étais, jadis.

– Et vous êtes devenue mortelle ?

Léna essuya distraitement le chocolat avec un torchon.

– Si je pouvais revenir en arrière, je prendrais la même décision. Nous avons eu une vie pleine de joies. Patton s'est occupé de Fablehaven pendant cinquante et un ans avant de transmettre le domaine à son neveu. Il a vécu encore douze ans – il est mort à quatre-vingt-onze ans. Il a gardé l'esprit vif jusqu'à la fin. Cela aide, d'avoir une femme jeune.

– Comment se fait-il que vous soyez toujours en vie ?

– Je suis devenue sujette aux lois de la condition de mortel, mais elles ont pris effet peu à peu. Assise au chevet de Patton, je paraissais à peine vingt ans de plus que le jour où je l'avais sorti de l'eau. Je me sentais fautive de paraître si jeune alors que son vieux corps frêle mourait. J'aurais voulu être aussi âgée que lui. Bien sûr, maintenant que mon âge me rattrape, je n'y tiens plus autant.

Kendra prit une autre gorgée de chocolat. Elle était si captivée qu'elle en sentit à peine le goût.

– Qu'avez-vous fait après sa mort ?

– J'ai profité de ma vie de mortelle. Je l'avais payée très cher, alors j'ai voyagé pour voir ce que le monde avait à offrir : l'Europe, le Moyen-Orient, l'Inde, le Japon, l'Amérique du Sud, l'Afrique, l'Australie, les îles du Pacifique… Il m'est arrivé beaucoup d'aventures. J'ai battu plusieurs records de natation en Angleterre, et j'aurais pu en battre plus, mais je me retenais – je ne voulais pas qu'on se pose trop de questions. J'ai travaillé comme peintre, cuisinière, geisha, trapéziste, nourrice. Beaucoup d'hommes m'ont courtisée, mais je n'ai jamais aimé de nouveau. Finalement, comme les voyages se ressemblaient tous, je suis revenue à la maison, à l'endroit que mon cœur n'avait jamais quitté.

– Est-ce que vous retournez à l'étang, parfois ?

– Je m'en tiens à mes souvenirs. Ce ne serait pas sage. Les autres naïades me méprisent, d'autant plus qu'elles m'envient en secret. Comme elles riraient de mon apparence, elles qui n'ont pas vieilli d'un jour ! Mais j'ai connu bien des choses qu'elles ne connaîtront jamais, certaines douloureuses, d'autres merveilleuses.

Kendra finit son chocolat et s'essuya les lèvres.

– C'était comment d'être une naïade ?

Léna regarda par la fenêtre.

– C'est difficile à dire. Je me pose moi-même la question. Il n'y a pas que mon corps qui est devenu mortel ; mon esprit s'est transformé, lui aussi. Je pense que je préfère cette vie, mais c'est peut-être parce que j'ai changé fondamentalement. Lorsque l'on est mortel, on prend conscience du temps. J'étais parfaitement contente d'être une naïade. Je vivais inchangée depuis des millénaires, sans jamais penser à l'avenir ni au passé, je cherchais toujours à m'amuser, et j'y parvenais. Je n'étais presque pas consciente de moi-même. Cela me paraît flou, maintenant. Ça n'a duré que le temps d'un clin d'œil, un instant qui aurait duré des milliers d'années.

– Vous auriez vécu éternellement ! s'exclama Kendra.

– Nous ne sommes pas tout à fait immortelles. Nous ne vieillissons pas, aussi je suppose que certaines d'entre nous pourraient vivre indéfiniment, en admettant que les lacs et les rivières durent toujours. C'est difficile à dire. On ne vit pas vraiment, comme le font les mortels. On rêve sa vie.

– C'est génial !

– Du moins ça l'était jusqu'à l'arrivée de Patton, reprit Léna, davantage pour elle-même que pour Kendra. Je me suis mise à attendre ses visites, et à m'en souvenir. Je suppose que cela a été le début de la fin.

Kendra secoua la tête.

– Et moi qui pensais que vous étiez une simple gouvernante d'origine chinoise !

Léna sourit.

– Patton a toujours aimé mes yeux.

Elle battit des cils.

– Il disait qu'il était sensible au charme de l'Asie.

– Quelle est l'histoire de Dale ? C'est un roi-pirate, ou quelque chose comme ça ?

– Dale est un homme ordinaire, un petit-cousin de ton grand-père. Quelqu'un en qui il a confiance.

Kendra regarda dans sa tasse vide. Il restait un cercle de chocolat au fond.

– J'ai une question, dit-elle, et je veux que vous y répondiez honnêtement.

– Si je peux.

– Est-ce que Grand-Mère Sorenson est morte ?

– Qu'est-ce qui te fait penser cela ?

– J'ai le sentiment que Grand-Père invente de fausses excuses pour expliquer son absence. Cet endroit est dangereux et il nous a menti à propos de tant d'autres choses. J'ai l'impression qu'il cherche à nous protéger de la vérité.

– Je me demande souvent si les mensonges sont vraiment une protection.

– Elle est morte, n'est-ce pas ?

– Non, elle est vivante.

– Est-ce que c'est la sorcière ?

– Non.

– Est-ce qu'elle est vraiment chez tante je-ne-sais-qui, dans le Missouri ?

– Ça, c'est à ton grand-père de te le dire.

Seth regarda par-dessus son épaule. À part les fées qui voletaient çà et là, le jardin paraissait tranquille. Grand-Père et Dale étaient partis depuis longtemps et Léna faisait le ménage dans la maison. Kendra n'était pas là, elle devait faire une de ces choses ennuyeuses qui la tenaient occupée. Il avait son équipement de survie à la main, avec quelques éléments stratégiques en plus. L'opération « Voir de Super Monstres » était sur le point de commencer.

Il quitta le bord de la pelouse d'un pas hésitant pour entrer dans les bois, s'attendant à moitié à ce que des loups-garous lui sautent dessus. Il y avait quelques fées devant lui, mais moins que dans le jardin. Autrement, les choses avaient l'air à peu près pareilles que la veille.

Il avança plus vite.

– Où penses-tu aller comme ça ?

Seth se retourna. Kendra s'approchait depuis le jardin. Il fit demi-tour pour la rejoindre au bord de la pelouse.

– Je veux voir ce qu'il y a vraiment à l'étang. Ces naïa-machins-trucs et le reste.

– Tu as le cerveau délabré ? Tu n'as pas entendu ce que Grand-Père nous a dit hier ?

– Je serai prudent ! Je ne m'approcherai pas de l'eau.

– Tu pourrais te faire tuer ! Je veux dire, vraiment tuer, pas mordre par une tique. Ce n'est pas pour rien que Grand-Père a établi ces règles !

– Les adultes sous-estiment toujours les enfants, déclara Seth. Ils nous surprotègent parce qu'ils nous prennent pour des bébés. Réfléchis un peu. Maman se plaignait tout le temps que je joue dans la rue, mais je l'ai toujours fait. Et qu'est-ce qu'il m'est arrivé ? Rien. Je faisais attention. Je me mettais sur le côté quand une voiture passait.

– Là, c'est différent !

– Grand-Père va partout, lui.

Kendra serra les poings.

– Grand-Père connaît les endroits à éviter ! Tu ne sais même pas avec quoi tu joues. Et puis quand Grand-Père le saura, il t'enfermera dans le grenier.

– Et comment il le saurait ?

– Il a su qu'on était allés dans les bois, la dernière fois ! Il a su qu'on avait bu du lait !

– C'est parce que tu étais là ! Tu me portes la poisse. Comment tu as su où j'allais ?

– Tes talents d'agent secret laissent à désirer, répondit Kendra. Pour commencer, tu pourrais éviter de mettre ta chemise de camouflage à chaque fois que tu pars en exploration.

– Il faut bien que je me cache, avec les dragons !

– Mais oui, c'est ça, tu es pratiquement invisible. Juste une tête qui flotte.

– J'ai mon équipement de survie. Si quelque chose m'attaque, j'ai de quoi me défendre.

– Des élastiques ?

– J'ai un sifflet, un miroir, un briquet. J'ai des fusées aussi. Ils me prendront pour un sorcier.

– Tu crois vraiment ça ?

– Et puis j'ai ce truc.

Seth sortit le petit crâne inséré dans la boule en verre qui se trouvait sur le bureau de Grand-Père.

– Ça devrait les faire réfléchir à deux fois.

– Un crâne gros comme une arachide ?

– Si ça se trouve, il n'y a même pas de monstres, assura Seth. Qu'est-ce qui te fait croire que Grand-Père dit la vérité, cette fois ?

– Je ne sais pas. Les fées, peut-être.

– D'accord, bien joué, tu as gagné. Félicitations, je n'ai plus envie d'y aller, maintenant.

– Je t'en empêcherai chaque fois. Pas pour être casse-pieds, mais parce qu'il pourrait vraiment t'arriver quelque chose.

Seth donna un coup de pied dans une pierre, l'expédiant dans les bois.

– Qu'est-ce que je vais faire, maintenant ?

– Que dirais-tu d'explorer un immense jardin plein de fées ?

– Je l'ai déjà fait. Je n'arrive même pas à les attraper.

– Pas pour les attraper ! Pour observer des créatures magiques dont personne d'autre ne connaît l'existence. Allez, viens.

Seth rejoignit sa sœur à contrecœur.

– Oh, regarde, une autre fée, marmonna-t-il ironiquement. Maintenant ça y est, j'en ai vu un million.

– Et n'oublie pas de remettre le crâne à sa place.

Quand on les appela pour le dîner, un inconnu était attablé avec Grand-Père et Dale. Il se leva lorsqu'ils entrèrent. Il était plus grand que Grand-Père et beaucoup plus costaud, avec des cheveux châtains frisés. Les peaux de bêtes qu'il portait lui donnaient l'air d'un homme de la montagne. Il lui manquait un bout de lobe d'oreille.

– Les enfants, je vous présente Maddox Fisk, dit Grand-Père. Maddox, voici mes petits-enfants, Kendra et Seth.

Kendra serra la main de l'homme. Elle était calleuse, avec de gros doigts.

– Vous aussi, vous travaillez ici ? demanda Seth.

– Maddox est un courtier en fées, expliqua Grand-Père.

– Entre autres choses, précisa Maddox. Disons que les fées sont ma spécialité.

– Vous vendez des fées ? demanda Kendra en s'asseyant.

– Je les capture, je les achète, je les échange, je les vends. Tout cela à la fois.

– Comment les capturez-vous ? s'enquit Seth.

– Un homme doit savoir garder ses secrets professionnels, répondit Maddox en prenant une bouchée de rôti de porc. Mais laisse-moi te dire qu'attraper une fée, ce n'est pas si facile. Elles vous glissent entre les doigts. Le truc, c'est de jouer sur leur vanité. Et même comme ça, il faut savoir s'y prendre.

– Vous n'auriez pas besoin d'un apprenti ? risqua Seth.

– On en reparlera dans six ou sept ans.

Maddox fit un clin d'œil à Kendra.

– Qui peut bien acheter des fées ? demanda-t-elle.

– Des gens qui dirigent des réserves, comme ton grand-père, quelques collectionneurs, d'autres courtiers…

– Il y a beaucoup de réserves ? questionna Seth.

– Des dizaines, répondit Maddox, sur les sept continents.

– Même en Antarctique ? demanda Kendra.

– Il y en a deux en Antarctique, dont une souterraine. C'est un milieu très hostile, mais parfait pour certaines espèces.

Kendra avala une bouchée de rôti.

– Qu'est-ce qui empêche les gens de découvrir ces réserves ?

– Depuis des milliers d'années, un réseau mondial de personnes dévouées les gardent secrètes, répondit Grand-Père. Elles sont soutenues par de vieilles fortunes et des fonds d'investissements. On paie des pots-de-vin et on les change de place si nécessaire.

– Le fait que la plupart des gens ne puissent pas voir les petites créatures arrange bien les choses, ajouta Maddox. Avec les bonnes licences, on peut faire passer des papillons à la douane. Et quand on ne peut pas, il existe d'autres moyens de traverser les frontières.

– Les réserves sont le dernier refuge pour de nombreuses espèces anciennes et merveilleuses, enchaîna Grand-Père. Le but est d'empêcher ces êtres fabuleux de s'éteindre.

– Amen, dit Maddox.

– Vous avez fait de belles prises, cette année ? demanda Dale.

– Pour ce qui est des captures, les résultats diminuent chaque année. Mais j'ai fait quelques découvertes intéressantes dans la nature, dont une à laquelle vous ne voudrez jamais croire. Et j'ai sélectionné quelques spécimens très rares dans des réserves d'Asie du Sud-Est et d'Indonésie. Je suis sûr que nous pouvons faire des affaires, là-bas. Je vous en dirai plus quand nous passerons au bureau.

– Les enfants, vous êtes les bienvenus, dit Grand-Père.

– D'accord ! s'écria Seth, plein d'entrain.

Kendra prit une autre bouchée du succulent rôti. Tout ce que Léna cuisinait était remarquable, toujours parfaitement assaisonné, servi avec des sauces ou des jus délicieux. L'adolescente n'avait jamais eu à se plaindre de la cuisine de sa mère, mais Léna était un grand chef.

Grand-Père et Maddox parlèrent de gens que Kendra ne connaissait pas, dont certains appartenaient au monde secret des amateurs de fées. Elle se demanda si Maddox allait demander des nouvelles de Grand-Mère Sorenson, mais le sujet ne fut pas abordé.

Maddox mentionna à plusieurs reprises une certaine « étoile du soir ». Grand-Père semblait s'y intéresser tout particulièrement : des rumeurs assuraient que « l'étoile du soir » se reformait, une femme assurait que « l'étoile du soir » avait essayé de la recruter, on disait que « l'étoile du soir » préparait une attaque…

Kendra ne put résister et intervint :

– Qu'est-ce que c'est, « l'étoile du soir » ? On dirait un nom de code.

Maddox jeta un coup d'œil incertain à Grand-Père, qui hocha la tête.

– La Société de l'Étoile du Soir est une organisation secrète que nous espérions tous dissoute depuis des décennies, expliqua le courtier. Au fil des siècles, son importance n'a cessé de diminuer. Mais apparemment, ils refont toujours parler d'eux au moment où vous pensez ne plus jamais les revoir.

– Leur but est de conquérir des réserves afin de les utiliser pour leurs propres desseins – des desseins maléfiques, continua Grand-Père. Des membres de la Société s'allient avec des démons et des adeptes de la magie noire.

– Ils vont nous attaquer ? demanda Seth.

– C'est peu probable, répondit Grand-Père. Les réserves sont protégées par une magie puissante. Mais je suis quand même attentif aux rumeurs. Ça ne coûte rien d'être prudent.

– Pourquoi « l'Étoile du Soir » ? voulut savoir Kendra. C'est un si joli nom !

– L'étoile du soir annonce la nuit, répondit Maddox.

Ils accueillirent cette déclaration en silence. Le courtier s'essuya les lèvres avec sa serviette.

– Désolé, ce n'est pas un sujet très gai quand on est à table.

Après le dîner, Léna débarrassa la table et ils se rendirent tous dans le bureau. En chemin, Maddox prit plusieurs caisses et des boîtes dans le vestibule. Dale, Seth et Kendra l'aidèrent. Les caisses étaient perforées pour permettre aux créatures qui y étaient enfermées de respirer. Pourtant, Kendra ne réussit pas à voir à l'intérieur. Elles étaient toutes bien fermées.

Grand-Père prit place derrière son grand bureau et Dale et Maddox s'installèrent dans les gros fauteuils. Léna s'appuya au rebord de la fenêtre et Kendra et Seth s'assirent par terre.

– D'abord, dit Maddox en se penchant pour ouvrir une grande caisse noire, nous avons quelques fées originaires d'une réserve du Timor.

Il souleva le couvercle et huit fées s'échappèrent de la caisse. Deux d'entre elles, minuscules – moins de trois centimètres –, foncèrent vers la fenêtre. Elles étaient de couleur ambrée, avec des ailes de mouche. L'une d'elles frappa le carreau de son tout petit poing. Une grande fée de plus de dix centimètres de haut voleta devant Kendra. Elle avait l'air d'une Tahitienne miniature avec des ailes de libellule dans le dos et d'autres, minuscules, aux chevilles.

Trois des fées possédaient des ailes de papillon élaborées qui ressemblaient à des vitraux, une autre avait des ailes noires et lustrées, et la dernière, aux ailes velues, avait le corps recouvert de duvet bleu pâle.

– Waouh ! s'exclama Seth. Celle-là est toute poilue !

– C'est une lutine des fontaines. On ne les trouve que sur l'île de Roti, expliqua Maddox.

– J'aime bien les petites, dit Kendra.

– Une variété plus commune – elles pullulent dans la péninsule de Malaisie, déclara le courtier.

– Elles sont si rapides ! observa Kendra. Pourquoi elles ne s'échappent pas ?

– Attraper une fée lui ôte une partie de ses pouvoirs. Garde-la dans une cage ou une pièce fermée, comme celle-ci, et elle ne pourra pas utiliser sa magie pour s'échapper. Tant qu'elles sont enfermées, elles se montrent très obéissantes.

Kendra fronça les sourcils.

– Comment Grand-Père sait-il qu'elles resteront dans son jardin s'il les achète ?

Maddox adressa un clin d'œil à Stan Sorenson.

– Elle ne tourne pas autour du pot, cette petite.

Il se tourna vers Kendra.

– Les fées sont attachées à un territoire, ce ne sont pas des créatures qui migrent. Si tu les places dans un environnement convenable, elles y restent ; un environnement comme Fablehaven, avec des jardins, de la nourriture et d'autres créatures enchantées.

– Je suis sûr que nous pouvons trouver un accord pour la lutine des fontaines, déclara Grand-Père. Celles de la mer de Banda sont magnifiques aussi. Nous règlerons les détails plus tard.

Maddox tapa sur le côté de la caisse et les fées revinrent. Celles aux ailes de papillon prirent leur temps, voletant paresseusement. Les petites rentrèrent comme des flèches. La lutine des fontaines vola jusqu'au plafond. Maddox frappa de nouveau la caisse et lança un ordre sévère dans une langue que Kendra ne comprit pas. La petite fée velue se glissa dans la boîte.

– Ensuite, nous avons des fées albinos de Bornéo.

Trois fées d'un blanc de lait sortirent d'une boîte. Leurs ailes de moucheron étaient piquetées de noir.

Maddox continua à présenter plusieurs autres groupes de fées, puis il se mit à présenter des fées une par une. Deux d'entre elles parurent répugnantes à Kendra : l'une avait des ailes épineuses et une queue, l'autre était un reptile couvert d'écailles. Maddox leur expliqua qu'elle pouvait se fondre dans le décor comme un caméléon.

– Maintenant, ma grande trouvaille, annonça-t-il en se frottant les mains. J'ai capturé cette petite dame dans une oasis du désert de Gobi. Je n'en ai vu qu'une autre de son espèce. On peut baisser les lampes ?

Dale bondit et éteignit la lumière.

– C'est quel genre de fée ? demanda Grand-Père.

En réponse, Maddox ouvrit la dernière boîte. Il en jaillit une fée éblouissante avec des ailes comme de la gaze, dorée et scintillante. Trois plumes brillantes dessinaient sous elle des rubans de lumière. Elle se tint au milieu de la pièce, magnifique, avec un port royal.

– Un djinn chantant ? dit Grand-Père, stupéfait.

– Faites-nous le plaisir de chanter, je vous prie, demanda Maddox.

Il répéta sa requête dans une autre langue.

La fée brilla encore plus fort, lançant des étincelles. La musique qui suivit était captivante. La voix de la fée évoqua à Kendra une multitude de languettes de cristal qui vibraient. Son chant sans paroles avait à la fois la puissance d'une aria d'opéra et la douceur d'une berceuse. Il était émouvant, attirant, plein d'espoir et beau à vous briser le cœur.

Ils restèrent tous assis, fascinés, jusqu'à la fin du chant. Quand il fut terminé, Kendra eut envie d'applaudir, mais le moment paraissait trop solennel.

– Vous êtes vraiment superbe, dit Maddox, répétant le compliment dans la même langue étrangère.

Du chinois peut-être ? Il tapa sur le côté de la boîte, et la fée disparut avec un moulinet éblouissant.

Sans elle, la pièce parut sombre et terne. Kendra battit des cils pour chasser les images brillantes de sa rétine.

– Comment l'avez-vous trouvée ? demanda Grand-Père, médusé.

– J'ai entendu parler de certaines légendes locales près de la frontière de Mongolie. Il m'a fallu presque deux mois d'efforts, dans des conditions très pénibles, pour la découvrir.

– Le seul autre djinn chantant connu est vénéré dans un monastère tibétain, expliqua Grand-Père. On pensait qu'il était unique. Amateurs et spécialistes des fées viennent des quatre coins du monde pour le voir.

– Je comprends pourquoi, dit Kendra.

– Quel plaisir vous nous avez fait, Maddox ! Merci de nous l'avoir amenée.

– Je lui fais faire le tour du circuit avant de prendre des offres, déclara le courtier.

– Je ne prétends pas pouvoir me l'offrir, mais prévenez-moi lorsqu'elle sera disponible.

Grand-Père se leva, regarda l'horloge et frappa dans ses mains.

– On dirait qu'il est l'heure où les moins de trente ans vont au lit, dit-il.

– Mais il est encore tôt ! protesta Seth.

– On ne rouspète pas. J'ai des négociations à mener avec Maddox, ce soir. Des enfants n'ont rien à faire ici. Vous devrez rester dans votre chambre, quoi que vous entendiez. Nos... négociations sont parfois un peu tumultueuses. C'est compris ?

– Oui, répondit Kendra.

– Je veux négocier, insista Seth.

Grand-Père secoua la tête.

– Ce sont des affaires ennuyeuses. Dormez bien, les enfants.

– Quoi que vous pensiez entendre, ajouta Maddox tandis que Kendra et Seth quittaient le bureau, sachez bien que nous ne sommes pas en train de nous amuser.

CHAPITRE SEPT

PRISONNIÈRE D'UN BOCAL

Les marches craquèrent doucement tandis que Seth et Kendra descendaient l'escalier sur la pointe des pieds. La lumière du petit matin filtrait entre les volets fermés et les rideaux tirés. La maison était tranquille, contrairement à la nuit précédente.

Blottis sous leurs couvertures dans le grenier obscur, le frère et la sœur n'avaient pas réussi à s'endormir, la veille au soir, alors qu'ils écoutaient des éclats de rire tonitruants, des bruits de verre brisé, la musique de flûtes, des portes qui claquaient et le vacarme permanent de conversations sonores. Chaque fois qu'ils avaient ouvert la porte pour voir ce qui se passait, Léna était invariablement assise au bas de l'escalier du grenier, en train de lire un livre.

– Retournez vous coucher, avait-elle dit chaque fois qu'ils avaient tenté une mission de reconnaissance. Votre grand-père n'a pas terminé les négociations.

Finalement, Kendra s'était endormie. Elle pensait que c'était le silence qui l'avait réveillée au matin. Quand elle avait quitté son lit, Seth s'était levé aussi. Maintenant, ils se faufilaient vers le rez-de-chaussée dans l'espoir d'apercevoir les suites de cette agitation nocturne.

Le portemanteau en laiton était renversé dans le vestibule, au milieu de verre brisé, un tableau était retourné sur le sol, le cadre fendu, et un symbole primitif était griffonné sur le mur à la craie orange.

Ils passèrent sans bruit dans la salle de séjour. Des tables et des chaises étaient renversées, des abat-jour étaient de travers ou déchirés, des verres, des bouteilles et des assiettes vides étaient éparpillés un peu partout, certains cassés, un pot en céramique gisait en morceaux autour d'un tas de terre et des restes d'une plante. Des taches de nourriture s'étalaient de tous côtés – du fromage fondu collé au tapis, de la sauce tomate séchant sur le bras d'un canapé, un éclair au chocolat écrasé sur un divan.

Grand-Père Sorenson ronflait sur le canapé, recouvert d'un rideau avec sa tringle. Il serrait dans ses bras un sceptre en bois, comme un ours en peluche. L'étrange bâton était sculpté de plantes grimpantes et coiffé d'une grosse pomme de pin. Malgré tout le tapage qu'ils avaient entendu la nuit précédente, Grand-Père était seul.

Seth se dirigea vers le bureau. Kendra allait le suivre, quand elle aperçut une enveloppe posée sur une table près de son grand-père. Un gros cachet de cire rouge avait été brisé et une feuille pliée bien tentante dépassait de l'enveloppe.

Kendra jeta un coup d'œil à Grand-Père. Il était tourné de l'autre côté et ne paraissait pas vouloir bouger.

S'il n'avait pas voulu qu'on lise sa lettre, pourquoi l'aurait-il laissé traîner ? Ce n'était pas comme si elle l'avait subtilisée dans sa boîte aux lettres, encore cachetée. Et puis plusieurs questions restaient sans réponse à propos de Fablehaven, et ce qui se passait avec sa grand-mère n'était pas la moindre d'entre elles.

Kendra se glissa jusqu'à la table, l'estomac contracté. Elle devrait peut-être demander à Seth de lire cette lettre. L'indiscrétion n'était pas son fort.

Mais c'était tellement facile. La lettre était juste devant elle, dépassant de l'enveloppe ouverte. Personne ne le saurait. Elle prit l'enveloppe et la retourna. Il n'y avait ni adresse ni nom d'expéditeur ; elle était blanche. Elle avait dû être remise en mains propres. Était-ce Maddox qui l'avait apportée ? Probablement.

Après un dernier coup d'œil pour s'assurer que Grand-Père dormait toujours comme un loir, Kendra sortit la feuille de papier crème de l'enveloppe et la déplia. L' écriture était large et ferme.

Stanley,

J'espère que cette lettre te trouvera en bonne santé.

Nous avons été prévenus que la SES déploie une activité inhabituelle dans le nord-est des États-Unis. Nous ne sommes pas encore sûrs qu'ils aient localisé Fablehaven, mais un rapport non confirmé suggère qu'ils sont en contact avec une ou plusieurs personnes de ton domaine. Des preuves de plus en plus précises semblent indiquer que le secret est éventé.

Je n'ai pas besoin de te rappeler la tentative d'infiltration d'une réserve brésilienne l'année dernière, ni l'importance de cette réserve vis-à-vis de la tienne.

Comme tu le sais, nous n'avons pas détecté d'activités aussi agressives de la part de la SES depuis des décennies. Nous nous préparons à déployer des ressources supplémentaires autour de Fablehaven. Comme toujours, le secret et le détournement des informations restent des priorités essentielles. Sois vigilant.

Je continue à chercher activement une solution au problème de Ruth. Ne perds pas espoir.

Avec ma fidélité éternelle,

S

Kendra relut la lettre. Ruth était le prénom de sa grand-mère. Quel était ce problème ? La SES devait être la Société de l'Étoile du Soir. Et que signifiait le « S » à la fin de la lettre ? Le message paraissait un peu vague, sans doute à dessein.

– Viens voir ça, chuchota Seth depuis la cuisine.

Kendra sursauta, tous ses muscles crispés. Grand-Père fit claquer ses lèvres en remuant sur le canapé. Un instant, la panique et la culpabilité paralysèrent l'adolescente. Seth ne la regardait pas. Il se penchait sur quelque chose dans la cuisine. Grand-Père s'immobilisa de nouveau.

Kendra replia la lettre, la glissa dans l'enveloppe et prit soin de la remettre exactement là où elle l'avait prise. Ensuite, à pas furtifs, elle rejoignit Seth qui, accroupi, observait des traces de sabots boueuses.

– Ils ont fait du cheval ou quoi ? demanda-t-il.

– Ça expliquerait tout ce vacarme, murmura Kendra, essayant de paraître détachée.

Léna apparut sur le seuil, en robe de chambre, les cheveux décoiffés.

– Regardez-moi ces lève-tôt, dit-elle doucement. Vous nous avez surpris avant le nettoyage.

Kendra fixa la gouvernante, s'efforçant de garder une expression indéchiffrable. Léna ne semblait pas l'avoir vue lire la lettre.

Seth désigna les empreintes de sabots.

– Mais qu'est-ce qui a bien pu se passer ?

– Les négociations se sont bien déroulées, c'est tout.

– Maddox est encore là ? demanda Seth avec espoir.

Léna secoua la tête.

– Il est parti en taxi il y a environ une heure.

Grand-Père Sorenson arriva en traînant les pieds dans la cuisine. Il portait un caleçon, des chaussettes et un maillot de corps avec des taches de moutarde. Il les regarda en plissant les paupières.

– Qu'est-ce que vous faites tous debout à une heure pareille ?

– Il est plus de sept heures, dit Seth.

Grand-Père étouffa un bâillement de son poing. Dans son autre main, il tenait la lettre.

– Je ne me sens pas très en forme aujourd'hui... Je crois que je vais aller me recoucher.

Il sortit du même pas traînant, en se grattant la cuisse.

– Les enfants, vous pourriez jouer dehors ce matin, dit Léna. Votre grand-père était encore debout il y a moins d'une heure. Il a eu une longue nuit.

– Je ne sais pas si je pourrai prendre Grand-Père au sérieux quand il nous dira de respecter le mobilier, déclara Kendra. On dirait qu'il a traversé la maison en tracteur.

– Un tracteur tiré par des chevaux, précisa Seth.

– Maddox aime fêter ses succès, et votre grand-père est un hôte accommodant, expliqua Léna. Sans votre grand-mère pour freiner les réjouissances, les choses ont un peu débordé. Et le fait d'avoir invité les satyres n'a rien arrangé.

Elle désigna les empreintes boueuses.

– Des satyres ? répéta Kendra. Vous voulez dire des hommes-boucs ?

Léna confirma d'un hochement de tête.

– Certains n'hésiteraient pas à dire qu'ils mettent même un peu trop d'ambiance...

– Ce sont des empreintes de boucs ? demanda Seth.

– Des empreintes de satyres.

– J'aurais bien voulu les voir, regretta Seth.

– Vos parents seraient contents de savoir que vous ne les avez pas rencontrés. Les satyres ne vous auraient appris que de mauvaises manières. À mon avis, ils les ont même inventées.

– Je suis quand même un peu déçue d'avoir raté la fête, dit Kendra.

– Ne le sois pas. Ce n'était pas une fête pour des enfants. En tant que gardien de la réserve, votre grand-père ne boit pas, mais je ne peux en dire autant des satyres. Nous ferons une fête convenable avant votre départ.

– Et vous inviterez des satyres ? demanda Seth.

– Nous verrons ce que votre grand-père dira, répondit Léna d'un air sceptique. Peut-être qu'il en invitera un.

Elle ouvrit le réfrigérateur et remplit deux verres de lait.

– Buvez ça et décampez. J'ai du ménage à faire.

Kendra et Seth prirent leur verre. Léna ouvrit le garde-manger, sortit un balai et une pelle et quitta la cuisine. Kendra but son lait à grands traits et reposa le verre vide sur le comptoir.

– Tu veux aller nager ? demanda-t-elle.

– Je te rejoins, répondit Seth, qui n'avait pas fini son verre.

Kendra s'éloigna.

Seth jeta un coup d'œil dans le garde-manger. Il y avait tant d'éta-gères, remplies de tant de provisions ! L'une d'elles ne contenait que de gros bocaux de conserves faites à la maison. En s'approchant, il constata qu'ils étaient alignés sur trois rangées.

Il ressortit du garde-manger et regarda autour de lui. Puis il retourna dans la pièce, prit un grand bocal de mûres et avança celui du deuxième rang pour cacher le trou. Dans un frigo, on pouvait s'apercevoir qu'un demi-bocal manquait. Mais un bocal parmi tous ces bocaux, dans un garde-manger débordant de provisions, c'était peu probable.

Seth pouvait être plus rusé que Kendra le pensait.

La fée se balançait sur une brindille sortant d'une haie basse près de la piscine. En équilibre, les bras tendus, elle marchait le long de la minuscule branche, ajustant ses pas quand celle-ci bougeait. Plus elle avançait, moins elle était stable. Cette reine de beauté miniature avait des cheveux platine, une robe argentée et des ailes brillantes et translucides.

Seth bondit en avant et abattit le filet qui servait à nettoyer la piscine. Les mailles bleues frappèrent la brindille, mais la fée s'envola à la dernière seconde. Elle fit du sur-place, agitant un doigt grondeur en direction de Seth. Il abattit de nouveau le filet et la fée agile échappa une deuxième fois à son assaut, s'élevant hors de sa portée.

– Tu ne devrais pas faire ça, dit Kendra depuis la piscine.

– Pourquoi pas ? Maddox les attrape bien, lui !

– Oui, mais en plein air, précisa Kendra. Celles-ci appartiennent déjà à Grand-Père. Autant chasser des lions dans un zoo.

– Peut-être que chasser des lions au zoo serait un bon entraînement.

– Tu vas finir par les mettre en colère contre toi.

– Elles s'en fichent, dit Seth en s'avançant sur une fée aux grandes ailes de gaze qui voletait à quelques centimètres au-dessus d'un massif de fleurs. Elles s'envolent, et puis c'est tout.

Lentement, il prépara le filet. La fée se trouvait juste en dessous, à moins de cinquante centimètres. D'un coup de poignet, il abattit vivement le filet. La fée s'esquiva.

– Qu'est-ce que tu feras si tu en attrapes une ?

– Je la laisserai sûrement partir.

– Alors, à quoi ça sert ?

– À savoir si je peux le faire.

Kendra se hissa hors de l'eau.

– Apparemment, tu n'y arriveras jamais. Elles sont trop rapides.

Dégoulinante, elle alla jusqu'à sa serviette.

– Oh là là ! Regarde celle-là !

Elle indiqua la base d'un buisson en fleurs.

– Où ?

– Juste là. Attends qu'elle bouge, elle est presque invisible.

Seth fixa le buisson, se demandant si sa sœur le faisait marcher. Les feuilles et les fleurs se mirent à s'agiter.

– Waouh !

– Tu vois ! Elle est aussi claire que du verre.

Seth s'avança, serrant le filet.

– Non, Seth !

Soudain, il chargea, optant cette fois pour un assaut brutal. La fée transparente s'envola et disparut dans le ciel.

– Pourquoi elles ne se tiennent pas tranquilles ?

– Elles sont magiques, dit Kendra. Ce qui est amusant, c'est de les voir, d'observer toute leur variété.

– Tu parles d'un jeu ! C'est comme quand Maman nous emmène en voiture pour voir les feuilles changer de couleur en automne.

– J'ai envie d'aller déjeuner. Je meurs de faim !

– Vas-y, j'aurai peut-être plus de chance si tu n'es pas en train de glousser à côté de moi.

Kendra se dirigea vers la maison, enroulée dans sa serviette. Elle entra par la porte de derrière et trouva Léna en train de tirer une table basse dans la cuisine. La surface était en verre, et la majeure partie était fêlée.

– Vous voulez de l'aide ? demanda Kendra.

– Volontiers.

Kendra attrapa l'autre bout de la table, qu'elles posèrent dans un coin de la grande cuisine. D'autres objets cassés étaient entassés là, y compris le vase en céramique brisé que Kendra avait remarqué plus tôt.

– Pourquoi vous entassez tout à cet endroit ?

– Parce que c'est là que viennent les brownies.

– Les brownies ?

– Viens voir.

Léna conduisit Kendra à la porte du sous-sol et lui montra une autre petite ouverture de la taille d'une chatière.

– Ces lutins ont un clapet spécial pour entrer dans le sous-sol, et ils passent par là pour pénétrer dans la cuisine. Ce sont les seules créatures magiques à avoir le droit d'entrer dans la maison à leur guise. Les entrées des brownies sont protégées magiquement contre toutes les autres créatures de la forêt.

– Pourquoi vous les laissez entrer ?

– Les brownies sont utiles. Ils réparent les choses et en fabriquent. Ce sont de remarquables artisans.

– Ils vont réparer les meubles cassés ?

– Oui, et s'ils le peuvent, ils les amélioreront.

– Mais pourquoi ?

– C'est dans leur nature. D'ailleurs, ils n'acceptent aucune récompense.

– C'est drôlement gentil ! dit Kendra.

– Ce soir, rappelle-moi de laisser de la farine, des œufs et deux ou trois autres ingrédients dehors. Tu verras, demain matin ils nous auront préparé un bon dessert.

– Quel genre de dessert ?

– On ne le sait jamais à l'avance. On ne leur demande rien de précis, on laisse les ingrédients dehors, et on découvre ce qu'ils en ont fait.

– C'est super !

– Quoi que tu mettes à leur disposition, ce qu'ils inventent est toujours délicieux.

– Il y a tant de choses que j'ignore sur Fablehaven, dit Kendra. Le domaine fait quelle taille, exactement ?

– La réserve s'étend sur de nombreux kilomètres dans plusieurs directions. Elle est beaucoup plus grande qu'elle en a l'air.

– Et il y a des créatures partout ?

– Dans la majeure partie, répondit Léna. Mais comme ton grand-père vous l'a dit, certaines de ces créatures peuvent être très dangereuses. Il y a de nombreux endroits de la propriété où même lui n'ose pas s'aventurer.

– Je veux tout savoir !

– Sois patiente. Laisse les choses se dévoiler d'elles-mêmes.

La gouvernante se tourna vers le frigo et changea de sujet.

– Tu dois avoir faim.

– Un peu.

– Je vais faire des œufs. Seth en voudra ?

– Sûrement, dit Kendra, appuyée au comptoir. Je me demandais un truc : est-ce que tout ce qu'on raconte dans la mythologie est vrai ?

– Explique-toi.

– J'ai vu des fées et des traces de satyres. Est-ce que tout est réel ?

– Aucune mythologie, aucune religion ne donne toutes les réponses. La plupart se fondent sur des faits réels, mais elles sont contaminées par les philosophies et l'imagination des hommes. Je suppose que ta question se réfère à la mythologie grecque. Y a-t-il un panthéon de dieux malveillants qui passent leur temps à se chamailler et à interférer dans la vie des mortels ? Je n'en connais pas. Y a-t-il quelque chose de vrai dans ces vieilles histoires ? Sans doute. Tu parles à une ancienne naïade. Brouillés ?

– Quoi ?

– Les œufs.

– Ça me va.

Léna se mit à casser des œufs dans une poêle.

– Bien des êtres qui habitent ici existaient déjà à l'époque où les hommes primitifs vivaient dans des tribus dépenaillées. Nous avons enseigné aux hommes les secrets du pain, de l'argile et du feu. Mais avec le temps, ils ont fini par ne plus nous voir et nos relations avec eux se sont faites rares. Puis, l'humanité a commencé à nous submerger. L'explosion de la population et la technologie nous ont fait perdre beaucoup de nos anciens refuges. Les humains ne nous voulaient pas vraiment de mal. Nous nous étions simplement changés en caricatures colorées peuplant les mythes et les fables. Il existe des endroits tranquilles dans le monde entier où notre espèce continue à prospérer en toute liberté. Et cependant, le jour viendra où, inévitablement, ces sanctuaires seront le seul espace qui nous restera, un don précieux venant de mortels éclairés.

– C'est si triste, dit Kendra.

– Ne t'en fais pas. Mon espèce ne s'appesantit pas là-dessus. Elle oublie les barrières qui entourent ces réserves. Je ne devrais pas parler de ce qui existait autrefois. Avec mon esprit de naïade déchue, je vois les changements beaucoup plus nettement que les autres et je ressens sans doute cette perte plus vivement.

– Grand-Père a dit que bientôt, toutes les créatures de la réserve se déchaîneront pendant une nuit entière.

– La nuit du solstice d'été. C'est la nuit des festivités.

– Ça ressemble à quoi ?

– Je ferais mieux de ne pas te le dire. Je ne pense pas que ton grand-père ait envie que vous vous inquiétiez avant l'heure. Il aurait préféré remettre votre visite à plus tard, justement pour éviter cette nuit.

Kendra essaya de paraître nonchalante.

– Nous serons en danger ?

– Et voilà, je t'ai inquiétée ! Tout ira bien si vous suivez les instructions que votre grand-père vous donnera.

– Et la Société de l'Étoile du Soir ? Maddox n'avait pas l'air rassuré en en parlant.

– La Société de l'Étoile du Soir a toujours été une menace, reconnut Léna. Mais ces réserves ont tenu des siècles, certaines des millénaires. Fablehaven est bien protégée, et ton grand-père n'est pas un sot. Tu n'as pas à t'inquiéter pour de simples rumeurs. Je n'en dirai pas plus. Du fromage, dans tes œufs ?

– Oui, s'il vous plaît.

Kendra partie, Seth sortit le matériel qu'il avait enroulé dans sa serviette, y compris son kit d'urgence et le bocal qu'il avait chipé dans le garde-manger. Le bocal était vide, à présent. Il l'avait lavé dans le lavabo de la salle de bains. Il prit son couteau suisse et se servit du tire-bouchon pour percer des trous dans le couvercle. Puis il ouvrit le bocal, rassembla des brins d'herbe, des pétales de fleur, une brindille et un caillou, et les mit à l'intérieur. Ensuite, il se promena dans le jardin, abandonnant son filet. Puisque l'adresse ne donnait rien, il ne lui restait plus que la ruse.

Il trouva un bon endroit près d'une fontaine, sortit un petit miroir de la boîte de céréales et le plaça dans le bocal. Il posa ce dernier sur un banc de pierre et s'assit dans l'herbe, le couvercle à la main.

Les fées ne mirent pas longtemps à arriver. Plusieurs voletèrent autour de la fontaine. Quelques-unes passèrent audessus du bocal, s'en approchant négligemment. Au bout de quelques minutes, une petite fée aux ailes d'abeille se percha sur le bord et regarda à l'intérieur. Appréciant apparemment ce qu'elle voyait, elle se glissa dans le bocal et se mit à s'admirer dans le miroir. Bientôt, une autre la rejoignit. Et une autre.

Seth s'approcha lentement jusqu'à ce que le bocal soit à sa portée. Toutes les fées en sortirent. Il attendit. Certaines s'envolèrent. De nouvelles arrivèrent. Une d'elles pénétra dans le bocal, suivie rapidement par deux autres.

Seth bondit et plaqua le couvercle sur le bocal. Les fées étaient si rapides ! Il s'attendait à les avoir attrapées toutes les trois, mais deux d'entre elles s'esquivèrent juste avant que le couvercle ne se referme. La dernière fée le poussa avec une force surprenante. Il parvint quand même à le visser.

La fée prisonnière n'était pas plus grande que son petit doigt. Elle avait des cheveux rouge vif et des ailes irisées de libellule. Furieuse, elle frappait la paroi du bocal de ses poings minuscules, sans bruit. Tout autour de lui, Seth entendait tinter des clochettes miniatures. Les autres fées pointaient le bocal du doigt en riant. Celle qui en était prisonnière frappait le verre encore plus fort, mais en vain.

Seth avait capturé sa proie.

Grand-Père plongea la tige dans la bouteille et la porta à ses lèvres. Tandis qu'il soufflait doucement, des bulles jaillirent du cercle en plastique et flottèrent sous le porche.

– On ne sait jamais ce qui les fascinera, dit-il. Mais en général, les bulles leur plaisent beaucoup.

Il était installé dans un grand fauteuil à bascule en rotin. Kendra, Seth et Dale étaient assis à côté de lui. Le soleil couchant colorait l'horizon de rouge et de violet.

– J'essaye de ne pas introduire de technologie inutile dans la propriété, reprit-il en plongeant de nouveau la tige dans le liquide. Mais je ne peux pas résister aux bulles.

Il souffla encore, et d'autres bulles se formèrent.

Une fée qui luisait doucement dans la lumière du soir s'approcha d'une des bulles. Après l'avoir considérée un moment, elle toucha la bulle qui devint d'un vert vif. Elle la toucha de nouveau et elle vira au bleu nuit. Un autre petit coup et elle devint dorée.

Grand-Père continua à faire des bulles et d'autres fées arrivèrent sous le porche. Bientôt, toutes les bulles changèrent de couleur. Les nuances devenaient de plus en plus lumineuses tandis que les fées se mesuraient les unes aux autres. Des bulles éclataient dans des éclairs de lumière.

Une fée rassembla des bulles jusqu'à en former un bouquet qui ressemblait à une grappe de raisins multicolores. Une autre fée entra dans une bulle et la gonfla de l'intérieur jusqu'à ce qu'elle triple de volume et éclate en une gerbe violette. Près de Kendra, une bulle semblait pleine de lucioles qui clignotaient. À côté de Grand-Père, une autre se changea en glace, tomba par terre et se brisa.

Les fées s'attroupaient autour de Grand-Père, attendant impatiemment les bulles suivantes. Il continua à en faire, et les fées continuèrent à déployer leur créativité. Elles emplissaient des bulles d'une brume chatoyante, elles en formaient des chaînes ou les transformaient en boules de feu. La surface de l'une d'elles se changea en miroir, une autre prit la forme d'une pyramide, une autre encore crépitait d'électricité.

Quand Grand-Père reposa le liquide, les fées se dispersèrent peu à peu. Le soleil était presque couché. Quelques fées jouèrent dans les carillons, produisant une douce musique.

– Sans que le reste de la famille le sache, dit Grand-Père, quelques-uns de vos cousins sont venus ici. Mais aucun d'eux n'a réussi à découvrir ce qu'il s'y passe réellement.

– Tu ne leur as pas donné d'indices ? demanda Kendra.

– Ni plus ni moins qu'à vous, mais apparemment ils n'avaient pas la bonne tournure d'esprit.

– C'était Érin ? demanda Seth. Ça ne m'étonnerait pas, elle est idiote !

– Sois gentil, le réprimanda Grand-Père. Ce que je veux dire, c'est que j'admire la façon dont vous avez accepté tout ceci. Vous vous êtes superbement adaptés à cet endroit pourtant inhabituel.

– Léna a dit qu'on pourrait faire une fête avec les hommes-boucs, déclara Seth.

– Si j'étais vous, je n'y compterais pas trop. Pourquoi vous a-t-elle parlé des satyres ?

– On a trouvé des traces de sabots dans la cuisine, expliqua Kendra.

– Les choses nous ont un peu échappé cette nuit, admit Grand-Père. Crois-moi, Seth, fréquenter des satyres est la dernière chose dont un garçon de ton âge a besoin.

– Alors, pourquoi tu le fais ? demanda Seth.

– La visite d'un courtier en fées est un événement important, qui suscite certaines attentes. Je concède que ces réjouissances confinent à la sottise.

– Est-ce que je peux faire des bulles ? s'enquit Seth.

– Une autre fois. J'ai prévu une excursion spéciale pour vous, demain après-midi. Je dois aller voir le grenier à blé et j'ai l'intention de vous emmener avec moi, histoire de vous montrer un peu plus de la propriété.

– Est-ce qu'on verra autre chose que des fées ? demanda Seth.

– Probablement.

– Je suis vraiment contente, dit Kendra. J'ai hâte de découvrir tout ce que tu vas nous montrer.

– En temps voulu, petite.

D'après sa respiration, Seth était sûr que Kendra dormait. Il s'assit lentement dans son lit. Elle ne bougea pas. Il toussa doucement. Elle ne réagit pas.

Il sortit de son lit et traversa le grenier pour aller à la commode. Sans bruit, il ouvrit le troisième tiroir. Elle était là, avec la brindille, l'herbe, le caillou, les pétales de fleur, le miroir. Dans la pièce obscure, son éclat illuminait tout le tiroir.

Elle pressait ses mains minuscules sur la paroi du bocal et regardait Seth d'un air désespéré. Elle gazouilla quelque chose dans une langue inconnue, lui faisant signe d'ouvrir le couvercle.

Seth regarda par-dessus son épaule. Kendra n'avait pas bronché.

– Bonne nuit, petite fée, chuchota-t-il. Ne t'inquiète pas. Demain matin, je te donnerai du lait.

Il commença à refermer le tiroir. La fée, paniquée, redoubla ses protestations frénétiques. Elle avait l'air au bord des larmes, ce qui arrêta Seth. Peut-être qu'il la relâcherait demain.

– C'est bon, petite fée, dit-il doucement. Endors-toi. Je te verrai demain.

Elle joignit les mains et les agita en un geste implorant, le suppliant des yeux. Elle était si jolie, avec ses cheveux de feu qui ressortaient sur sa peau crémeuse. La parfaite petite compagne. Bien mieux qu'une poule. Quelle poule était capable d'enflammer des bulles ?

Refermant le tiroir, Seth regagna son lit.

CHAPITRE HUIT

LA PUNITION

Seth se frotta les yeux et fixa le plafond un moment. En se tournant, il vit que Kendra n'était plus dans son lit. La lumière du jour entrait à flots par la fenêtre. Il s'étira, arquant le dos en grognant. Son matelas le tentait bien. Après tout, il pouvait se lever plus tard.

Mais non, il voulait voir la fée. Il espérait que le sommeil l'avait calmée. Repoussant ses couvertures emmêlées, il se leva et s'empressa d'aller à la commode. Quand il ouvrit le tiroir, il poussa une exclamation.

La fée n'était plus là. À la place, il y avait une tarentule velue avec des pattes rayées et des yeux noirs brillants. Est-ce qu'elle avait mangé la fée ? Il vérifia le couvercle. Il était bien vissé. Puis il s'avisa qu'il n'avait pas encore bu de lait. C'était peut-être l'autre forme sous laquelle la fée apparaissait. Il se serait attendu à une libellule, mais une tarentule était possible, après tout.

Il remarqua aussi que le miroir était brisé. L'avait-elle cassé avec le caillou ? Elle aurait pu se couper.

– On ne s'affole pas, ordonna-t-il, je reviens.

Un pain rond était posé sur la table. Il était à la fois blanc, noir, marron et orange. Pendant que Léna en coupait une tranche, Kendra prit une autre gorgée de chocolat.

– Avec les ingrédients que j'ai laissés dehors, je pensais qu'ils confectionneraient une tarte brouillée, dit la gouvernante. Mais leurs pains bigarrés sont tout aussi bons. Goûte.

Elle en tendit une tranche à Kendra.

– Ils ont magnifiquement réparé le vase, remarqua l'adolescente. Et la table est parfaite.

– Elle est même mieux qu'avant, acquiesça Léna. J'aime bien sa nouvelle surface biseautée. Les brownies connaissent leur affaire.

Kendra inspecta la tranche de pain. La mie était aussi colorée que la croûte. Elle en prit une bouchée. La cannelle et le sucre dominaient. Avidement, elle mordit de nouveau dans la tranche : cette fois le pain avait un goût de confiture de cassis. La bouchée suivante avait un goût de chocolat avec une pointe de beurre d'arachides, et celle d'après évoquait un flan à la vanille.

– Tant de saveurs différentes ! s'exclama-t-elle.

– Oui, et elles ne jurent jamais entre elles, dit Léna en mangeant à son tour.

Les pieds nus et les cheveux en bataille, Seth entra dans la pièce.

– Bonjour, dit-il. Vous prenez votre petit déjeuner ?

– Il faut que tu goûtes ce pain bigarré, déclara Kendra.

– Dans une minute, répondit-il. Je peux avoir une tasse de chocolat ?

Léna le servit.

– Merci. Je reviens tout de suite. J'ai oublié quelque chose.

Il s'éloigna à vive allure tout en buvant son chocolat.

– Il est bizarre, observa Kendra en prenant une bouchée qui avait un goût de banane.

– Si tu veux mon avis, il mijote quelque chose.

Seth posa la tasse sur la commode. Inspirant à fond pour reprendre son calme, il pria en silence pour que la tarentule soit partie et que la fée soit revenue. Il ouvrit le tiroir.

Une horrible petite créature le fusillait du regard depuis le bocal. Montrant des dents pointues, elle sifflait dans sa direction. Couverte d'une peau brune qui ressemblait à du cuir, elle était plus grande que son majeur. Elle était chauve, avec des oreilles déchiquetées, une poitrine étroite, un ventre rond et des membres grêles et ratatinés. Ses lèvres étaient celles d'une grenouille, ses yeux étaient d'un noir luisant et son nez se réduisait à deux fentes au-dessus de la bouche.

– Qu'est-ce que tu as fait à la fée ? demanda Seth.

La vilaine créature siffla de nouveau en se tournant. Elle avait une paire de bourgeons au-dessus de ses maigres omoplates, qui remuaient comme des moignons d'ailes amputées.

– Oh non ! Qu'est-ce qui t'est arrivé ?

La créature tira une longue langue noire et frappa le verre de ses mains calleuses. Elle bredouilla quelque chose dans un langage rauque et déplaisant.

Que s'était-il passé ? Pourquoi la fée s'était-elle changée en horrible petit démon ? Peut-être avait-elle besoin de lait.

Seth prit le bocal dans le tiroir, attrapa la tasse et dévala l'escalier du grenier jusqu'au vestibule. Il fonça dans la salle de bains et verrouilla la porte derrière lui.

La tasse contenait encore un tiers de chocolat. Tenant le bocal au-dessus du lavabo, Seth versa le liquide sur le couvercle.

La majeure partie coula sur le côté du bocal, mais quelques gouttes s'infiltrèrent par les trous.

Une goutte tomba sur l'épaule de la créature. Avec colère, elle fit signe à Seth d'ouvrir le couvercle, puis désigna la tasse. Apparemment, elle voulait boire directement dedans.

Seth examina la pièce. La fenêtre était fermée, la porte verrouillée. Il pressa une serviette en bas de la porte. Dans le bocal, la créature multipliait les gestes suppliants et mimait le geste de boire dans une tasse.

Seth dévissa le couvercle. D'un bond puissant, la créature sauta du bocal et atterrit sur la tablette. Tapie sur elle-même et grondant, elle jeta un regard noir au jeune garçon.

– Je suis désolé que tes ailes soient tombées, dit-il. Voilà qui pourrait t'aider.

Il tendit la tasse à la créature, se demandant si elle allait laper le chocolat ou juste grimper dans la tasse. À la place, elle lui donna un coup de dents, manquant son doigt de justesse. Seth retira brusquement sa main, renversant du chocolat sur la tablette. En sifflant, l'agile diablotin se laissa tomber par terre, fila vers la baignoire et se jeta dedans.

Avant que Seth ne puisse réagir, il se faufila dans le trou d'évacuation. Un dernier flot de plaintes confuses monta du trou noir et la créature disparut. Seth versa le reste du chocolat dans le tuyau, pour le cas où cela pourrait être utile à la fée transformée.

Puis il regarda le bocal, vide à part quelques pétales de fleur fanés. Il ne savait pas trop ce qu'il avait fait de travers, mais il sentait que Maddox ne serait pas très fier de lui.

Plus tard ce matin-là, Seth, assis dans la cabane de l'arbre, essayait d'assembler de nouvelles pièces du puzzle. Maintenant que le contour était terminé, en ajouter d'autres était ardu. Elles se ressemblaient toutes.

Il avait évité Kendra toute la matinée. Il n'avait envie de parler à personne. Il n'arrivait pas à se remettre de la métamorphose de la fée. Il ne savait pas trop ce qu'il avait à voir là-dedans, mais il savait que c'était sa faute et que ça avait un rapport avec sa capture. C'est pour ça qu'elle avait l'air si effrayée la veille. Elle savait qu'il l'avait condamnée à se changer en un affreux petit monstre.

Les pièces du puzzle se mirent à vibrer. Bientôt, toute la cabane trembla. Est-ce que c'était un tremblement de terre ? Seth n'en avait encore jamais vu.

Il courut à la fenêtre. Des fées voltigeaient partout, rassemblées autour de la cabane. Elles levaient les bras et semblaient chanter des incantations.

L'un d'elles pointa le doigt sur Seth. Plusieurs s'approchèrent de la fenêtre. Une fée tendit sa paume ouverte dans sa direction ; dans un éclair de lumière, la vitre se brisa. Il bondit en arrière et plusieurs fées entrèrent.

Il courut à la trappe, mais la cabane était agitée de secousses si violentes qu'il tomba par terre. Le tremblement devenait intense. Le sol n'était plus droit et une chaise se renversa. La porte de la trappe s'était refermée en claquant. Il rampa vers elle. Quelque chose de brûlant lui piqua la nuque. Des lumières multicolores se mirent à jaillir.

Seth empoigna la porte de la trappe, mais elle refusa de s'ouvrir. Il tira de toutes ses forces. Quelque chose lui brûla le dos de la main.

Paniqué, il retourna à la fenêtre, luttant pour garder son équilibre tandis que le sol tremblait toujours sous lui. La nuée de fées continuait à chanter ; il entendait toujours leurs petites voix. Soudain, dans un craquement sonore, la cabane s'inclina sur le côté. Par la fenêtre, à la place des fées, il vit le sol qui s'approchait rapidement.

Pendant un instant, Seth eut l'impression de ne plus rien peser. Tous les objets de la cabane flottaient et tout tombait. Des pièces du puzzle voltigeaient dans l'air. Ensuite, ce fut comme si la cabane explosait.

Kendra appliquait de la lotion solaire sur les bras. Elle n'aimait pas la sensation huileuse du produit sur sa peau. Elle était plus bronzée qu'à son arrivée, mais ce jour-là le soleil était brûlant et elle ne voulait pas prendre de risques.

Son ombre formait une petite tache à ses pieds. Il était presque midi. Le déjeuner n'était pas loin. Ensuite, Grand-Père Sorenson les emmènerait au grenier à blé. Kendra espérait bien voir une vraie licorne.

Soudain, elle entendit un énorme craquement venant d'un coin du terrain, puis le hurlement de Seth.

Qu'est-ce qui avait pu faire un bruit pareil ? Elle n'eut pas à courir très loin pour voir la pile de débris au pied de l'arbre.

Seth accourait vers elle, la chemise déchirée. Il avait du sang sur la figure. Des dizaines de fées semblaient le poursuivre. Kendra allait plaisanter sur le fait que les fées voulaient se venger parce qu'il essayait de les attraper, quand elle s'avisa que c'était sans doute vrai. Les fées avaient jeté la cabane à terre ?

– Elles sont après moi ! hurla Seth.

– Saute dans la piscine ! lui cria Kendra.

Seth obliqua dans cette direction et commença à ôter sa chemise. Le menaçant nuage de fées n'eut pas de mal à le rattraper. Elles lançaient des flots de choses brillantes. Seth jeta sa chemise et sauta dans l'eau.

– Les fées attaquent Seth ! cria Kendra, observant la scène avec des yeux horrifiés.

Les fées voletaient au-dessus de la piscine. Au bout d'un moment, Seth refit surface. Avec une synchronisation parfaite, le nuage de fées piqua sur lui. Il hurla quand des rayons de lumière aveuglants commencèrent à flamboyer autour de lui, et replongea. Les fées plongèrent après lui.

Il émergea en haletant. L'eau tourbillonnait. Seth se débattait au milieu d'un véritable spectacle pyrotechnique sous-marin. Kendra courut au bord de la piscine.

– Au secours ! cria-t-il en sortant une main de l'eau.

Ses doigts étaient soudés et sa main ressemblait à une nageoire.

Kendra hurla.

– Elles attaquent Seth ! Au secours ! Elles attaquent Seth !

Il se dirigea vers le bord de la piscine en battant des bras. La masse tourbillonnante des fées convergea sur lui, l'entraînant vers le fond au milieu de sinistres éclats de lumière. Kendra courut prendre le filet et l'agita contre la horde implacable de fées, sans réussir à en toucher aucune malgré la densité de l'essaim.

Seth refit surface au bord de la piscine et jeta ses bras sur les dalles, essayant de se hisser hors de l'eau. Kendra s'accroupit pour l'aider et poussa un cri aigu : un des bras de son frère était large, plat et caoutchouteux, sans coude ni main. Une nageoire gainée de peau humaine. L'autre était long et flasque, un tentacule charnu terminé par des doigts mous.

Elle regarda le visage de Seth. De longues défenses sortaient d'une bouche large et sans lèvres. Il lui manquait des plaques de cheveux. Ses yeux étaient dilatés par la terreur.

Les fées déchaînées l'assaillirent de nouveau et il perdit appui, disparaissant dans une nouvelle explosion d'éclairs colorés. De la vapeur montait en sifflant de l'eau bouillonnante.

– Qu'est-ce qu'il se passe ? brailla Grand-Père Sorenson en accourant au bord de la piscine.

Léna le suivait. L'eau scintilla encore à plusieurs reprises. La plupart des fées s'envolèrent. Quelques-unes se dirigèrent vers Grand-Père.

Une, en particulier, pépiait d'une voix coléreuse. Elle avait les cheveux bleus et courts et des ailes argentées.

– Qu'est-ce qu'il a fait ? s'exclama Grand-Père.

Une monstruosité méconnaissable se hissa hors de l'eau et s'allongea en haletant sur les dalles ; une créature déformée qui n'avait pas de vêtements. Léna s'accroupit à côté de Seth et posa une main sur son flanc.

– Il ne savait pas ce qu'il faisait ! protesta Grand-Père. C'était un jeu innocent !

La fée exprima sa réprobation.

Kendra, bouche bée, contemplait ce qui restait de son frère. La plupart de ses cheveux étaient tombés, révélant un crâne bosselé constellé de grains de beauté. Son visage était plus large et plus plat, avec des yeux enfoncés et des défenses de la taille d'une banane qui sortaient de sa bouche. Une bosse difforme s'élevait au-dessus de ses épaules. Sur son dos, au-dessous de la bosse, quatre évents se plissaient pour aspirer de l'air. Ses jambes étaient réunies en une queue grossière. Il frappa le sol de son bras-nageoire. Le tentacule se tordait comme un serpent.

– Ce n'est qu'une malheureuse coïncidence, déclara Grand-Père d'un ton apaisant. C'est très regrettable. Ne pouvez-vous pas avoir pitié de ce garçon ?

La fée gazouilla avec véhémence.

– Je suis désolé que vous preniez les choses ainsi. Je me sens très mal à propos de ce qui est arrivé. Je vous assure que cette atrocité n'était pas voulue.

Après une dernière rafale de protestations, la fée s'envola.

– Tu vas bien ? demanda Kendra en s'accroupissant près de Seth.

Il émit un grognement confus, puis une deuxième plainte plus désespérée qui évoquait un âne se gargarisant.

– Tais-toi, Seth, dit Grand-Père. Tu as perdu l'usage de la parole.

– Je vais chercher Dale, déclara Léna en s'éloignant vivement.

– Mais qu'est-ce qu'elles lui ont fait ? demanda Kendra.

– Elles se sont vengées, répondit Grand-Père d'un ton lugubre.

– Parce qu'il a essayé de les attraper ?

– Parce qu'il a réussi.

– Il en a attrapé une ?

– Oui.

– Et elles l'ont transformé en morse difforme ? Je croyais qu'elles ne pouvaient pas utiliser la magie contre nous !

– Il a utilisé une magie puissante pour transformer la fée prisonnière, ouvrant sans le vouloir la porte à une punition magique.

– Mais enfin, Seth ne connaît rien à la magie !

– Je suis sûr que c'était un accident, dit Grand-Père. Tu me comprends, Seth ? Frappe trois fois de ta nageoire si tu saisis ce que je dis.

La nageoire frappa les dalles par trois fois.

– C'était une belle bêtise d'attraper une fée, Seth, continua Grand-Père. Je t'avais bien dit qu'elles n'étaient pas inoffensives. Mais j'ai ma part de responsabilité. Je suis sûr que c'est Maddox qui t'a inspiré et que tu voulais entamer une carrière de courtier en fées.

Seth hocha maladroitement la tête, ce qui fit tressauter son torse boursouflé.

– J'aurais dû l'interdire clairement. J'avais oublié combien les enfants peuvent se montrer curieux, audacieux et pleins de ressources. Je n'aurais jamais cru que tu réussirais à en capturer une.

– Quelle genre de magie a-t-il utilisée ? demanda Kendra, au bord de l'hystérie.

– Si une fée est retenue prisonnière à l'intérieur entre le coucher et le lever du soleil, elle se change en mutard.

– C'est-à-dire ?

– Une fée déchue. Ce sont de méchantes petites créatures. Les mutards se détestent autant que les fées s'adorent. Elles sont attirées par la beauté, les mutards par la laideur.

– Leur personnalité peut changer aussi vite ?

– Leur personnalité reste la même, répondit Grand-Père, creuse et centrée sur elles-mêmes. Le changement d'apparence révèle le côté tragique de leur tournure d'esprit. La vanité se fige en supplice. Elles deviennent jalouses et pleines de dépit, se complaisant dans la méchanceté.

– Et les fées que Maddox attrape ? Pourquoi elles ne se transforment pas ?

– Il évite de laisser les cages à l'intérieur pendant la nuit. Les fées qu'il capture passent toujours au moins une partie de la nuit dehors.

– Le fait de mettre les cages dehors suffit à les empêcher de se changer en mutards ?

– Parfois, on obtient une magie puissante par des moyens tout simples.

– Mais pourquoi les autres fées ont-elles attaqué Seth ? Qu'est-ce qu'elles en ont à faire, si elles sont si égoïstes ?

– C'est justement parce qu'elles sont égoïstes qu'elles s'en soucient. Toutes les fées ont peur d'être la prochaine victime. Il paraît que Seth avait même mis un miroir dans le bocal, et elle a pu se voir après sa déchéance. Les fées ont jugé que c'était particulièrement cruel.

Grand-Père répondait calmement à chaque question, même si Kendra les posait sur un ton accusateur ou avec colère. Son attitude paisible aida l'adolescente à se calmer un peu.

– Je suis sûre que c'était un accident, dit-elle.

Seth hocha la tête avec vigueur, faisant tressauter ses bajoues.

– Je n'y vois pas de mauvaise intention. C'est une malheureuse mésaventure. Mais les fées se moquent de ses motivations. Elles étaient dans leur droit en le punissant.

– Tu peux le retransformer ?

– Rendre sa forme originelle à Seth dépasse de loin mes capacités.

Seth laissa échapper un long mugissement plaintif. Kendra tapota sa bosse.

– Il faut qu'on fasse quelque chose !

– Oui, dit Grand-Père.

Il plaça ses mains sur ses yeux et les fit descendre le long de son visage.

– Ce serait trop compliqué à expliquer à vos parents.

– Qui peut le sauver ? Maddox ?

– Maddox n'est pas un magicien. En outre, il est parti depuis longtemps. Même si j'hésite, je ne connais qu'une personne capable d'annuler le sortilège jeté à ton frère.

– Qui ?

– Seth l'a rencontrée.

– La sorcière ?

Grand-Père acquiesça.

– Vu les circonstances, notre seul espoir est Muriel Taggert.

La brouette oscilla en roulant sur une racine. Dale parvint à la redresser. Seth grogna. Il était nu, à part une serviette blanche qui couvrait son ventre.

– Désolé, Seth, dit Dale. C'est un fichu sentier.

– On arrive bientôt ? demanda Kendra.

– Ce n'est plus très loin, répondit Grand-Père.

Ils marchaient en file indienne : Grand-Père en tête, suivi par Dale qui poussait la brouette, et Kendra à l'arrière. Ce qui avait commencé comme une piste à peine visible près de la grange s'était élargi en un chemin praticable. Plus tard, ils avaient pris un sentier plus étroit et ils n'avaient pas croisé d'autre chemin depuis.

– Les bois paraissent si tranquilles ! remarqua Kendra.

– Ils sont plus tranquilles quand on reste sur les sentiers, dit Grand-Père.

– Ils semblent même trop tranquilles.

– Il y a de la tension dans l'air. Ton frère a fait quelque chose de très grave. La déchéance d'une fée est une vraie tragédie. La punition a été très brutale et des yeux avides attendent de voir si le conflit va s'envenimer.

– Ce ne sera pas le cas, n'est-ce pas ?

– J'espère que non. Mais si Muriel guérit ton frère, les fées pourront considérer cela comme une insulte.

– Elles vont encore l'attaquer ?

– Je ne pense pas. Du moins, pas directement. Le châtiment a déjà été administré.

– Et est-ce qu'on peut guérir la fée ?

Grand-Père secoua la tête.

– Non.

– Mais la sorcière le pourrait, elle.

– Seth a été transformé grâce à de la magie, mais la possibilité de déchoir et de devenir un mutard fait fondamentalement partie de l'existence d'une fée. Elle s'est transformée selon une loi qui existe depuis que les fées ont des ailes. Muriel pourra peut-être annuler l'enchantement imposé à Seth. En revanche, inverser la déchéance d'une fée dépasse ses capacités.

– Pauvre petite fée.

Ils atteignirent un embranchement. Grand-Père prit à gauche.

– On y est presque, dit-il. Taisez-vous pendant que nous parlerons avec elle.

Kendra regarda les arbres et les buissons, s'attendant à voir des yeux malveillants lui rendre méchamment son regard. Quelles créatures apparaîtraient si toute la verdure disparaissait ? Qu'arriverait-il si elle quittait le sentier ? Combien de temps s'écoulerait avant qu'un monstre épouvantable ne la dévore ?

Grand-Père s'arrêta et pointa les arbres du doigt.

– C'est là.

Kendra aperçut la cabane feuillue entre les arbres.

– Il y a trop de broussailles pour la brouette, dit Dale en prenant Seth dans ses bras.

Même si Seth était beaucoup plus boursouflé, il n'avait pas grandi. Tandis qu'ils se frayaient un chemin dans les fourrés, Dale le porta sans trop de difficulté.

La hutte couverte de lierre approchait. Ils la contournèrent pour atteindre l'entrée. La sorcière crasseuse était assise à l'intérieur, adossée à la souche, mâchant toujours l'un des nœuds de sa corde. Deux mutards étaient assis sur la souche. L'un était maigre, avec des côtes proéminentes et de grands pieds plats, l'autre était compact et grassouillet.

– Bonjour Muriel, dit Grand-Père.

Les mutards sautèrent de la souche et disparurent. Muriel leva les yeux, un lent sourire révélant des dents gâtées.

– Se pourrait-il que ce soit Stan Sorenson ?

Elle se frotta les yeux d'un geste théâtral et le scruta, les paupières plissées.

– Non, je dois rêver. Stan Sorenson a dit qu'il ne viendrait plus jamais chez moi !

– J'ai besoin de votre aide, dit Grand-Père.

– Et vous avez amené de la compagnie. Je me souviens de Dale. Qui est cette charmante jeune fille ?

– Ma petite-fille.

– Elle ne vous ressemble pas, et heureusement pour elle. Mon nom est Muriel, ma chère, ravie de vous connaître.

– Je m'appelle Kendra.

– Oui, bien sûr. C'est vous qui portez cette jolie chemise de nuit rose avec un nœud devant.

Kendra jeta un coup d'œil à Grand-Père. Comment cette vieille folle pouvait-elle savoir à quoi ressemblait sa chemise de nuit ?

– Je sais une chose ou deux, continua Muriel en se frappant la tempe. Les télescopes sont faits pour les étoiles, ma petite, pas pour les arbres.

– Ne fais pas attention à elle, dit Grand-Père. Elle veut te donner l'impression qu'elle peut t'espionner dans ta chambre. Les sorcières aiment faire peur, mais l'influence de Muriel ne s'étend pas au-delà des murs de cette cabane.

– Ne voulez-vous pas entrer prendre une tisane ?

– Elle tient ce qu'elle sait des mutards, continua Grand-Père. Et comme les mutards sont bannis du terrain, elle est informée par l'un d'eux en particulier.

Muriel lâcha un rire aigu. Ce caquètement dément correspondait beaucoup mieux à son apparence dépenaillée que sa voix.

– Le mutard a vu ta chambre et a entendu des conversations de l'endroit où Seth l'avait emprisonné, conclut Grand-Père. Pas de quoi s'inquiéter.

Muriel leva un doigt en signe d'objection.

– Pas de quoi s'inquiéter, dites-vous ?

– Rien de ce que le mutard a vu ou entendu ne peut être dangereux, expliqua Grand-Père.

– Sauf peut-être son propre reflet, suggéra Muriel. Qui est notre dernier visiteur ? Cette pauvre abomination boursouflée ? Cela se pourrait-il ?

Elle claqua des mains et gloussa.

– Notre vaillant petit aventurier aurait-il eu une mésaventure ? Sa langue bien pendue l'aurait-elle trahi, finalement ?

– Vous savez ce qui s'est passé, dit Grand-Père.

– Oui, je le sais, glousse-t-elle. Je savais qu'il était insolent, mais je n'aurais jamais imaginé une telle cruauté ! Enfermez-le quelque part, pour le bien des fées. Enfermez-le bien.

– Pouvez-vous lui rendre son apparence ?

– Lui rendre son apparence ? Après ce qu'il a fait ?

– C'était un accident, vous le savez très bien.

– Pourquoi ne pas me demander de sauver un meurtrier de la potence ? D'épargner la honte à un traître ?

– Pouvez-vous le faire ?

– Dois-je lui fabriquer une médaille, par-dessus le marché ? Une marque d'honneur pour son crime ?

– Le pouvez-vous ?

Muriel cessa de jouer la comédie. Elle regarda ses visiteurs avec une expression rusée.

– Vous connaissez le prix.

– Je ne peux pas défaire de nœud, dit Grand-Père.

Muriel leva ses mains noueuses.

– Vous savez très bien que j'ai besoin de l'énergie d'un nœud pour le sortilège, dit-elle. Il y a plus de soixante-dix sorts qui s'acharnent sur lui. Normalement, ce n'est pas un mais soixante-dix nœuds que je devrais vous demander de défaire en échange.

– Et si…

– Pas de marchandage. Un nœud, et votre monstrueux petit-fils retrouvera sa forme originelle. Sans lui, il m'est impossible d'annuler l'enchantement. C'est de la magie de fées, vous connaissiez le prix avant de venir. Pas de marchandage.

Grand-Père céda.

– Montrez-moi la corde.

– Placez le garçon sur mon seuil.

Dale déposa Seth devant la porte, à côté de Muriel qui tendait la corde à Grand-Père. Elle avait deux nœuds, couverts de sang séché. L'un était encore humide de salive.

– Choisissez, dit-elle.

– De ma propre volonté, je dénoue ce nœud, dit Grand-Père.

Puis, il se pencha en avant et souffla doucement sur l'un des nœuds, qui se défit aussitôt.

L'air trembla. Par de très chaudes journées, Kendra avait vu l'air miroiter à distance. C'était la même chose, mais juste devant elle. Elle ressentait de fortes vibrations, comme si elle se trouvait devant une puissante enceinte pendant une chanson avec beaucoup de basses. Le sol semblait s'incliner.

Muriel tendit une main au-dessus de Seth. Elle marmonna une incantation incompréhensible. La peau du morse se rida comme s'il bouillait à l'intérieur. On aurait dit qu'il était envahi par des milliers de vers qui cherchaient à sortir. Une vapeur nauséabonde montait de sa chair. Sa graisse paraissait s'évaporer. Son corps difforme se convulsa.

Kendra écarta les bras et chancela tandis que le sol vacillait encore plus. Il y eut une explosion de noirceur, le contraire d'un éclair, et l'adolescente trébucha, parvenant de justesse à se rattraper.

L'étrange sensation cessa. L'air s'éclaircit et l'équilibre revint. Seth s'assit. Il était exactement comme avant : plus de défenses, plus de nageoires, plus d'évents, juste un garçon de onze ans avec une serviette autour de la taille. Il s'écarta de la cabane et se mit debout.

– Satisfait ? demanda Muriel.

– Comment te sens-tu, Seth ? questionna Grand-Père.

Seth tapota son torse nu.

– Beaucoup mieux!

Muriel fit un grand sourire.

– Merci, petit aventurier. Tu m'as rendu un grand service, aujourd'hui. Je te suis redevable.

– Tu n'aurais pas dû le faire, Grand-Père, dit Seth.

– Il le fallait. Nous ferions mieux de partir.

– Restez un moment, offrit Muriel.

– Non, merci.

– Très bien, repoussez donc mon hospitalité. Kendra, contente de t'avoir connue, puisses-tu trouver moins de bonheur que tu mérites. Dale, vous êtes aussi muet que votre frère, et presque aussi pâle. Seth, ne te prive pas d'avoir une autre mésaventure bientôt. Stan, vous n'avez pas la cervelle d'un orang-outang, soyez-en béni. Au revoir, et donnez-moi de vos nouvelles.

Kendra donna à son frère des chaussettes, des chaussures, un short et une chemise. Quand il fut habillé, ils rejoignirent le sentier.

– Est-ce que je peux monter dans la brouette pour rentrer ? demanda Seth.

– C'est toi qui devrais me pousser, grommela Dale.

– C'était comment, d'être un morse ?

– C'est ce que j'étais ?

– Un morse mutant, avec une bosse et une queue déformée, expliqua-t-elle.

– Dommage qu'on n'ait pas eu un appareil photo ! C'était bizarre de respirer par le dos. Et puis j'avais du mal à bouger. Rien n'allait bien.

– Il serait plus prudent de parler moins fort, conseilla Grand-Père.

– Je ne pouvais pas parler, continua Seth plus doucement. Je savais toujours le faire, mais les mots sortaient tout emmêlés. Ma bouche et ma langue étaient différentes.

– Et Muriel ? demanda Kendra. Si elle défait ce dernier nœud, elle sera libre ?

– Au départ, elle était liée par treize nœuds, expliqua Grand-Père. Elle ne peut en défaire aucun toute seule, même si ça ne l'empêche pas d'essayer. Cependant les autres mortels le peuvent. Il suffit de lui demander une faveur et de souffler sur le nœud. Une magie puissante tient les nœuds en place. Quand on les défait, Muriel peut canaliser cette magie pour exaucer la faveur demandée.

– Alors, si jamais tu as encore besoin de son aide…

– Je m'adresserai ailleurs, déclara Grand-Père. Je n'ai jamais souhaité qu'elle se retrouve avec un seul nœud. La libérer n'est pas une solution.

– Je suis désolé de l'avoir aidée, dit Seth.

– Est-ce que ta mésaventure t'a appris quelque chose ? demanda Grand-Père.

Seth baissa la tête.

– Je me sens vraiment mal pour la fée. Elle ne méritait pas ce qui lui est arrivé.

Grand-Père ne répondit pas et Seth se mit à contempler ses chaussures.

– Je n'aurais pas dû me frotter à des créatures magiques, reconnut-il finalement.

Grand-Père posa une main sur son épaule.

– Je sais que tu n'avais pas l'intention de mal faire. Par ici, ce que tu ne connais pas peut te blesser. Et blesser les autres. Si cet épisode t'a appris à être plus prudent et plus compatissant à l'avenir, et à montrer plus de respect pour les habitants de cette réserve, au moins quelque chose de bon en sera sorti.

– J'ai appris quelque chose, moi aussi, dit Kendra. Les humains et les morses ne devraient jamais se mélanger.

CHAPITRE NEUF

HUGO

Le plateau triangulaire était posé sur les genoux de Kendra. Elle étudiait les bâtonnets, projetant son prochain coup. À côté d'elle, Léna se balançait doucement dans un fauteuil en regardant la lune apparaître. Du porche, on pouvait voir seulement quelques fées qui glissaient dans le jardin. Des lucioles clignotaient parmi elles dans le clair de lune argenté.

– Il n'y a pas beaucoup de fées dehors, ce soir, observa Kendra.

– Il faudra peut-être patienter quelque temps avant qu'elles reviennent en force dans notre jardin, dit Léna.

– Vous ne pouvez pas tout leur expliquer ?

Léna eut un petit rire.

– Elles préféreraient écouter ton grand-père que de faire attention à moi.

– Ne faisiez-vous pas partie de leur espèce, en quelque sorte ?

– C'est bien le problème. Regarde.

Léna ferma les yeux et se mit à chanter doucement. Sa voix haute et harmonieuse donna vie à une mélodie mélancolique. Plusieurs fées arrivèrent du jardin et voletèrent en demi-cercle autour d'elle, interrompant ses roucoulements par des gazouillis véhéments.

Léna cessa de chanter et dit quelque chose dans une langue incompréhensible. Les fées lui répondirent. La gouvernante fit une remarque finale, et les fées s'envolèrent.

– Que disaient-elles ? demanda Kendra.

– Que je devrais avoir honte de chanter une chanson de naïade, répondit Léna. Elles détestent qu'on leur rappelle que j'en étais une, autrefois, d'autant plus que j'ai l'air d'être en paix avec ma décision.

– Elles paraissaient joliment remontées.

– Elles passent le plus clair de leur temps à se moquer des mortels. Alors chaque fois que l'une de nous en devient une, les autres se demandent ce qu'elles manquent, surtout si on a l'air heureuses. Les fées me ridiculisent sans pitié.

– Cela ne vous touche pas ?

– Pas vraiment. Elles savent comment me houspiller. Elles se moquent de mon âge – de mes cheveux, de mes rides –, elles me demandent si ça me plaira d'être enterrée dans une boîte, ce genre de choses.

Léna fronça les sourcils, regardant pensivement dans la nuit.

– J'ai senti mon âge aujourd'hui, quand tu as appelé à l'aide.

– Comment ça ?

Kendra sauta un bâtonnet.

– J'ai voulu courir t'aider, mais je me suis étalée sur le sol de la cuisine. Ton grand-père t'a rejointe avant moi, et ce n'est pas un athlète.

– Ce n'était pas votre faute.

– Dans ma jeunesse, je serais arrivée en un éclair. J'avais l'habitude d'être toujours là en cas d'urgence. Maintenant, j'arrive en clopinant.

– Vous vous en sortez encore très bien.

Kendra ne savait plus comment jouer. Elle avait déjà un bâtonnet isolé.

Léna secoua la tête.

– Je ne tiendrais pas une minute sur un trapèze ou une corde raide. Autrefois, j'évoluais facilement, avec agilité. La malédiction de la mortalité. Vous passez la première partie de votre vie à apprendre, à devenir plus fort, plus capable. Et puis, même si vous n'y êtes pour rien, votre corps commence à vous manquer. Vous régressez, les membres solides s'affaiblissent, les sens aiguisés s'émoussent, les constitutions robustes se détériorent. La beauté se fane. Les organes vous lâchent. Vous vous rappelez ce que vous étiez dans votre jeunesse et vous vous demandez où est passée cette personne. Alors que votre sagesse et votre expérience sont à leur apogée, votre corps, ce traître, devient une prison.

Kendra ne pouvait plus bouger ses bâtonnets. Il lui en restait trois.

– Je n'avais jamais pensé à ça.

Léna lui prit le jeu et entreprit de remettre les bâtonnets en place.

– Dans leur jeunesse, les mortels se comportent davantage comme des nymphes. L'âge adulte paraît très loin, et plus encore la vieillesse. Mais pesamment, inévitablement, l'âge vous rattrape. Je trouve cette expérience frustrante, humiliante et irritante.

– Pourtant, vous m'avez dit que vous ne regrettiez pas votre décision, lui rappela Kendra.

– C'est vrai, si c'était à refaire, je choisirais encore Patton. Et maintenant que j'ai expérimenté la condition de mortel, je n'imagine pas que je pourrais me contenter de mon ancienne existence. Mais les plaisirs, les joies de la vie ont un prix : la douleur, la maladie, le déclin de l'âge, la perte de ceux qu'on aime… Je m'en passerais bien.

Les bâtonnets étaient en place. Léna commença à jouer.

– Je suis impressionnée par la facilité avec laquelle les mortels acceptent la détérioration de leur corps. Patton, tes grands-parents, et tous les autres, ils en ont pris leur parti. J'ai toujours redouté de vieillir. Le fait que ce soit inévitable me hante. Depuis que j'ai quitté l'étang, l'ombre menaçante de la mort n'a jamais quitté mon esprit.

Elle sauta le dernier bâtonnet, n'en laissant qu'un. Kendra l'avait déjà vue faire, mais elle n'avait pas encore réussi à imiter ses coups.

Léna soupira doucement.

– Avec ma nature, il se peut que j'aie à endurer la vieillesse des dizaines d'années de plus que les êtres humains ordinaires. Le finale humiliant à la condition de mortel.

– Au moins, vous êtes un génie au jeu des bâtonnets, dit Kendra.

Léna sourit.

– La consolation de mes vieux jours.

– Vous pouvez encore peindre, cuisiner et faire toutes sortes de choses.

– Je ne voulais pas me plaindre. Ce n'est pas le genre de problèmes que l'on partage avec une jeune fille.

– Tout va bien, vous ne m'effrayez pas. Et vous avez raison, je n'arrive pas à m'imaginer adulte. Une part de moi se demande si le lycée arrivera un jour. Parfois, je pense que je mourrai jeune.

La porte de la maison s'ouvrit, et Grand-Père passa la tête dehors.

– Kendra, je voudrais vous parler, à toi et à Seth.

– D'accord, Grand-Père.

– Viens dans mon bureau.

Léna se leva, faisant signe à Kendra de se dépêcher. L'adolescente entra dans la maison et suivit Grand-Père. Seth était déjà assis dans un des grands fauteuils, tambourinant des doigts sur l'accoudoir. Kendra prit l'autre pendant que son grand-père s'installait derrière son bureau.

– Après-demain, nous serons le 21 juin, déclara-t-il. Est-ce que l'un de vous sait à quoi correspond cette date ?

Seth et Kendra échangèrent un coup d'œil.

– À ton anniversaire ? hasarda Seth.

– Au solstice d'été, le jour le plus long de l'année. Durant la nuit qui précède se déroulent des festivités débridées pour les créatures merveilleuses de Fablehaven. Quatre nuits par an, les limites qui définissent les endroits où les différentes espèces peuvent s'aventurer sont abolies. Ces nuits de réjouissances sont essentielles pour maintenir la ségrégation qui règne d'ordinaire ici. La nuit du solstice d'été, le seul endroit où les créatures ne peuvent vagabonder et causer des troubles est cette maison. Si elles n'y sont pas invitées, elles ne peuvent pas y entrer.

– La nuit du solstice d'été, c'est demain soir ? demanda Seth.

– Je ne voulais pas que vous vous inquiétiez. À partir du moment où vous obéirez à mes instructions, la nuit se passera sans problème. Il y aura du bruit, mais vous serez en sécurité.

– Quand ont lieu les autres nuits ? voulut savoir Kendra.

– Au solstice d'hiver et au moment des deux équinoxes. Mais la nuit du solstice d'été est la plus mouvementée.

– On pourra regarder par les fenêtres ? demanda Seth d'un air avide.

– Non, répondit Grand-Père. D'ailleurs, vous n'apprécieriez pas ce que vous verriez. Les nuits de festivités, les cauchemars prennent forme et rôdent sur le terrain. D'anciennes entités suprêmement maléfiques patrouillent dans l'obscurité à la recherche de leurs proies. Vous serez au lit au coucher du soleil. Vous vous mettrez des bouchons dans les oreilles et vous ne vous lèverez pas avant que le soleil ait dissipé les horreurs de la nuit.

– Est-ce qu'on ne devrait pas dormir dans ta chambre ? s'enquit Kendra.

– Le grenier est la pièce la plus sûre. Des protections supplémentaires y ont été installées afin d'en faire un sanctuaire pour les enfants. Même si, par malchance, des créatures déplaisantes entraient dans la maison, votre chambre resterait à l'abri.

– Il est déjà arrivé que quelque chose pénètre dans la maison ? demanda encore Kendra.

– Rien d'indésirable n'a jamais franchi les murs de cette propriété, assura Grand-Père. Toutefois, on n'est jamais trop prudent. Demain vous nous aiderez à préparer des défenses qui nous procureront une protection supplémentaire. Du fait du récent tumulte avec les fées, je crains que cette nuit du solstice d'été ne soit particulièrement agitée.

– Est-ce que quelqu'un est déjà mort ici ? voulut savoir Seth. Dans la propriété, je veux dire.

– Nous en parlerons une autre fois, dit Grand-Père en se levant.

– Le type qui a été changé en pissenlit, glissa Kendra.

– Quelqu'un d'autre ? insista Seth.

Grand-Père les regarda gravement pendant un moment.

– Comme vous êtes en train de l'apprendre, les réserves sont des endroits risqués. Des accidents sont survenus par le passé. En général, ils arrivent aux gens qui s'aventurent là où ils ne le devraient pas ou qui se mêlent de choses qui les dépassent. Si vous respectez mes règles, vous n'aurez rien à craindre.

Le soleil n'était pas encore très haut à l'horizon quand Seth et Dale suivirent le sentier plein d'ornières qui partait de la grange. Seth n'avait pas spécialement remarqué ce chemin envahi par les mauvaises herbes, qui commençait derrière la grange et menait dans les bois. Après avoir serpenté quelque temps sous les arbres, il continuait à travers une grande prairie.

Au-dessus d'eux, seuls quelques nuages blancs flottaient dans le ciel bleu. Dale marchait d'un pas vif, obligeant Seth à se presser pour le suivre. Le jeune garçon commençait déjà à transpirer. La journée promettait d'être très chaude à midi.

Seth guettait des créatures intéressantes. Il aperçut des oiseaux, des écureuils et des lapins dans la prairie, mais rien de surnaturel.

– Où sont tous les animaux magiques ? demanda-t-il.

– C'est le calme avant la tempête, répondit Dale. Je suppose que la plupart se reposent pour ce soir.

– Quelles sortes de monstres sortiront cette nuit ?

– Stan m'a prévenu que vous pourriez essayer de me soutirer des informations. Il vaut mieux ne pas être trop curieux à propos de ce genre de choses.

– C'est quand on ne me dit rien que je deviens curieux !

– C'est pour ton bien, déclara Dale. Premièrement, te mettre au courant pourrait t'effrayer, et deuxièmement, ça pourrait te rendre encore plus curieux.

– Si vous me le dites, je vous promets de ne plus être curieux.

Dale secoua la tête.

– Qu'est-ce qui te fait penser que tu pourras tenir ta promesse ?

– Je ne peux pas être plus curieux que je le suis déjà. Le plus difficile, c'est de ne rien savoir.

– Eh bien, en fait, je ne peux pas donner de réponse très satisfaisante à ta question. Est-ce que j'ai vu des choses étranges, effrayantes, depuis que je suis ici ? C'est sûr. Et pas seulement les nuits de festivités. Est-ce que j'ai jeté un coup d'œil par la fenêtre une de ces nuits ? Une fois ou deux. Mais j'ai appris à cesser de regarder. Les gens ne sont pas faits pour avoir des choses comme ça dans la tête. Après, on a du mal à dormir. Je ne regarde plus, pas plus que Léna, ton grand-père ou ta grand-mère. Et nous sommes des adultes.

– Et alors, qu'est-ce que vous avez vu ?

– Si on changeait de sujet ?

– Vous êtes dur. Il faut que je sache !

Dale s'arrêta et le regarda.

– Seth, tu crois que tu veux vraiment savoir. Ça n'a l'air de rien quand on marche sous un beau ciel bleu, par une belle matinée, avec un ami. Mais ce soir, quand tu seras seul dans ta chambre, dans le noir, et que dehors la nuit sera pleine de bruits anormaux ? Tu pourrais regretter que j'aie donné un visage à ce qui se lamente derrière la fenêtre.

Seth déglutit. Il regarda Dale avec de grands yeux.

– Quel genre de visage ?

– Tenons-nous-en là. Aujourd'hui encore, quand je suis dehors la nuit, je regrette d'avoir regardé. Quand tu auras quelques années de plus, un jour viendra où ton grand-père te laissera la possibilité de regarder par la fenêtre une nuit de festivités. Si tu commences à te sentir curieux, repousse ta curiosité à ce moment-là. Si c'était moi, et si je pouvais revenir en arrière, j'éviterais de regarder.

– C'est facile à dire après l'avoir fait.

– Pas si facile. J'ai payé cher pour pouvoir le dire, beaucoup de nuits sans sommeil.

– Qu'est-ce qui peut être si terrible ? Je suis capable d'imaginer des trucs terrifiants.

– Je le pensais aussi, mais je ne me rendais pas compte qu'imaginer et voir sont deux choses bien différentes.

– Si vous avez déjà regardé, pourquoi ne pas regarder de nouveau ?

– Je ne veux pas voir autre chose. Je préfère imaginer le reste.

Dale se remit à marcher.

– Je veux toujours savoir, insista Seth.

– Les gens intelligents tirent profit de leurs erreurs, mais ceux qui le sont encore plus apprennent de celles des autres. Ne boude pas, tu vas voir quelque chose d'impressionnant. Et ça ne te donnera pas de cauchemars.

– Quoi ?

– Tu vois l'endroit où le chemin disparaît, derrière cette côte ?

– Oui.

– La surprise est de l'autre côté.

– Vous êtes sûr ?

– Absolument.

– J'espère que ce n'est pas encore une fée, dit Seth.

– Qu'est-ce qu'elles ont, les fées ?

– Rien, j'en ai déjà vu un milliard, et en plus elles m'ont transformé en morse.

– Ce n'est pas une fée.

– Ce n'est pas une cascade ou un truc comme ça ? demanda Seth, soupçonneux.

– Non, ça te plaira.

– Bon, parce que là, vous me donnez de l'espoir. C'est dangereux ?

– Ça pourrait l'être, mais normalement on ne risque pas grand-chose.

– Dépêchons-nous alors.

Seth s'élança dans la montée. Il regarda en arrière. Dale continuait à marcher. Rien à craindre, si sa surprise était dangereuse, Dale ne le laisserait pas courir comme ça.

Au sommet de la côte, Seth s'arrêta, baissant les yeux sur la pente douce de l'autre côté. À moins de cent mètres, une énorme créature marchait à travers un champ de foin, brandissant une paire de faux gigantesques. La lourde silhouette fauchait de grands pans de foin à une allure soutenue ; les deux lames sifflaient et résonnaient sans arrêt.

Dale rejoignit Seth en haut de la montée.

– Qu'est-ce que c'est que ça ? demanda le jeune garçon.

– C'est Hugo, notre golem. Viens voir.

Dale quitta le chemin et se mit à traverser le champ en direction du géant infatigable.

– C'est quoi, un golem ? questionna Seth en le suivant.

– Je vais te montrer.

Dale haussa la voix :

– Hugo, arrête-toi.

Les faux s'immobilisèrent.

– Hugo, viens ici.

Le faucheur herculéen pivota et courut vers eux à longues enjambées, en bondissant. Seth sentit le sol trembler à son approche. Tenant toujours les faux, la massive créature s'arrêta devant Dale, le dominant de sa hauteur.

– Il est en terre ? demanda Seth.

– En terre, en argile et en pierre, répondit Dale. Un puissant magicien lui a insufflé la vie et l'a donné à la réserve il y a deux ou trois cents ans.

– Et il mesure combien ?

– Plus de trois mètres quand il se redresse. La plupart du temps, il se tient avachi et mesure dans les deux mètres cinquante.

Seth contempla le Goliath, bouche bée. Il avait davantage l'air d'un grand singe que d'un homme. À part sa taille impressionnante, Hugo était robuste, avec des membres épais et des mains et des pieds d'une grandeur disproportionnée. Des touffes d'herbe et des pissenlits poussaient sur son corps de terre. Il avait la tête allongée et la mâchoire carrée. Des traits grossiers dessinaient un nez, une bouche et des oreilles, et ses yeux étaient des trous vides sous un front proéminent.

– Il peut parler ?

– Non, mais il essaie de chanter. Hugo, chante-nous une chanson.

La large bouche se mit à s'ouvrir et à se refermer, et il en sortit une série de grondements rocailleux, certains longs, certains courts, mais aucun d'eux ne ressemblait à de la musique. Hugo balançait la tête d'avant en arrière, comme s'il accompagnait la mélodie. Seth se retint de rire.

– Hugo, arrête de chanter.

Le colosse se tut.

– Il n'est pas très doué, dit Seth.

– Aussi musical qu'un glissement de terrain !

– Ça le gêne ?

– Il ne pense pas comme nous. Il n'est jamais heureux, triste, en colère ou en proie à l'ennui. Il est comme un robot : il obéit aux ordres, c'est tout.

– Je peux lui dire de faire quelque chose ?

– Si je lui commande de t'obéir. Sinon, il écoute juste Léna, tes grands-parents et moi.

– Qu'est-ce qu'il sait faire d'autre ?

– Il comprend beaucoup de choses. Il accomplit toutes sortes de travaux manuels. Il faudrait toute une équipe pour abattre autant de travail que lui. En plus il ne dort jamais. Si tu lui donnes une liste de tâches, il trimera toute la nuit.

– Je veux lui dire de faire quelque chose.

– Hugo, pose les faux, ordonna Dale.

Le golem les posa par terre.

– Hugo, voici Seth. Hugo va obéir à l'ordre de Seth.

– Maintenant ? demanda Seth.

– Dis son nom d'abord, pour qu'il sache que tu t'adresses à lui.

– Hugo, fais la roue.

Hugo tendit les mains en avant et haussa les épaules.

– Il ne comprend pas ce que tu veux dire, expliqua Dale. Tu peux faire une roue pour lui montrer ?

– Oui.

– Hugo, Seth va te montrer ce que c'est, faire la roue.

Seth leva les mains, se mit de côté et fit une roue plus ou moins réussie.

– Hugo, reprit Dale, obéis à l'ordre de Seth.

– Hugo, fais la roue.

Le géant leva les bras, se pencha sur le côté et exécuta une roue maladroite. Le sol trembla.

– Pas mal, pour un premier essai, dit Seth.

– Il a copié la tienne. Hugo, quand tu fais la roue, garde ton corps plus droit et aligné sur un seul plan, comme une roue qui tourne. Hugo, fais une roue !

Cette fois, Hugo exécuta une roue presque parfaite. Ses mains laissèrent des empreintes dans le champ.

– Il apprend vite, observa Seth.

– Tout ce qui est physique, en tout cas.

Dale mit les mains sur ses hanches.

– Je suis fatigué de marcher. Qu'est-ce que tu dirais de demander à Hugo de nous porter jusqu'à notre prochaine étape ?

– Sans rire ?

– Si tu préfères continuer à marcher, on peut...

– Pas question !

Kendra utilisait une petite scie pour détacher la citrouille de la plante. Plus loin, Léna en coupait une grosse, toute rouge. Près de la moitié de la serre était consacrée aux citrouilles, grandes et petites, blanches, jaunes, orange, rouges et vertes.

Elles étaient arrivées à la serre par une piste à peine tracée à travers bois. À part les citrouilles et autres plantes, la structure de verre contenait un générateur pour fournir de la lumière et de la chaleur.

– Il faut vraiment qu'on en coupe trois cents ? demanda Kendra.

– Estime-toi heureuse qu'on n'ait pas à les porter, répondit Léna.

– Qui le fera ?

– C'est une surprise.

– Est-ce que les lanternes sont vraiment si importantes ?

– C'est très efficace, surtout si on peut convaincre des fées de les remplir.

– Avec de la magie ?

– En restant dedans pour la nuit, expliqua Léna. Les lanternes habitées par des fées sont depuis longtemps la protection la plus sûre contre les créatures mal intentionnées.

– Je croyais que la maison était déjà sûre, objecta Kendra en coupant une grosse citrouille orange.

– Deux précautions valent mieux qu'une lors des nuits de festivités, et en particulier la nuit du solstice d'été. Surtout après ce qui s'est passé.

– Comment allons-nous faire pour toutes les vider avant ce soir ?

– Dale finira. Avec un peu plus de temps, il l'aurait fait tout seul. Sa méthode n'est pas très artistique, mais elle est efficace.

– J'ai toujours détesté sortir la chair des citrouilles, dit Kendra.

– C'est vrai ? Moi, j'adore leur texture gluante, surtout quand j'en ai jusqu'aux coudes. C'est comme jouer dans de la boue. Et avec, on pourra faire des tartes délicieuses.

– Cette citrouille blanche a l'air un peu petite.

– Tu as raison, garde-la pour cet automne.

– Vous pensez que les fées viendront ?

– C'est difficile à dire, reconnut Léna. Certaines, sûrement. Normalement, nous n'avons pas de mal à remplir toutes les citrouilles, mais ce soir pourrait faire exception.

– Et si elles ne viennent pas ?

– Ça ira quand même. La lumière artificielle fonctionne, même si elle est moins efficace que les fées. Avec les lanternes à fées, les perturbations restent plus loin de la maison. En plus, Stan va mettre des masques tribaux, des herbes et d'autres protections.

– Est-ce que la nuit est vraiment si épouvantable ?

– Vous entendrez des tas de bruits dérangeants.

– On n'aurait peut-être pas dû boire de lait, ce matin.

Léna secoua la tête, sans détacher les yeux de son travail.

– Certains des tours les plus insidieux employés cette nuit feront appel aux artifices et à l'illusion. Sans le lait, vous pourriez être encore plus impressionnables. Ça ne ferait qu'augmenter leur capacité à déguiser leur apparence.

Kendra coupa une autre citrouille.

– De toute façon, je ne regarderai pas.

– J'aimerais pouvoir transmettre un peu de ton bon sens à ton frère !

– Après tout ce qui s'est passé, je suis sûre qu'il se conduira bien ce soir.

La porte de la serre s'ouvrit et Dale passa la tête à l'intérieur.

– Kendra, viens, je veux te présenter quelqu'un.

Kendra alla à la porte, suivie de Léna. Sur le seuil, l'adolescente s'arrêta et poussa un petit cri. Une créature massive à l'allure de grand singe marchait vers la serre, tirant une sorte de pousse-pousse de la taille d'un wagon.

– Qu'est-ce que c'est ?

– C'est Hugo, répondit Seth, installé dans la charrette. C'est un robot en terre !

Il sauta du pousse-pousse et courut vers sa sœur.

– Je suis parti en avant pour que tu puisses le voir approcher, expliqua Dale.

– Hugo peut courir très vite si on le lui demande, précisa Seth. Dale m'a laissé lui donner des ordres et il a obéi à tout ce que j'ai dit. Tu vois ? Il attend des instructions.

Hugo se tenait immobile près de la serre, tenant toujours le pousse-pousse. Si elle ne l'avait pas vu bouger à l'instant, Kendra l'aurait pris pour une vulgaire statue. Seth bouscula sa sœur pour rentrer dans la serre.

– C'est quoi, exactement ? demanda-t-elle à Léna.

– Un golem, répondit la gouvernante. De la matière animée dotée d'une intelligence rudimentaire. Il fait la plupart des gros travaux, ici.

– Comme charger les citrouilles ?

– Il va les porter jusqu'à la maison dans sa charrette.

Seth sortit de la serre en portant une grosse citrouille.

– Est-ce que je peux faire une petite démonstration à Kendra ? demanda-t-il.

– Bien sûr, acquiesça Dale. Hugo, obéis à l'ordre de Seth.

Tenant la citrouille à deux mains, légèrement penché en arrière pour compenser son poids, Seth s'approcha du golem.

– Hugo, prends cette citrouille et lance-la aussi loin que tu peux dans les bois.

Le géant inerte reprit vie. Il saisit la citrouille dans une main massive, se tordit et se détendit puissamment, expédiant la citrouille dans le ciel à la façon d'un disque. Dale siffla doucement tandis que la citrouille diminuait dans le lointain et devenait invisible, un point orange qui disparut derrière la cime des arbres.

– Vous avez vu ça ? s'écria Seth. Il est meilleur qu'un lanceur de disque !

– Une vraie catapulte, murmura Dale.

– Très impressionnant, accorda Léna d'un ton sec. Pardonnez-moi si je compte utiliser nos citrouilles d'une manière plus pratique. Les garçons, venez nous aider à couper le reste pour que nous puissions les charger.

– Est-ce qu'Hugo peut faire d'autres tours ? pria Seth. Il sait faire la roue !

– On aura bien le temps pour les bêtises plus tard, répondit Léna. Pour le moment, nous devons terminer les préparatifs.

CHAPITRE DIX

LA NUIT DU SOLSTICE D'ÉTÉ

Grand-Père poussa les bûches dans la cheminée avec un tisonnier. Une bûche se brisa dans une gerbe d'étincelles qui monta dans le conduit, révélant des braises rougeoyantes. Dale se versa une tasse de café fumant et y ajouta trois portions de sucre. Léna regardait à travers le store.

– Le soleil va toucher l'horizon dans un moment, annonça-t-elle.

Kendra était assise à côté de Seth sur le canapé et regardait Grand-Père attiser le feu. Tout était prêt. Les entrées de la maison étaient garnies de lanternes. Léna avait dit vrai, Dale en avait évidé plus de deux cents. Moins de trente fées s'étaient présentées, beaucoup moins que ce que Grand-Père avait escompté, même en considérant leurs relations tendues ces derniers temps.

Huit lanternes à fées étaient placées sur le toit à l'extérieur du grenier et quatre à chaque fenêtre. Des bâtonnets incandescents illuminaient la plupart des citrouilles. Grand-Père Sorenson devait les commander en gros.

– Est-ce que ça va commencer dès que le soleil sera couché ? demanda Seth.

– Les choses ne vont pas vraiment se mettre en branle avant la fin du crépuscule, répondit Grand-Père en posant le tisonnier. Mais l'heure est venue pour vous de vous retirer dans votre chambre, les enfants.

– Je veux rester avec toi, dit Seth.

– Le grenier est la pièce la plus sûre de la maison, répéta Grand-Père.

– Alors pourquoi on ne reste pas tous au grenier ? demanda Kendra.

Grand-Père secoua la tête.

– Les sortilèges qui rendent le grenier impénétrable ne fonctionnent que s'il est occupé par des enfants. Sans enfants, ou avec des adultes dans la pièce, les barrières deviennent inefficaces.

– Est-ce que toute la maison n'est pas censée être sûre ? objecta Kendra.

– Je pense qu'elle l'est, mais dans une réserve enchantée, rien n'est jamais certain. Le faible nombre de fées qui se sont présentées cet après-midi m'inquiète. Cette nuit du solstice d'été pourrait être particulièrement tumultueuse. Ce sera peut-être même la pire depuis que je vis ici.

Un long hurlement plaintif souligna ses dires. Cet appel dérangeant fut suivi d'un hurlement plus fort, plus proche, qui se termina par un gloussement. Des frissons glacés parcoururent le dos de Kendra.

– Le soleil est couché, annonça Léna de la fenêtre.

Elle plissa les paupières, puis porta une main à sa bouche. Après avoir remis la lamelle en place, elle s'écarta du store.

– Ils sont déjà là.

Kendra se pencha en avant. Léna paraissait vraiment chamboulée. Elle avait pâli et ses yeux sombres étaient troublés.

Grand-Père fronça les sourcils.

– Il faut s'attendre à des ennuis ?

Léna hocha la tête.

Grand-Père frappa dans ses mains.

– Au grenier !

La tension qui régnait dans la pièce retint Kendra de protester. Apparemment, Seth ressentait la même chose. Grand-Père Sorenson les suivit dans l'escalier, le long du couloir, et les accompagna jusqu'à leur chambre.

– Mettez-vous sous les couvertures, dit-il.

– Qu'est-ce qu'il y a autour des lits ? demanda Seth en examinant le sol.

– Un cercle de sel spécial, répondit Grand-Père. C'est une protection supplémentaire.

Kendra enjamba soigneusement le sel, rabattit ses couvertures et se mit au lit. Les draps étaient frais. Grand-Père lui tendit une paire de petits cylindres spongieux.

– Voici des bouchons pour les oreilles, expliqua-t-il en en donnant aussi à Seth. Je vous conseille de les mettre pour atténuer le tumulte. Comme ça vous devriez pouvoir dormir.

– On doit les mettre dans les oreilles ? demanda Seth en les regardant d'un air soupçonneux.

– Ce serait bien.

Des éclats de rire aigus explosèrent dans le jardin. Kendra et Seth échangèrent un coup d'œil inquiet. Grand-Père s'assit sur le bord du lit de Kendra.

– Cette nuit, j'ai besoin que vous soyez courageux et responsables, les enfants.

Ils hochèrent la tête en silence.

– Vous devez savoir que je ne vous ai pas laissé venir ici juste pour rendre service à vos parents, poursuivit-il. Votre grand-mère et moi prenons de l'âge. Le jour viendra où quelqu'un d'autre devra s'occuper de cette réserve. Aussi devons-nous trouver des héritiers. Dale est un homme bien, mais gérer les choses ici ne l'intéresse pas. Vous, les enfants, vous m'avez impressionné, jusqu'ici. Vous êtes intelligents, aventureux et courageux. La vie ici comporte certains aspects déplaisants, les nuits de festivités en sont un bon exemple. Vous vous demandez peut-être pourquoi nous n'allons pas tous passer la nuit à l'hôtel, tout simplement. Si nous le faisions, nous retrouverions la maison en ruines à notre retour. Notre présence est essentielle pour la magie qui protège ces murs. S'il arrive un jour que vous travailliez dans cette réserve, vous devrez apprendre à composer avec certaines réalités désagréables. Considérez cette nuit comme un test. Si vous ne pouvez pas supporter les clameurs et le chaos que vous entendrez dehors, c'est que vous n'avez pas votre place ici. Il n'y a pas de honte à ça. Les gens capables de vivre à Fablehaven sont rares.

– On tiendra le coup, affirma Seth.

– J'en suis sûr. Écoutez attentivement mes dernières instructions : une fois que j'aurai quitté la pièce, quoi que vous entendiez, quoi qu'il arrive, ne quittez pas votre lit. Nous ne viendrons pas vous voir avant demain matin. Si vous m'entendez vous demander de me laisser entrer, soyez sûrs d'une chose : ce ne sera pas moi. Même chose pour Dale et Léna. Cette pièce est invulnérable, sauf si vous ouvrez la porte ou l'une des fenêtres. Restez couchés et il n'y aura pas de problème. Avec les lanternes à fées posées devant vos fenêtres, il y a de fortes chances que rien ne s'approche de cette partie de la maison. Essayez d'ignorer le tumulte de la nuit, et demain matin nous partagerons un petit déjeuner spécial. Des questions ?

– J'ai peur, dit Kendra. Ne t'en va pas !

– Vous serez plus en sécurité sans moi. Nous monterons la garde en bas toute la nuit. Tout ira bien. Dormez.

– C'est bon, Grand-Père. Je garderai un œil sur elle, dit Seth.

– Garde l'autre sur toi-même, répliqua Grand-Père d'un ton sévère. Tiens compte de ce que je te dis, ce soir. Ce n'est pas un jeu.

– Compris.

Dehors, le vent se mit à siffler dans les arbres. La journée avait été calme, mais à présent, une bourrasque secouait la maison. Au-dessus d'eux, les bardeaux vibraient et les poutres craquaient.

– De drôles de vents soufflent, ce soir, dit Grand-Père. Je ferais mieux de descendre. Bonne nuit, dormez bien, je vous verrai demain au lever du soleil.

Il ferma la porte. Le vent se calma. Boucles d'Or caqueta doucement.

– Tu plaisantais tout à l'heure ? demanda Kendra.

– Oui, reconnut Seth. Je mouille presque mon lit.

– Je ne suis pas sûre de réussir à dormir cette nuit.

– Moi, je ne dormirai pas, c'est sûr et certain.

– On devrait quand même essayer, déclara Kendra.

– D'accord.

Kendra enfonça les bouchons dans ses oreilles, ferma les yeux et se pelotonna sous ses couvertures. Tout ce qu'elle avait à faire était de s'endormir et elle pourrait échapper aux bruits terrifiants de la nuit. Elle se força à se détendre, laissant son corps s'amollir, et essaya de se vider la tête.

Il était difficile de ne pas se laisser aller à rêver de la possibilité d'hériter de la propriété. Ils ne la donneraient jamais à Seth. Il ferait sauter le domaine en cinq minutes ! Quel effet ça lui ferait de connaître tous les mystérieux secrets de Fablehaven ? Ce serait peut-être effrayant si elle était seule. Elle n'aurait qu'à partager le secret avec ses parents, comme ça ils pouraient habiter avec elle.

Au bout de quelques minutes, elle se retourna dans son lit. Elle avait toujours du mal à s'endormir quand elle y pensait trop. Elle essaya de ne penser à rien et de se concentrer pour respirer de manière calme et régulière. Seth dit quelque chose, mais elle n'entendait rien avec les bouchons. Elle les ôta.

– Quoi ?

– Je disais : ce suspense est insoutenable. Tu as vraiment mis ces trucs ?

– Bien sûr. Pas toi ?

– J'ai bien l'intention de ne rien manquer.

– Tu es malade ou quoi ?

– Je ne suis pas du tout fatigué. Et toi ?

– Pas tellement.

– Tu paries que je regarde par la fenêtre ?

– Ne fais pas l'idiot !

– Le soleil vient à peine de se coucher. Quel meilleur moment pour regarder ?

– Le meilleur moment, c'est jamais.

– Tu es une poule mouillée, pire que Boucles d'Or !

– Et toi, tu as moins de cervelle qu'Hugo !

Le vent se leva de nouveau et souffla un peu plus fort. Des gémissements résonnaient, des grognements sur différents tons, formant des harmonies lugubres et discordantes. Un long cri qui ressemblait à celui d'un oiseau domina le chœur fantomatique des plaintes, commençant d'un côté de la maison, passant par-dessus puis diminuant. Une cloche se mit à sonner dans le lointain.

Seth ne paraissait plus si courageux.

– On devrait peut-être essayer de dormir, dit-il en mettant les bouchons d'oreilles.

Kendra l'imita. Les sons étaient assourdis mais continuaient : les lamentations du vent, la maison qui frémissait, une gamme croissante de cris, de glapissements, de hurlements, et de sauvages éclats de rire. Comme son oreiller était chaud, Kendra le retourna.

La chambre était faiblement éclairée par la lumière du dehors qui filtrait à travers les rideaux. Avec le crépuscule, elle s'obscurcit. Kendra pressa ses mains sur ses oreilles, essayant d'augmenter l'effet des bouchons. Elle se dit que les bruits étaient juste dus à la tempête.

Un battement sourd se joignit à la cacophonie, à un rythme soutenu. Tandis que le volume et le tempo de la percussion augmentaient, elle fut accompagnée par des incantations dans un langage plaintif. Kendra essaya de ne pas se représenter d'images d'outre-monde de méchants démons en chasse.

Deux mains se refermèrent sur sa gorge. Elle sursauta et battit des bras, puis gifla la joue de Seth du dos de la main.

– Ouille ! se plaignit-il en s'écartant.

– Tu l'as bien cherché ! Qu'est-ce qui te prend ?

– Tu aurais dû voir ta tête ! lança-t-il en riant, déjà remis de sa gifle.

– Retourne te coucher !

Seth s'assit sur le bord du lit de Kendra.

– Tu devrais enlever tes bouchons. Le bruit n'est pas si terrible, au bout d'un moment. Ça me rappelle le CD que Papa nous passe à Halloween.

Elle les ôta.

– Sauf que là, ça ébranle la maison. Et ça, ce n'est pas pour rire.

– Tu ne veux pas regarder par la fenêtre ?

– Mais arrête avec ça !

Seth se pencha et alluma la veilleuse de nuit – une statuette lumineuse qui représentait Snoopy.

– Je ne vois pas pourquoi on en fait tout un plat. Je veux dire, il se passe toutes sortes de trucs super dehors, en ce moment. Quel mal y a-t-il à jeter un petit coup d'œil ?

– Grand-Père nous a dit de rester couchés !

– Grand-Père laisse les gens regarder quand ils sont plus grands, objecta Seth. Dale me l'a dit. Alors, ça ne doit pas être si dangereux que ça ! De toute façon, Grand-Père me prend pour un idiot.

– Oui, et il a bien raison !

– Réfléchis : si tu rencontrais un tigre dans la nature, tu serais morte de trouille, mais pas dans un zoo, parce qu'il ne pourrait pas t'attraper. Cette pièce est sûre. Si on regarde par la fenêtre, ce sera comme si on était dans un zoo plein de monstres.

– Dis plutôt que ce serait comme si on était dans une cage à requins.

Soudain, une rafale de coups sourds secoua le toit, comme si une troupe de chevaux galopait sur les bardeaux. Seth tressaillit et leva les bras pour se protéger. Kendra entendit un craquement et le fracas de roues de chariot.

– Tu n'as pas envie de savoir ce que c'était ? demanda Seth.

– Tu essaies de me dire que ça ne t'a pas fait peur ?

– Je n'attends que ça, avoir peur. C'est tout l'intérêt du truc !

– Si tu ne retournes pas dans ton lit, le prévint Kendra, je le dirai à Grand-Père demain matin.

– Tu ne veux pas savoir qui joue de la batterie ?

– Seth, je ne plaisante pas. En plus, tu ne verras probablement rien du tout.

– Mais si, on a un télescope.

Dehors, quelque chose rugit – un grondement formidable d'une férocité bestiale. Ce fut assez pour mettre un terme à la conversation. La nuit continuait à se déchaîner. Le grondement se fit à nouveau entendre, encore plus fort, noyant un moment le reste du vacarme.

Seth et Kendra se regardèrent.

– Je parie que c'est un dragon, dit-il d'une voix haletante, en courant à la fenêtre.

– Seth, non !

Seth tira le rideau. Les quatre lanternes déversaient une lumière douce sur la portion du toit juste au-dessous de la fenêtre. Un moment, Seth crut voir quelque chose tournoyer dans la nuit à la limite de la lumière, une masse mouvante de tissu noir et soyeux. Puis, il ne vit que l'obscurité.

– Il n'y a pas d'étoiles, constata-t-il.

– Seth, ne reste pas là !

Kendra avait remonté ses draps jusqu'à ses yeux.

Il regarda par la fenêtre un moment de plus, les paupières plissées.

– Il fait trop noir ; je ne vois rien.

Une fée scintillante sortit d'une des lanternes et regarda Seth à travers la vitre légèrement voilée.

– Hé, une fée est sortie !

La minuscule fée agita un bras, bientôt rejointe par trois autres. L'une fit une grimace à Seth, puis toutes les quatre s'éclipsèrent dans la nuit.

Maintenant, il n'y voyait plus rien. Il referma le rideau et s'écarta de la fenêtre.

– Tu as regardé, dit Kendra. Tu es content ?

– Les fées des lanternes se sont envolées.

– Ah bravo, c'est réussi. Elles ont dû se rendre compte que c'était toi qu'elles protégeaient !

– Tu as sûrement raison, il y en a une qui m'a fait une grimace.

– Reviens te coucher ! ordonna Kendra.

Les battements sourds se turent, ainsi que les incantations. Le vent se calma. Les hurlements, les cris et les rires diminuèrent de volume et devinrent moins fréquents. Quelque chose marcha sur le toit, puis ce fut le silence.

– Il y a un truc qui cloche, chuchota Seth.

– Ils ont dû te voir ; remets-toi au lit.

– J'ai une lampe torche dans mon équipement.

Il alla à la table de nuit et sortit une petite torche de la boîte de céréales.

Kendra écarta ses draps et se jeta sur Seth, le clouant sur son lit. Elle lui arracha la torche et le repoussa pour se mettre debout. Il s'élança sur elle. En pivotant, elle utilisa l'élan de son frère pour le plaquer sur le matelas.

– Arrête, Seth, ou je vais chercher Grand-Père !

– Ce n'est pas moi qui ai commencé la bagarre !

Il arborait une expression blessée. Kendra détestait quand il essayait de se faire passer pour une victime alors qu'il venait de semer la zizanie.

– Moi non plus !

– D'abord tu m'as frappé, et ensuite tu m'as sauté dessus !

– Tu arrêtes d'enfreindre les règles, ou je descends tout de suite.

– Tu es pire que la sorcière. Grand-Père devrait te construire une cabane.

– Mets-toi au lit !

– Rends-moi ma torche ! Je l'ai achetée avec mon argent de poche.

Ils furent interrompus par le bruit d'un bébé qui pleurait. Ce n'étaient pas des pleurs désespérés, seulement les cris d'un jeune enfant mécontent. Cela semblait venir de la fenêtre obscure.

– C'est un petit bébé… dit Seth.

– Non, c'est un piège.

– Mamaaaan ! pleurnicha le bébé.

– Ça a l'air vrai, dit Seth. Laisse-moi regarder.

– Ça va être un squelette ou un truc comme ça.

Seth prit la torche des mains de Kendra. Elle ne la lui donna pas, mais ne l'empêcha pas non plus de la prendre. Il courut à la fenêtre, pressa le devant de la lampe contre la vitre et l'entoura d'une main pour réduire les reflets, puis il l'alluma.

– Mince, alors ! C'est vraiment un bébé !

– Il y a autre chose ?

– Juste un bébé qui pleure.

Les pleurs s'arrêtèrent.

– Maintenant, il me regarde.

Kendra ne put résister plus longtemps. Elle alla se placer derrière Seth. Là, sur le toit, de l'autre côté de la fenêtre, se tenait un petit enfant au visage strié de larmes, qui paraissait juste assez grand pour se tenir debout. Il ne portait qu'une couche. Il avait de fines boucles blondes et un petit ventre rond avec le nombril proéminent. Les yeux brillants de larmes, il tendait ses bras potelés vers la fenêtre.

– C'est forcément un tour de magie, dit Kendra, une illusion.

Pris dans le rayon de la torche, le bébé fit un pas vers la fenêtre et tomba à quatre pattes. Il fit la moue et fut sur le point de se remettre à pleurer. Puis il se releva et tenta un autre pas chancelant. Il avait la chair de poule sur la poitrine et les bras.

– Il a l'air bien réel, dit Seth. Et si c'était vraiment un bébé ?

– Qu'est-ce qu'un bébé ferait sur un toit ?

L'enfant avança d'un pas hésitant jusqu'à la fenêtre et pressa sa paume contre la vitre. Quelque chose brilla dans la lumière derrière lui. Seth darda le rayon de la lampe sur deux loups aux yeux verts qui s'approchaient furtivement depuis le bord du toit. Les animaux s'arrêtèrent quand la lumière tomba sur eux. Tous deux avaient l'air maigres et pelés. L'un d'eux dévoila des dents pointues ; de la bave écumait autour de sa gueule. Le deuxième était borgne.

– Ils s'en servent comme appât ! s'écria Seth.

Le bébé regarda vers les loups, puis se tourna de nouveau vers Seth et Kendra, pleurant de plus belle. Des larmes roulaient sur ses joues, tandis qu'il frappait la vitre de ses petites mains. Les loups chargèrent. L'enfant hurla.

Dans sa cage, Boucles d'Or caquetait comme une folle.

Seth ouvrit brusquement la fenêtre.

– Non ! cria Kendra, même si instinctivement elle avait très envie de faire la même chose.

À l'instant où la fenêtre s'ouvrit, le vent s'engouffra dans la pièce, comme si l'air lui-même avait attendu pour charger. Le bébé plongea dans la chambre avec agilité tout en changeant de forme. Maintenant, c'était un gobelin au regard méchant, avec des fentes jaunes en guise d'yeux, un nez plissé et un visage qui ressemblait à un melon flétri. Chauve et rugueuse sur le dessus, sa tête était frangée de longues mèches semblables à des toiles d'araignée. Ses bras sinueux étaient dégingandés, ses mains longues et parcheminées, terminées par des griffes recourbées. Ses côtes, ses clavicules et son bassin pointaient en avant d'une manière hideuse. Des réseaux de veines ressortaient sur sa peau violacée.

Avec une rapidité anormale, les loups bondirent par la fenêtre avant que Seth ait eu le temps de la refermer. Kendra bouscula son frère et la claqua juste à temps pour empêcher l'entrée d'une belle femme froide drapée dans des vêtements noirs qui s'entortillaient autour d'elle. Les cheveux noirs de l'apparition ondulaient comme de la vapeur dans la brise. Son visage pâle était légèrement translucide. À regarder ces yeux vides et brûlants, Kendra se figea sur place. Des balbutiements emplirent son esprit et sa bouche s'assécha. Elle ne parvenait plus à déglutir.

Seth tira les rideaux d'un geste brusque et entraîna sa sœur vers le lit. L'espèce de transe qui l'avait pétrifiée un instant se dissipa. Désorientée, elle suivit Seth en sentant que quelque chose les poursuivait. Quand ils se jetèrent sur le matelas, une lumière brillante flamboya derrière eux, accompagnée par un crépitement de pétards.

Kendra se tourna pour regarder. Le gobelin violacé se tenait près du lit, massant son épaule osseuse, l'air sinistre. Il était à peu près aussi grand que Dale. Il tendit d'un geste hésitant une main noueuse vers l'adolescente, et un autre éclair de lumière l'expédia en arrière.

Le cercle de sel ! Au début, Kendra n'avait pas compris pourquoi Seth la tirait vers le lit. Au moins, l'un d'eux réfléchissait ! Baissant les yeux, elle vit que la traînée de sel qui entourait le lit, haute de cinq centimètres environ, constituait une frontière infranchissable pour le gobelin.

Une sorte de mille-pattes géant avec trois paires d'ailes et trois paires de pieds crochus volait dans la pièce en décrivant des figures complexes. Un monstre bestial à la mâchoire inférieure proéminente et couvert de plaques épaisses le long de l'échine lança violemment un portant à travers le grenier. Les loups s'étaient eux aussi débarrassés de leur déguisement.

Le gobelin cabriolait à travers la salle de jeux en une sauvage crise de rage, vidant les étagères de livres, renversant les coffres à jouets, arrachant la corne de la licorne à bascule. Il saisit la cage de Boucles d'Or et la jeta contre le mur. Les minces barreaux se tordirent et la porte s'ouvrit. La poule terrifiée s'envola gauchement en ébouriffant ses plumes dorées.

Elle prit la direction du lit. Le mille-pattes ailé essaya de l'attraper, mais la manqua. Le gobelin fit un bond acrobatique et la saisit par les deux pattes. Boucles d'Or caqueta et se débattit, folle de panique.

Seth sauta du lit. Il s'accroupit, prit deux poignées de sel et s'élança sur le gobelin. Tenant la poule d'une main, le démon ricanant se précipita à sa rencontre. Juste avant que la main tendue du gobelin ne l'attrape, Seth lui jeta une poignée de sel. Il lâcha Boucles d'Or et recula en vacillant, brûlé par une lueur aveuglante.

La poule se dirigea vers le lit et Seth jeta l'autre poignée de sel en un arc pour couvrir leur retraite, échaudant le mille-pattes volant au passage. La massive créature à la mâchoire proéminente essaya d'atteindre le lit avant Seth, mais elle arriva trop tard et reçut un choc violent en heurtant la barrière invisible édifiée par le sel. Réfugié sur son lit, Seth se cramponna à Boucles d'Or, les bras tremblant convulsivement.

Le gobelin gronda. Des volutes de fumée montaient des brûlures que le sel avait causées sur sa poitrine et son visage. Il pivota pour attraper un livre sur une étagère, puis le déchira en deux.

La porte s'ouvrit brusquement, et Dale pointa un fusil de chasse sur le monstre velu.

– Les enfants, vous ne bougez pas, quoi qu'il arrive ! cria-t-il.

Les trois créatures convergèrent vers le seuil. Dale recula dans l'escalier, sans tirer. Le mille-pattes ailé franchit la porte en volant en spirale au-dessus des deux autres monstres.

Ils entendirent un coup de feu dans le couloir, en bas.

– Fermez la porte et ne bougez pas ! tonna Dale.

Kendra courut claquer la porte, puis se remit au lit. Seth tenait toujours Boucles d'Or. Des larmes ruisselaient sur ses joues.

– Je ne l'ai pas fait exprès, gémit-il.

– Ça va aller, dit Kendra.

D'autres coups de feu résonnèrent en bas. Il y eut des grondements, des rugissements, des bruits de verre brisé et de bois qui éclatait. Dehors, le vacarme et la cacophonie reprirent plus fort que jamais. Des battements de tambours, des chœurs aériens, des incantations tribales, des lamentations, des sons gutturaux, des hurlements surnaturels et des cris perçants s'unissaient en des dissonances sans fin.

Kendra, Seth et Boucles d'Or attendaient l'aube sans bouger. Kendra luttait pour ne pas revoir l'image de la femme aux vêtements noirs. Quand elle avait regardé ses yeux sans âme, elle avait eu la certitude qu'ils ne pourraient jamais lui échapper, même dehors.

Tard dans la nuit, la fureur commença enfin à retomber, remplacée par des bruits plus agaçants. Des bébés se remirent à pleurer devant la fenêtre, appelant leur maman. N'obtenant pas de réponse, les voix d'enfants réclamèrent de l'aide.

– Kendra, dépêche-toi, ils arrivent !

– Seth, Seth, ouvre, aide-nous ! Ne nous laisse pas dehors !

Comme le frère et la sœur ignoraient les cris, des grondements féroces et des hurlements simulèrent la mort des jeunes enfants. Puis d'autres demandèrent à entrer.

Le plus déconcertant peut-être fut quand Grand-Père Sorenson les invita à descendre déjeuner.

– On a réussi, les enfants, le soleil se lève ! Venez, Léna a fait des crêpes.

– Qu'est-ce qui nous dit que vous êtes vraiment notre grand-père ? demanda Kendra, soupçonneuse.

– Parce que je vous aime. Dépêchez-vous, le repas refroidit.

– Je ne crois pas que le soleil soit déjà levé, répondit Seth.

– C'est juste un peu couvert, ce matin.

– Allez-vous-en ! ordonna Kendra.

– Laissez-moi entrer. Je veux vous embrasser.

– Notre grand-père ne nous embrasse jamais, abruti ! cria Seth. Sors de la maison !

Cet échange fut suivi par des coups violents frappés à la porte pendant cinq bonnes minutes. Les gonds tremblèrent, mais la porte tint bon.

La nuit continua à s'écouler. Kendra était adossée à la tête de lit et Seth somnolait à côté d'elle. En dépit du bruit, ses paupières devenaient de plus en plus lourdes.

Soudain, elle se réveilla en sursaut. Une lumière grise filtrait à travers les rideaux. Boucles d'Or parcourait le sol, picorant du grain tombé du seau renversé.

Quand elle fut bien sûre que le soleil brillait, Kendra donna un coup de coude à Seth. Il regarda autour de lui en clignant des yeux, puis alla à la fenêtre et jeta un coup d'œil dehors.

– Le soleil est officiellement levé ! annonça-t-il. On a tenu bon.

– J'ai un peu peur de descendre, murmura Kendra.

– Tout le monde va bien, assura Seth d'un ton nonchalant.

– Alors pourquoi ils ne sont pas venus nous chercher ?

Seth ne put lui répondre. Kendra s'était montrée bienveillante avec lui pendant la nuit. Les conséquences du geste de son frère avaient été suffisamment brutales. Ce n'était pas la peine d'en rajouter en provoquant une dispute. Et Seth avait vraiment paru avoir des remords. Mais à présent, il redevenait lui-même : un idiot.

Kendra le fusilla du regard.

– Tu te rends compte que tu aurais pu tous les tuer ?

Le visage de Seth se défit et il se détourna, les épaules secouées de sanglots. Il enfouit sa figure dans ses mains.

– Je suis sûr qu'ils vont bien, dit-il d'une voix étranglée. Dale avait un fusil et tout ce qu'il faut. Et puis ils savent se débrouiller.

Kendra se sentit mal, voyant que son frère était aussi inquiet qu'elle. Elle voulut le prendre dans ses bras, mais il la repoussa.

– Laisse-moi tranquille.

– Seth, ce qui s'est passé n'est pas ta faute.

– Bien sûr que si !

– Ils nous ont joué un mauvais tour. Moi aussi j'avais envie d'ouvrir la fenêtre quand j'ai vu ces loups qui s'élançaient. Tu sais, au cas où ça aurait été pour de bon…

– Je savais que ça pouvait être une ruse, sanglota Seth. Mais ce bébé avait l'air si réel ! Je pensais qu'ils l'avaient peut-être enlevé pour l'utiliser comme appât. Je croyais que je pouvais le sauver.

– Tu as essayé de faire ce qui te paraissait bien.

Kendra essaya de nouveau de l'enlacer, mais il la repoussa encore.

– Arrête ! lança-t-il d'un ton sec.

– Je ne voulais pas t'accuser, dit-elle. Mais tu t'es comporté comme si tu te moquais de tout.

– Bien sûr que non ! Tu ne crois pas que je suis terrifié de descendre et de voir ce que j'ai fait ?

– Tu n'as rien fait. Ils t'ont joué un tour. J'aurais ouvert la fenêtre si tu ne l'avais pas fait.

– Si j'étais resté dans mon lit, rien ne serait arrivé, se lamenta Seth.

– Peut-être qu'ils vont bien.

– C'est ça ! Et ils ont laissé un monstre entrer dans la maison et venir frapper à notre porte en se faisant passer pour Grand-Père ?

– Ils se sont peut-être cachés dans le sous-sol, ou ailleurs.

Seth ne pleurait plus. Il attrapa une poupée et s'essuya le nez sur sa robe.

– J'espère que c'est le cas.

– Si quelque chose de mauvais est arrivé, tu ne peux pas te le reprocher. Tu n'as fait qu'ouvrir une fenêtre. Si ces monstres leur ont fait du mal, c'est leur faute.

– En partie.

– Grand-Père, Léna et Dale savent très bien que c'est dangereux de vivre ici. Je suis sûre qu'ils vont bien, mais si ce n'est pas le cas, tu ne dois pas te le reprocher.

– Tu parles !

– Je suis sérieuse.

– Je préfère quand tu es drôle.

– Tu sais ce qui m'a plu ? dit Kendra.

– Quoi ?

– Quand tu as sauvé Boucles d'Or.

Seth se mit à rire, soufflant à travers ses narines encombrées.

– Tu as vu comment le sel a brûlé cette bestiole ?

Il reprit la poupée et s'essuya de nouveau le nez sur sa robe.

– C'était vraiment courageux.

– Je suis surtout content que ça ait marché.

– Tu as eu le bon réflexe.

Seth jeta un coup d'œil à la porte, puis regarda Kendra.

– On devrait aller constater les dégâts…

– Si tu y tiens…

CHAPITRE ONZE

LA FIN DES RÉJOUISSANCES

Kendra sut que c'était grave au moment où elle ouvrit la porte. Les murs de l'escalier étaient creusés de sillons irréguliers. Des dessins grossiers maculaient l'extérieur de la porte, avec quantité d'entailles et d'éraflures. En bas des marches, une matière brune formait une croûte sur le mur.

– Je vais prendre du sel, dit Seth.

Il retourna près du lit et remplit ses poches avec le sel qui avait brûlé le gobelin la nuit précédente.

Quand son frère la rejoignit, Kendra commença à descendre. Les marches craquaient bruyamment dans la maison silencieuse. En bas, le couloir était encore pire que la cage d'escalier. Là aussi, les murs avaient été sauvagement lacérés par des griffes. La porte de la salle de bains était arrachée et présentait trois trous de différentes tailles. Le tapis était brûlé et taché par endroits.

Kendra longea le couloir, atterrée par les conséquences de cette nuit de violence : un miroir brisé, une applique cassée, une table réduite en petit bois et, au bout du couloir, un rectangle vide à la place d'une fenêtre.

– On dirait qu'ils en ont laissé entrer d'autres, dit-elle en désignant les dégâts.

Seth examinait des cheveux brûlés dans une tache humide, sur le sol.

– Grand-Père ? cria-t-il. Il y a quelqu'un ?

Un terrible silence lui répondit.

Kendra descendit l'escalier jusqu'au vestibule. Une partie de la rampe avait disparu et la porte d'entrée pendait de travers, une flèche plantée dans le cadre. Des dessins primitifs souillaient les murs, certains gravés, d'autres griffonnés.

Kendra parcourut les pièces du rez-de-chaussée comme si elle était en transe. La maison avait été saccagée. Presque toutes les fenêtres étaient détruites, des portes arrachées gisaient loin de leur cadre, des sièges éventrés déversaient leur rembourrage sur les tapis déchirés, des rideaux lacérés pendaient, en lambeaux, des chandeliers étaient en morceaux et la moitié d'un canapé brûlé avait disparu.

Kendra alla sous le porche de derrière. Les carillons étaient tout emmêlés, les meubles étaient dispersés à travers le jardin, un fauteuil à bascule cassé était perché sur une fontaine, une banquette en rotin sortait d'une haie.

Elle retourna dans la maison et trouva Seth dans le bureau de Grand-Père. On aurait dit qu'une enclume était tombée sur le bureau. Des bibelots en miettes jonchaient le sol.

– Tout a été détruit, dit Seth.

– On dirait qu'une équipe de démolition est venue ici avec des masses.

– Ou alors c'était des grenades à main.

Seth désigna un endroit où du goudron semblait avoir été passé sur le mur.

– C'est du sang ?

– On dirait, mais c'est trop sombre pour être du sang humain.

Seth contourna le bureau défoncé et se plaça devant ce qui restait de la fenêtre.

– Ils sont peut-être sortis.

– Espérons-le.

– Regarde, là-bas, sur la pelouse, reprit Seth. On dirait qu'il y a quelqu'un.

Kendra s'approcha de la fenêtre.

– Dale, cria-t-elle.

La silhouette allongée à plat ventre ne bougea pas.

– Viens, dit Seth, en se frayant un chemin parmi les débris.

Kendra le suivit. Ils se précipitèrent vers le corps qui gisait près d'une vasque à oiseaux renversée.

– Oh non ! s'exclama Seth.

C'était une statue peinte de Dale. Une réplique fidèle, à part les couleurs. Sa tête était tournée sur le côté, les paupières serrées, et il levait les bras comme pour se protéger. Les proportions étaient bonnes et il portait la même tenue que la veille.

Kendra toucha le corps. Il était en métal, tout comme ses habits. Qu'est-ce que c'était ? Du bronze, peut-être ? ou alors du plomb ? de l'acier ? Elle tapa sur l'avant-bras. Il paraissait massif et ne sonnait pas creux.

– Ils l'ont changé en statue, dit Seth.

– Tu crois que c'est vraiment lui ?

– C'est sûr !

– Aide-moi à le retourner.

Ils poussèrent de toutes leurs forces, mais Dale ne bougea pas. Il était beaucoup trop lourd.

– J'ai tout gâché, se lamenta Seth en se prenant la tête entre les mains. Mais qu'est-ce que j'ai fait ?

– On peut peut-être le ramener à la vie.

Seth s'agenouilla et colla sa bouche à l'oreille de Dale.

– Dale, si vous m'entendez, faites-nous un signe ! cria-t-il.

La statue ne répondit pas.

– Tu crois que Grand-Père et Léna sont quelque part par là, eux aussi ? demanda Kendra.

– On devrait aller voir.

Kendra mit ses mains en porte-voix.

– Grand-Père ! Grand-Père Sorenson ! Léna ! Vous m'entendez ?

– Regarde ça, dit Seth en s'accroupissant près de la vasque renversée.

Au milieu d'un massif de fleurs apparaissait une empreinte très nette, trois larges orteils et un talon étroit. Elle était assez grande pour une créature de la taille d'un homme adulte.

– Un oiseau géant ?

– Regarde le trou derrière le talon.

Seth mit son doigt dans un trou large comme une pièce de monnaie.

– Il doit faire à peu près cinq centimètres de profondeur.

– C'est bizarre.

Seth parut excité.

– Il a un truc pointu à l'arrière du talon, un éperon ou quelque chose comme ça.

– Et alors ?

– Alors on devrait pouvoir le suivre à la trace.

– Le suivre ?

Seth prit la direction indiquée par les orteils en scrutant le sol.

– Qu'est-ce que je te disais…

Il s'accroupit, désignant un trou dans la pelouse.

– La piste ne devrait pas être trop dure à suivre.

– Et que feras-tu si tu rattrapes la bestiole qui a laissé ces traces ?

Seth tapota ses poches.

– Je lui jetterai du sel et je sauverai Grand-Père.

– Comment sais-tu qu'il a emmené Grand-Père ?

– Je n'en sais rien, reconnut Seth. Mais c'est un début.

– Et s'il te change en statue ?

– Je ne le regarderai pas en face, seulement dans un miroir.

– D'où tu sors ça ?

– De mon cours d'histoire.

– Tu ne sais même pas de quoi tu parles, dit Kendra.

– On verra bien. Je ferais mieux d'aller mettre ma chemise de camouflage.

– Assurons-nous d'abord qu'il n'y a pas d'autres statues dans le coin.

– D'accord, et après j'y vais. Je ne veux pas que la piste se refroidisse.

Après avoir exploré le terrain pendant une demi-heure, Kendra et Seth avaient rencontré diverses parties du mobilier de la maison ou du porche dans des endroits inattendus, mais aucune autre statue de taille humaine. Ils arrivèrent à la piscine.

– Tu as remarqué les papillons ? demanda Kendra.

– Oui.

– Et alors ? Rien de particulier ?

Seth se frappa le front de la paume de la main.

– On n'a pas bu de lait aujourd'hui !

– Exactement. Donc il n'y a pas de fées, juste des insectes.

– Si ces fées ont un peu de jugeote, elles ne se montreront pas par ici, grommela Seth.

– Mais oui, c'est ça, tu vas leur donner une leçon. Qu'est-ce qui te ferait plaisir, cette fois ? Être transformé en girafe ?

– Rien ne serait arrivé si elles étaient restées dans les citrouilles pour garder la fenêtre.

– Tu en as torturé une, fit remarquer Kendra.

– Et elles m'ont torturé aussi ! On est à égalité.

– La première chose à faire, c'est de boire du lait.

Ils retournèrent dans la maison. Le frigo était couché sur le côté. À eux deux, ils réussirent à ouvrir la porte. Des bouteilles de lait étaient cassées, mais quelques-unes demeuraient intactes. Kendra en prit une, la déboucha et but une gorgée. Seth l'imita.

– J'ai besoin de mon équipement, dit-il en s'élançant vers l'escalier.

Kendra se mit à chercher des indices. Grand-Père n'aurait-il pas essayé de leur laisser un message ? Il n'en avait peut-être pas eu le temps. Elle parcourut les pièces, mais ne trouva rien qui la renseigne sur le sort de Léna ou de Grand-Père.

Seth revint avec sa boîte de céréales, vêtu de sa chemise de camouflage.

– Je n'ai pas retrouvé le fusil. Tu ne l'as pas vu ?

– Non, mais il y a une flèche dans la porte d'entrée. Tu pourras toujours la lancer sur le monstre.

– Je crois que je vais m'en tenir au sel.

– On n'a pas fouillé le sous-sol, dit Kendra.

– Allons voir.

Ils ouvrirent la porte située dans la cuisine et regardèrent dans l'obscurité. Kendra s'avisa que c'était à peu près la seule porte intacte de la maison. Des marches en pierre descendaient dans le noir.

– Et si tu sortais ta torche ? suggéra Kendra.

– Pour quoi faire ? Il n'y a pas d'interrupteur ?

Ils n'en trouvèrent pas. Seth fouilla dans sa boîte et en sortit la torche.

Du sel dans une main et la lampe dans l'autre, il passa devant. L'escalier était particulièrement long pour une cave – plus de vingt marches abruptes. En bas, la torche éclaira un petit couloir qui débouchait sur une porte en fer.

Ils s'avancèrent. La porte avait une serrure. Seth remua le loquet, mais elle était fermée à clé. En bas de la porte, il remarqua une petite trappe.

– Qu'est-ce que c'est que ça ? demanda-t-il.

– C'est pour les brownies, pour qu'ils puissent venir réparer les choses.

Seth ouvrit le clapet.

– Grand-Père ! Léna ! Il y a quelqu'un ? cria-t-il.

Ils attendirent en vain une réponse. Seth appela encore une fois, puis se releva et éclaira la serrure.

– On pourrait essayer une de tes clés ? demanda-t-il.

– Elles sont bien trop petites.

– La bonne est peut-être dans la chambre de Grand-Père.

– S'ils étaient là-dedans, je pense qu'ils répondraient.

Kendra et Seth remontèrent l'escalier. Arrivés en haut, ils entendirent un grognement sourd, très fort, qui dura au moins dix secondes et qui venait de dehors. Il était beaucoup trop puissant pour avoir été poussé par un être humain. Ils coururent jusqu'au porche de derrière. Le grognement s'était tu, et maintenant il était difficile de dire de quelle direction il était venu.

Regardant autour d'eux, ils attendirent que le bruit étrange se reproduise. Après une ou deux minutes tendues, Kendra rompit le silence.

– Qu'est-ce que c'était ?

– Je parie que c'est le monstre qui détient Grand-Père et Léna, dit Seth. Et il n'a pas l'air d'être très loin.

– Ça avait l'air gros.

– Ouais.

– Gros comme une baleine.

– On a du sel, rappela Seth. Il faut qu'on suive cette piste.

– Tu es sûr que c'est une bonne idée ?

– Tu en as une meilleure ?

– Je ne sais pas. On pourrait attendre qu'ils réapparaissent ? Peut-être qu'ils réussiront à s'échapper.

– Si ce n'est pas encore arrivé, c'est que ça n'arrivera pas. On sera prudents et on s'arrangera pour rentrer avant la nuit. Tout ira bien, on a du sel. Ce truc agit comme de l'acide.

– Si quelque chose va de travers, qui nous sauvera ? demanda Kendra.

– Tu n'es pas obligée de venir. Mais moi, j'y vais.

Seth descendit les marches du porche d'un pas vif et s'engagea dans le jardin. Kendra le suivit, réticente. Elle se demandait comment ils réussiraient à se sauver si le sel n'agissait pas contre le monstre, mais Seth avait raison sur un point : ils ne pouvaient pas abandonner Grand-Père.

Kendra rattrapa Seth au niveau du massif de fleurs où ils avaient trouvé les premières empreintes. Ils cherchèrent ensemble dans l'herbe et suivirent une série de trous à travers la pelouse. Ils étaient espacés d'un mètre cinquante environ et dessinaient une ligne droite, longeant la grange et quittant finalement le terrain par un étroit sentier qui menait dans les bois.

N'étant plus cachés par l'herbe, les trous étaient encore plus faciles à repérer. Ils dépassèrent deux ou trois intersections, mais la piste restait très nette et il était impossible de rater les empreintes laissées par la créature. Ils avançaient rapidement. Kendra restait en alerte, scrutant les arbres en quête d'animaux mythiques, mais elle ne vit rien de plus spectaculaire qu'un chardonneret et quelques tamias.

– Je meurs de faim, dit Seth.

– Moi ça va, mais j'ai sommeil.

– Pense à autre chose.

– J'ai la gorge irritée, reprit Kendra. Tu sais, il y a presque trente heures qu'on est réveillés.

– Je ne suis pas très fatigué, dit Seth, mais j'ai faim. On aurait dû prendre de quoi manger dans le garde-manger. Les bocaux ne doivent pas être tous cassés.

– On ne doit pas être si affamés que ça puisqu'on n'y a pas pensé sur le moment.

Soudain, Seth s'arrêta net.

– Oh oh..

– Quoi ?

Seth devançait Kendra de plusieurs pas. Penché vers le sol, il revint vers elle, puis il repartit dans l'autre sens, plus lentement, écartant du pied les feuilles et les branches qui couvraient le sentier. Kendra comprit le problème avant qu'il l'exprime à voix haute.

– Il n'y a plus de trous.

Elle l'aida à inspecter le terrain. Ils scrutèrent tous les deux la même portion de chemin plusieurs fois avant que Seth se mette à chercher hors du sentier.

– Ça se complique, dit-il.

– Il y a plein de fourrés, acquiesça Kendra.

– Si on pouvait trouver un seul trou, on saurait dans quelle direction il est allé.

– S'il a quitté le sentier, on ne le retrouvera jamais.

Seth se mit à quatre pattes pour suivre le bord du chemin, fouillant sous les buissons. Kendra ramassa un bâton et s'en servit pour chercher.

– Ne fais pas de trous, la mit en garde Seth.

– J'écarte juste les feuilles.

– Tu pourrais le faire avec les mains.

– Oui, c'est ce que je ferais si je voulais me faire piquer ou attraper des boutons.

– Hé ! Le voilà !

Seth montrait un trou à sa sœur, à un mètre cinquante environ du dernier trou sur le sentier.

– Il a tourné à gauche.

– En diagonale.

Kendra traça de la main la ligne qui joignait les deux trous et continuait dans le bois.

– Mais il a pu tourner encore, dit Seth. Il faut qu'on trouve un autre trou.

Il leur fallut près d'un quart d'heure pour trouver le trou suivant, qui leur prouva que la créature avait bien tourné à gauche, perpendiculairement au sentier.

– Et s'il a continué à tourner ? demanda Kendra.

– Il aurait fini par revenir sur ses pas.

– Il voulait peut-être semer des poursuivants.

Seth avança d'un mètre cinquante et trouva presque aussitôt le trou suivant, ce qui confirmait la nouvelle direction.

– Les fourrés sont moins épais par ici, observa-t-il.

– Seth, il nous faudrait toute une journée pour le suivre à la trace.

– Je n'ai pas l'intention de le suivre à la trace, juste de marcher dans cette direction pendant un moment. Peut-être qu'on coupera un autre chemin et qu'on pourra retrouver des empreintes. Ou peut-être que la « chose » ne vit pas très loin d'ici.

Kendra mit une main dans sa poche, tâtant le sel.

– Je n'ai pas du tout envie de quitter le sentier.

– Moi non plus, mais on n'ira pas loin. Ce truc a l'air d'aimer les sentiers puisqu'il en a suivi un jusqu'ici. On va peut-être faire une découverte. Ça vaut la peine de continuer un peu pour vérifier.

Kendra fixa son frère.

– D'accord, et qu'est-ce qu'on fait si on arrive dans une grotte ?

– On jettera un coup d'œil.

– Et si on entend une respiration ?

– Tu ne seras pas obligée d'entrer. J'irai tout seul. Ce qui compte, c'est de retrouver Grand-Père.

Kendra se mordit la langue. Elle faillit dire que s'ils le retrouvaient par ici, il serait probablement en mille morceaux.

– D'accord, on continue.

Ils marchèrent en ligne droite en s'écartant du sentier. Ils continuèrent à scruter le sol, mais ne virent plus de trous. Peu après, ils traversèrent un cours d'eau à sec, puis s'engagèrent dans une petite prairie. L'herbe et les fleurs sauvages leur arrivaient presque à la taille.

– Je ne vois pas d'autre piste, dit Kendra. Ni de tanière de monstre.

– Regardons autour de la prairie, proposa Seth.

Il inspecta tout le périmètre du champ, sans trouver de trous ni d'autre sentier.

– Il faut voir les choses en face, reprit Kendra. Si on essaie de continuer, on avancera à l'aveuglette.

– Et si on grimpait sur cette butte ? suggéra Seth en indiquant le point le plus élevé visible du champ, à quatre cents mètres environ. Si je devais me construire une cabane, ce serait là-haut. En plus, si on monte au sommet, on aura une meilleure vue du coin. On n'y voit rien avec ces arbres.

Kendra pinça les lèvres. La colline était en pente douce et ne serait pas difficile à escalader. Et puis ce n'était pas très loin.

– Si on ne trouve rien là-bas, on rentre.

– D'accord.

Ils marchèrent vers la butte, en prenant une direction différente de celle qu'ils avaient suivie jusque-là. Tandis qu'ils se frayaient un chemin dans des fourrés plus épais, une brindille craqua sur le côté. Ils s'arrêtèrent, l'oreille aux aguets.

– Je me sens sacrément nerveuse, dit doucement Kendra.

– On ne risque rien. C'est sûrement une pomme de pin qui est tombée.

Kendra essaya de repousser l'image de la femme pâle dans ses habits noirs tourbillonnants. Rien que d'y penser, son sang se glaçait. Si jamais elle la voyait dans les bois, elle craignait de se rouler en boule par terre et de se laisser capturer sans rien faire.

– Je ne sais plus très bien dans quelle direction on va, dit-elle.

De retour sous les arbres, ils ne voyaient plus la colline ni la prairie.

– Attends, j'ai ma boussole.

– Comme ça, si rien ne marche, on pourra toujours découvrir le pôle Nord !

– Le sentier qu'on a suivi allait vers le nord-ouest, assura Seth. Puis on l'a quitté pour aller vers le sud-ouest. La colline est à l'ouest et la prairie à l'est.

– On est bien avancés…

– Il suffit de faire attention.

Peu après, les arbres s'espacèrent et ils gravirent la colline. Comme il y avait moins d'arbres, les fourrés poussaient plus haut et les buissons étaient plus gros. Seth et Kendra se frayèrent un chemin le long de la pente douce, vers le sommet.

– Tu sens ça ? demanda Seth.

Kendra s'arrêta.

– On dirait que quelqu'un fait la cuisine.

L'odeur était faible mais distincte, maintenant qu'elle la remarquait. Kendra étudia l'endroit, soudain alarmée.

– Oh là là ! fit-elle en s'accroupissant.

– Quoi ?

– Baisse-toi.

Seth s'agenouilla près d'elle. Elle désigna le haut de la colline. D'un côté montait une petite colonne de fumée, mince et vacillante.

– Ouais ! murmura Seth. On l'a peut-être trouvé.

De nouveau, Kendra dut se mordre la langue. Elle espérait qu'on n'était pas en train de faire cuire Grand-Père.

– Qu'est-ce qu'on fait ? demanda-t-elle.

– Reste ici, je vais voir.

– Je ne veux pas rester toute seule.

– Alors suis-moi, mais reste un peu en arrière. Il ne faudrait pas qu'on se fasse attraper tous les deux en même temps. Prépare le sel.

Kendra n'avait pas besoin qu'on le lui rappelle. Elle avait juste peur que ses mains moites ne le transforment en pâte.

Seth avança en restant baissé, caché derrière les buissons, se dirigeant peu à peu vers le filet de fumée. Kendra l'imita, en se disant que les heures que son frère avait passées à jouer à la guerre n'avaient pas servi à rien. Tout en le suivant, elle s'efforçait de faire le point sur ce qu'ils étaient en train de faire. Se faufiler vers le feu de camp d'un monstre faisait partie des choses dont elle aurait pu se passer. Peut-être auraient-ils dû se faufiler *loin* de là ?

La mince colonne de fumée était maintenant plus proche. Seth lui fit signe de le rejoindre. Elle se tapit à côté de lui, derrière un gros buisson qui faisait deux fois sa taille, en essayant de respirer calmement. Il approcha ses lèvres de l'oreille de sa sœur.

– Je pourrai voir ce qu'il en est quand je passerai devant ce buisson. J'essaierai de crier si je suis pris. Tiens-toi prête.

Kendra chuchota :

– Si tu me fais un sale coup, je te jure que je te tue. Je te le jure !

– Ne t'inquiète pas, moi aussi j'ai peur.

Il s'avança furtivement. Kendra s'efforçait de se calmer. L'attente était une vraie torture. Elle envisagea de contourner le buisson pour jeter un coup d'œil, mais elle n'en trouva pas le courage. Le silence était bon signe, non ? À moins qu'ils aient tué Seth en douce avec une flèche empoisonnée.

Le temps s'étira impitoyablement, puis elle entendit Seth revenir en prenant moins de précautions qu'à l'aller. Quand il arriva derrière le buisson, il se tenait debout.

– Viens, il faut absolument que tu voies ça !

– Que je voie quoi ?

– Rien d'effrayant.

Kendra, encore tendue, passa devant le buisson avec lui. Dans un endroit dégagé près du sommet de la butte, elle vit la source de la fumée : un cylindre en pierre qui devait leur arriver à la taille, avec un treuil en bois et un seau qui se balançait.

– C'est un puits ?

– Oui. Viens sentir.

Ils marchèrent jusqu'au puits. Même de près, la fumée qui montait demeurait vaporeuse et peu épaisse. Kendra se pencha et regarda dans le trou noir.

– Ça sent bon.

– On dirait de la soupe, dit Seth, avec de la viande, des légumes et des épices.

– Ça me donne faim, ça a l'air délicieux.

– Je trouve aussi. On goûte ?

– Tu veux plonger le seau dans le puits ? demanda Kendra, sceptique.

– Pourquoi pas ?

– Il pourrait y avoir des créatures, au fond.

– Ça m'étonnerait.

– Tu crois vraiment que ce puits est plein de ragoût ? se moqua Kendra.

– On est dans une réserve magique.

– Oui, mais cette soupe pourrait être empoisonnée.

– Ça ne coûte rien d'essayer, insista Seth. Je suis affamé. En plus, tout n'est pas mauvais, ici. Je parie que c'est l'endroit où les créatures fabuleuses viennent manger. Regarde, il y a même une manivelle.

Il se mit à tourner le treuil. Le seau disparut dans l'obscurité du puits.

– Vas-y, je fais le guet, dit Kendra.

– Bonne idée !

Kendra ne se sentait pas en sécurité. Ils étaient trop loin du sommet pour qu'elle puisse voir de l'autre côté de la colline, mais assez haut pour avoir une bonne vue sur les arbres et le terrain. Le puits étant à découvert, elle avait peur que des yeux invisibles ne soient en train de les espionner depuis les feuil-lages en bas de la pente.

Seth continuait à dérouler la corde, faisant descendre le seau de plus en plus profond. Finalement, il l'entendit toucher le fond. La corde se ramollit un peu. Au bout d'un moment, il le remonta.

– Dépêche-toi, dit Kendra.

– Je me dépêche, mais le puits est profond.

– J'ai peur. Les créatures de la forêt pourraient nous voir.

– Ça vient, ça vient.

Seth s'arrêta de tourner la manivelle et finit de remonter le seau à la main. Puis, il le posa sur la margelle du puits.

Kendra se rapprocha. À l'intérieur, des morceaux de viande, des rondelles de carottes et de pommes de terre et des oignons flottaient dans un bouillon jaune et odorant.

– On dirait un ragoût normal, dit Kendra.

– Mieux que normal. Je goûte.

– Non !

– Détends-toi…

Seth pêcha un bout de viande dégoulinant et le goûta.

– C'est bon ! annonça-t-il.

Il prit une rondelle de pomme de terre qui lui inspira le même commentaire. Puis, inclinant le seau, il but le bouillon.

– Délicieux ! Il faut que tu essayes.

À ce moment-là, une créature surgit du buisson où ils s'étaient cachés pour s'approcher du puits. C'était un homme nu à la poitrine extrêmement velue, avec deux cornes pointues au-dessus du front, et des pattes de bouc avec de longs poils. Brandissant un couteau, le satyre s'élança sur eux.

Kendra et Seth pivotèrent, alarmés. Ils entendaient le bruit de ses sabots alors qu'il grimpait la pente en courant.

– Le sel ! lâcha Seth en fouillant dans ses poches.

Tandis qu'elle en cherchait elle aussi, Kendra se précipita de l'autre côté du puits pour se protéger de l'assaillant. Pas Seth. Il ne bougea pas, et quand le satyre fut à deux ou trois pas de lui, il lui jeta une poignée de sel.

Le satyre s'arrêta net, visiblement surpris. Seth lui en lança une deuxième poignée et mit la main dans sa poche pour en prendre davantage. Mais le sel ne crépitait pas et ne faisait pas d'étincelles. L'homme-bouc parut perplexe.

– Qu'est-ce que tu fais ? demanda-t-il à voix basse.

– Je pourrais vous poser la même question, rétorqua Seth.

– Mais pas du tout, dit le satyre. Toi, en revanche, tu es en train de tout faire rater.

Il passa devant Seth et trancha la corde avec son couteau.

– Elle arrive.

– Qui ?

– Je te répondrai plus tard.

L'homme-bouc enroula la corde autour du treuil, attrapa le seau et se mit à dévaler la pente en renversant de la soupe. Kendra entendit un bruissement de feuilles et un craquement de branches de l'autre côté de la colline. Seth et elle suivirent le satyre.

Ce dernier se glissa dans le buisson derrière lequel les enfants s'étaient accroupis un peu plus tôt. Kendra et Seth plongèrent après lui.

Ils étaient cachés depuis un instant quand une grosse femme hideuse apparut et s'approcha du puits d'un pas lourd. Elle avait le visage large et plat, et ses lobes d'oreilles pendaient presque jusqu'à ses robustes épaules. Sa poitrine difforme tombait sous une tunique grossière. Sa peau couleur d'avocat était striée comme du velours, ses cheveux grisonnants hirsutes et emmêlés, et elle était pratiquement obèse. Le puits lui arrivait à peine aux genoux, car elle était beaucoup plus grande qu'Hugo. Elle se balançait d'un côté à l'autre en marchant, et respirait lourdement par la bouche.

Elle se pencha et posa les mains sur le puits, caressant la structure en bois.

– Cette ogresse n'y voit pas très clair, chuchota le satyre.

Au moment où il dit cela, l'ogresse releva brusquement la tête. Elle baragouina quelque chose dans un langage guttural. Puis, s'écartant de quelques pas du puits, elle s'accroupit et renifla le sol à l'endroit où Seth avait jeté du sel.

– Des gens sont venus ici, dit-elle d'une voix rauque, avec un fort accent. Où êtes-vous ?

Le satyre posa un doigt sur ses lèvres. Kendra se tint parfaitement immobile, s'efforçant de respirer doucement malgré sa peur. Elle essaya de décider dans quelle direction elle allait s'enfuir en courant.

D'un pas lourd, l'ogresse descendit vers leur cachette en reniflant.

– J'ai entendu des gens, j'ai senti des gens et je sens mon ragoût. Des gens en ont encore mangé. Maintenant, sortez vous excuser !

Le satyre secoua la tête et passa un doigt en travers de sa gorge pour bien se faire comprendre. Seth glissa une main dans sa poche. Le satyre posa la main sur son poignet et secoua la tête en fronçant les sourcils.

L'ogresse avait déjà parcouru la moitié de la distance.

– Puisque vous aimez tant mon ragoût, vous aimeriez peut-être y prendre un bain ?

Kendra résista à l'envie de détaler. L'ogresse serait sur eux dans un instant. Mais le satyre semblait savoir ce qu'il faisait. Il leva une main, ordonnant silencieusement aux enfants de ne pas bouger.

Tout à coup, quelque chose se mit à se démener dans les buissons, à vingt mètres environ sur leur droite. L'ogresse pivota et se précipita en direction du bruit, d'une démarche maladroite.

Le satyre fit un signe de tête. Ils s'extirpèrent du buisson et descendirent la colline. Derrière eux, l'ogresse s'arrêta en dérapant et changea de direction pour les poursuivre. L'homme-bouc lança le seau de ragoût dans les ronces et sauta par-dessus un tronc d'arbre. Kendra et Seth foncèrent derrière lui.

Emportée par son élan, Kendra faisait des pas beaucoup trop grands. Chaque fois que son pied touchait terre, elle risquait de perdre l'équilibre et de tomber en avant. Seth la devançait légèrement et l'agile satyre augmentait peu à peu son avance.

Se moquant des obstacles, l'ogresse les poursuivait bruyamment, piétinant des buissons et accrochant ses vêtements dans les branches. Elle avait le souffle humide et sifflant, et jurait de temps à autre dans son langage inintelligible. Malgré sa taille encombrante et son air épuisé, la géante difforme gagnait rapidement du terrain.

La pente s'aplanit. L'ogresse tomba et des branches cassées claquèrent comme des feux d'artifice. L'adolescente jeta un coup d'œil derrière elle et vit que la femme monumentale se relevait.

Le satyre les conduisit dans un ravin peu profond où ils trouvèrent l'entrée d'un tunnel obscur.

– Par ici, dit-il en s'élançant dans le boyau.

Il paraissait assez large pour que l'ogresse puisse entrer, mais Seth et Kendra le suivirent sans objection. L'homme-bouc semblait sûr de lui et, jusqu'à présent, il ne s'était pas trompé.

Le tunnel devint plus sombre au fur et à mesure qu'ils s'enfonçaient. Des pas pesants les suivaient. Kendra regarda encore derrière elle : l'ogresse emplissait le passage souterrain, bloquant la lumière qui filtrait par l'ouverture.

Ils avaient du mal à voir le satyre devant eux. Le tunnel était de plus en plus étroit. Kendra entendait l'ogresse qui toussait et haletait juste derrière elle. Si seulement elle avait pu avoir une crise cardiaque et s'effondrer !

Pendant un moment, l'obscurité devint complète. Puis de la lumière apparut. Le tunnel continuait à se rétrécir. Bientôt, Kendra dut se courber en deux tandis que ses bras frôlaient les parois. Le satyre ralentit son allure et regarda derrière lui avec un grand sourire plein de malice. Kendra jeta également un coup d'œil par-dessus son épaule.

L'ogresse hors d'haleine se traînait à plat ventre, en sifflant et en s'étouffant. Quand elle ne put plus avancer en se tortillant, elle poussa un rugissement frustré, un cri rauque et tendu. Ensuite, elle parut vomir.

Devant eux, le satyre rampait. Le tunnel se mit à monter. Ils émergèrent par une petite ouverture dans une sorte de cuvette. Un deuxième satyre les attendait. Il avait les cheveux plus roux que le premier et des cornes un peu plus longues. Il leur fit signe de le suivre.

Les satyres et les enfants traversèrent les bois pendant quelques minutes. Quand ils arrivèrent dans une clairière avec une petite mare, le rouquin s'arrêta et leur fit face.

– C'était quoi, votre idée ? Gâcher notre opération ? demanda-t-il.

– Du beau travail, accorda l'autre satyre.

– On ne savait pas, dit Kendra. On pensait que c'était un puits.

– Vous avez confondu cette cheminée avec un puits ? s'offusqua le rouquin. Je suppose que vous prenez aussi les glaçons pour des carottes et les chariots pour des remises ?

– Il y avait un seau, plaida Seth.

– Et elle s'enfonçait dans le sol, ajouta Kendra.

– Ils n'ont pas tort, dit l'autre satyre.

– Vous étiez sur le toit de la tanière de l'ogresse, expliqua le rouquin.

– Je comprends mieux, maintenant, dit Seth. On a cru que c'était une colline.

– Il n'y a pas de mal à faucher un peu de soupe dans un chaudron, poursuivit le rouquin. On n'a rien contre le fait de partager, mais à l'avenir, tâchez de faire preuve d'un peu plus de finesse. Attendez au moins que la vieille dorme. Qui êtes-vous, au fait ?

– Je suis Seth Sorenson.

– Et moi, je suis Kendra.

– Moi, c'est Newel, dit le rouquin, et voici Doren. Vous vous rendez compte que nous allons être obligés de refaire toute notre petite installation ?

– Sûr qu'elle va détruire l'ancienne, expliqua Doren.

– C'est presque plus de travail que de faire du ragoût nous-mêmes, dit Newel en soufflant.

– Mais nous sommes incapables d'en préparer un aussi bon que le sien, regretta Doren.

– C'est vrai qu'elle a un don, acquiesça Newel.

– On est désolés, dit Kendra. On est un peu perdus.

Doren agita la main.

– Ne vous inquiétez pas, on aime bien fanfaronner. Si vous aviez gâché notre vin, ce serait une autre histoire.

– Ceci dit, il faut bien se nourrir, reprit Newel, et du ragoût gratuit, c'est du ragoût gratuit.

– Nous essaierons de vous dédommager, dit Kendra.

– Vous n'auriez pas des… piles, par hasard ? demanda Doren.

– Des piles ? répéta Seth en plissant le nez.

– Des grandes, précisa Newel.

Kendra croisa les bras.

– Pourquoi voulez-vous des piles ?

– Elles sont brillantes, répondit Newel en donnant un coup de coude à Doren.

– Nous les adorons, ajouta Doren en hochant la tête. Elles sont comme de petits dieux, pour nous.

Les enfants dévisagèrent les satyres, incrédules, ne sachant plus quoi dire. Visiblement, les hommes-boucs mentaient.

– D'accord, fit Newel. Nous avons une télé portative.

– Ne le dites pas à Stan.

– Nous avions des tas de piles, mais elles sont toutes usées.

– Et notre fournisseur ne travaille plus ici.

– Nous pourrions trouver un arrangement, dit Newel en tendant les mains d'un geste diplomatique. Des piles pour avoir abîmé notre système de siphonage de ragoût.

– Et ensuite, on pourra vous les échanger contre de l'or, de l'alcool, ce que vous voudrez.

Doren baissa la voix.

– Bien entendu, tout cela doit rester secret.

– Stan n'aime pas qu'on regarde la télé, dit Newel.

– Vous connaissez notre grand-père ? demanda Seth.

– Qui ne le connaît pas ? fit Newel.

– Vous ne l'avez pas vu, récemment ? demanda Kendra.

– Si, bien sûr, la semaine dernière, répondit Doren.

– Je veux dire, depuis cette nuit ?

– Non, pourquoi ?

– Vous n'êtes pas au courant ? demanda Seth.

Les satyres se regardèrent en haussant les épaules.

– Au courant de quoi ? s'enquit Newel.

– Notre grand-père a été kidnappé la nuit dernière, expliqua Kendra.

– Kidnaquoi ?

– Ils veulent dire qu'il a été enlevé, précisa Doren.

Kendra hocha la tête.

– Des créatures se sont introduites dans la maison et l'ont emmené, avec notre gouvernante.

– Et pas Dale ? demanda Doren.

– On ne pense pas, répondit Seth.

Newel secoua la tête.

– Pauvre Dale. Il n'a jamais été très populaire.

– Pas étonnant, avec son sens de l'humour, acquiesça Doren. Et puis il est beaucoup trop taciturne.

– Vous ne savez pas qui aurait pu les enlever ? demanda Kendra.

– La nuit du solstice d'été ?

Newel leva les mains.

– Ça peut être n'importe qui. Impossible à savoir !

– Est-ce que vous pourriez nous aider à le retrouver ? demanda Seth.

Les satyres échangèrent un coup d'œil embarrassé.

– C'est-à-dire… c'est une mauvaise semaine pour nous, commença Newel, l'air mal à l'aise.

– On a plein de choses à faire, confirma Doren en reculant.

– Vous savez, maintenant que j'y réfléchis, reprit Newel, il nous aurait sans doute fallu un nouveau système pour la cheminée, de toute façon. Si on partait plutôt chacun de son côté ? On n'a qu'à dire que nous sommes quittes !

– Ne prenez pas à cœur ce que nous avons dit, ajouta Doren. Nous étions juste… *satyriques*.

Seth s'avança.

– Savez-vous quelque chose que vous ne nous dites pas ?

– Ce n'est pas ça, répondit Newel en continuant à s'esquiver lentement. C'est juste que le jour du solstice d'été, on est plutôt surchargés.

– En tout cas, merci de nous avoir aidés à échapper à l'ogresse, dit Kendra.

– C'était un plaisir, déclara Newel.

– Pourriez-vous au moins nous indiquer le chemin de la maison ? demanda Seth.

Les satyres cessèrent de reculer. Doren tendit un bras.

– Il y a un sentier par là.

– Quand vous l'atteindrez, allez tout droit, dit Newel.

– Vous serez dans la bonne direction.

– Nos meilleurs vœux à Stan quand vous l'aurez retrouvé.

Les hommes-boucs tournèrent vivement les talons et disparurent entre les arbres.

CHAPITRE DOUZE

DANS LA GRANGE

Seth et Kendra s'engagèrent sur le sentier que les satyres leur avaient indiqué et ne tardèrent pas à retrouver les trous de la taille d'une pièce de monnaie qui indiquaient le chemin de la maison.

– Ces hommes-boucs étaient des idiots, dit Seth.

– Ils nous ont sauvés de l'ogresse, lui rappela Kendra.

– Ils auraient pu nous aider à retrouver Grand-Père, mais ils nous ont envoyé promener.

Seth fronçait les sourcils tandis qu'ils suivaient le sentier.

Lorsqu'ils approchèrent du terrain, ils entendirent le même grognement inhumain que lorsqu'ils étaient remontés de la cave, mais encore plus fort. Ils s'arrêtèrent. Ce bruit intrigant venait de devant eux. C'était comme une longue plainte qui ressemblait à une corne de brume.

Seth prit le sel qui lui restait dans sa poche et se rua en avant. Ils atteignirent bientôt la lisière du terrain. Tout paraissait normal. Ils ne virent aucun mastodonte capable de pousser l'énorme braillement qu'ils avaient entendu.

– Ce sel n'a pas eu l'air très efficace avec le satyre, chuchota Kendra.

– Il ne brûle probablement que les mauvaises créatures, répondit Seth.

– Je crois que l'ogresse en a ramassé.

– Il était mélangé à de la terre. Tu l'as bien vu griller ces monstres, hier.

Ils attendirent, hésitant à entrer sur le terrain.

– Et maintenant ? demanda Kendra.

Le puissant grognement retentit encore à travers la pelouse, plus proche et plus fort. La grange trembla.

– Ça vient de la grange, dit Seth.

– On n'a pas regardé à l'intérieur ! s'exclama Kendra.

– Je n'y avais pas pensé.

Le monstrueux grondement résonna une troisième fois. La grange trembla de plus belle. Des oiseaux s'envolèrent des avant-toits.

– Tu crois qu'une « chose » a emmené Grand-Père et Léna dans la grange ? demanda Kendra.

– Apparemment, elle y est encore.

– Grand-Père nous a défendu d'y entrer.

– Je crois que je ne suis plus à ça près, dit Seth.

– Non, je veux dire… et s'il gardait des créatures féroces, là-dedans ? Ça n'a peut-être rien à voir avec sa disparition.

– C'est notre meilleure chance. Où veux-tu qu'on cherche, autrement ? On n'a pas d'autres indices. La piste n'a mené à rien. On pourrait au moins jeter un œil à l'intérieur.

Seth se dirigea vers la grange. Kendra le suivit avec réticence. Le bâtiment imposant faisait bien cinq étages de haut, avec une girouette en forme de taureau sur le toit. Kendra ne l'avait jamais inspecté pour trouver des entrées, jusqu'à présent. Elle nota qu'il y avait une grande double porte à l'avant et des portes plus petites sur le côté.

La grange craqua et s'ébranla comme sous l'effet d'un tremblement de terre. Le bruit d'une poutre qui éclatait emplit l'air, suivi par un autre grognement plaintif.

Seth chercha le regard de sa sœur. Il y avait quelque chose d'énorme, là-dedans. Puis, la grange redevint silencieuse.

Comme des chaînes et un gros cadenas fermaient la double porte, Seth longea le côté du bâtiment, essayant d'ouvrir les petites portes latérales. Elles étaient toutes fermées à clé. La grange avait plusieurs fenêtres, mais la plus basse se trouvait à trois étages du sol.

Ils firent furtivement le tour du bâtiment, sans trouver de porte ouverte. Il n'y avait même pas de fente ou de trou par lesquels regarder à l'intérieur.

– Grand-Père a bien calfeutré cet endroit, murmura Kendra.

– On va peut-être faire du bruit en entrant, dit Seth.

Il se remit à faire le tour.

– Je ne suis pas sûre que ce soit très malin.

– Je vais attendre que la grange recommence à trembler.

Seth s'assit par terre devant une petite porte, haute d'un mètre environ. Quelques minutes s'écoulèrent.

– Tu crois que cette chose sait qu'on attend ? demanda Kendra.

– Chut, tu vas nous porter la poisse !

– Arrête de dire ça.

Une fée glissa jusqu'à eux. Seth essaya de la chasser.

– Va-t'en !

La fée esquiva ses gestes sans effort. Plus il se démenait, plus elle s'approchait.

– Arrête, tu ne fais que l'exciter, dit Kendra.

– J'en ai marre des fées !

– Ignore-la et elle s'en ira peut-être.

Seth cessa de faire attention à la fée. Elle vint se placer derrière sa tête. Comme il ne réagissait pas, elle se posa sur ses cheveux. Seth voulut lui donner une tape, mais elle esquiva son coup. Alors qu'il se levait pour la poursuivre, le grognement retentit à nouveau. La petite porte trembla.

Seth se laissa retomber par terre et se mit à taper dans la porte des deux pieds. La plainte couvrait le bruit des coups. Au cinquième essai, la porte céda.

Seth s'écarta de l'ouverture en roulant sur lui-même, imité par Kendra. Le garçon plongea la main dans sa poche pour prendre le sel qu'il lui restait.

– Tu en veux ? chuchota-t-il.

Kendra prit un peu de sel. Une ou deux secondes plus tard, le gémissement assourdissant se tut. Seth fit signe à sa sœur d'attendre et se faufila par la petite porte. Kendra patienta, serrant le sel dans sa main.

Seth reparut dans l'ouverture avec une expression indéchiffrable.

– Il faut que tu voies ça, dit-il.

– Quoi ?

– Ne t'inquiète pas, viens voir.

Kendra se courba pour franchir la porte. L'énorme grange ne contenait qu'une immense salle avec quelques placards sur les côtés. Tout l'espace était occupé par une vache gigantesque.

– Je ne m'attendais pas vraiment à ça, murmura Kendra, incrédule.

Elle contempla le colossal animal avec stupeur. Sa tête monumentale touchait presque les poutres, à une quinzaine de mètres au-dessus du sol. Un grenier à foin qui s'étirait sur tout un côté de la grange lui servait de mangeoire. Chacun de ses sabots faisait la taille d'une baignoire et ses formidables mamelles étaient terriblement gonflées. Du lait gouttait de ses tétines, aussi grosses que des punching-balls.

La vache gargantuesque baissa la tête pour regarder les intrus. Elle poussa un long meuglement et fit trembler la grange rien qu'en changeant de position.

– La vache ! s'exclama Kendra à mi-voix.

– C'est le cas de le dire ! Grand-Père n'est pas près de manquer de lait.

– Nous sommes des amis, lança Kendra à la vache.

Celle-ci secoua la tête et se mit à mâcher du foin.

– Pourquoi on ne l'a pas entendue avant ? s'étonna Seth.

– Elle ne meugle probablement jamais. Je pense qu'elle souffre, déclara Kendra. Regarde comme ses mamelles sont gonflées. Je parie qu'elles pourraient remplir une piscine.

– Sans problème.

– Quelqu'un doit la traire chaque matin.

– Et aujourd'hui, personne ne l'a fait, dit Seth.

Ils restèrent immobiles, à regarder la vache. Elle continuait à manger. Seth désigna le fond de la grange.

– Tu as vu la taille de ce fumier ?

– Beurk !

– C'est la bouse de vache la plus grosse du monde !

– Ça, ça ne risquait pas de t'échapper.

La vache émit un autre mugissement plaintif, le plus insistant jusqu'à présent. Seth et Kendra plaquèrent leurs mains sur leurs oreilles en attendant que le vacarme cesse.

– On devrait peut-être essayer de la traire, dit Kendra.

– Comment veux-tu qu'on fasse ! s'écria Seth.

– Il doit bien y avoir un moyen, ils le font tous les jours.

– On ne peut même pas atteindre ses tétines.

– Je parie que cette vache pourrait saccager la grange si elle voulait. Regarde-la ! Elle est de plus en plus agitée. Ses mamelles semblent sur le point d'éclater. Qui sait quelle sorte de pouvoirs elle a ? Après tout, son lait permet de voir les fées. En tout cas, la dernière chose dont on a besoin, c'est bien d'une gigantesque vache magique qui court partout. Imagine les dégâts !

Les bras croisés, Seth étudia le problème.

– C'est impossible.

– Il faut regarder dans les placards. Ils ont peut-être du matériel spécial.

– Et pour Grand-Père ?

– On est à court d'indices, dit Kendra. Si on ne trait pas cette vache, on risque de se retrouver avec un nouveau désastre.

Dans les placards, ils trouvèrent toute une variété d'instruments, mais rien qui permette de traire une vache géante. Il y avait des tonneaux vides un peu partout, et Kendra se dit qu'ils devaient servir à recueillir le lait. Dans un placard, elle trouva deux escabeaux.

– Voilà ce qu'il nous faut ! dit-elle.

– Comment veux-tu qu'on serre ces pis dans nos mains ?

– On va trouver une idée.

– Il doit y avoir une machine à traire géante quelque part, insista Seth.

– Je ne vois pas où. Mais ça pourrait marcher si on prenait les tétines dans nos bras et si on se laissait glisser.

– Tu es dingue ?

– Pourquoi pas ? rétorqua Kendra en désignant la distance entre les tétines et le sol. Ce n'est pas si haut.

– On ne se sert pas des tonneaux ?

– Non, on pourrait perdre tout le lait, et puis ils nous gêneraient. Il faut simplement qu'on relâche la pression.

– Et si elle nous marche dessus ?

– Elle a à peine la place de bouger. Si on reste sous les mamelles, ça ira.

Ils tirèrent les escabeaux pour les mettre en place, un sous chaque tétine, du même côté de la gigantesque vache. Puis ils grimpèrent. En se tenant sur l'avant-dernier échelon, ils étaient assez haut pour attraper les pis.

Seth attendit que Kendra réussisse à se mettre en position.

– Ce n'est pas très stable, dit-elle.

– Tiens-toi en équilibre.

L'adolescente se mit debout en hésitant. Ça paraissait bien plus haut que vu d'en bas.

– Tu es prêt ?

– Non. Finalement, je ne sais pas si c'est une bonne idée.

– On peut au moins essayer.

– Prendre la tétine dans nos bras et se laisser glisser ?

– On le fera à tour de rôle : toi, puis moi, puis toi, puis moi… Ensuite, on passera de l'autre côté.

– Vas-y, commence.

– Tu es meilleur que moi pour ce genre de truc, dit Kendra.

– Bien sûr, je trais tout le temps des vaches géantes ! Je te montrerai mes trophées, un jour !

– Allez, sois sérieux, vas-y, insista Kendra.

– Et si ça lui fait mal ?

– Je ne pense pas qu'on soit assez grands pour ça. Ce qui m'inquiète plus, c'est de savoir si on pourra réussir à faire sortir le lait.

– Alors je serre aussi fort que je peux ?

– Oui.

– Quand je l'aurai fait, tu le feras à ton tour, et on continuera le plus vite possible.

– Et si jamais je trouve une coupe de meilleur trayeur de vache géante, je te l'achèterai, promit Kendra.

– Je préférerais qu'on garde ça pour nous. Tu es prête ?

– C'est parti !

D'un geste hésitant, Seth posa une main sur l'énorme pis. La vache meugla encore comme une corne de brume. Il recula et s'agrippa des deux mains à l'escabeau pour maintenir son équilibre. Kendra se mit à rire. La corne de brume s'arrêta.

– Je crois que j'ai changé d'avis, dit Seth.

– Je compte jusqu'à trois.

– Tu y vas la première ou je ne le fais pas. J'ai failli tomber et mouiller mon pantalon en même temps.

– Un… Deux… Trois !

Seth sauta de l'escabeau, serrant le pis dans ses bras. Il se laissa glisser et atterrit par terre au milieu d'une impressionnante giclée de lait. Kendra l'imita. Elle avait beau serrer, la mamelle glissait entre ses bras plus vite qu'elle ne s'y attendait. Elle heurta le sol, le jean trempé de lait chaud.

Seth remontait sur l'escabeau.

– Je suis déjà dégoûté, dit-il en recommençant l'opération.

Cette fois, il resta debout en touchant le sol. Kendra remonta à son tour et se laissa glisser. Serrant aussi fort qu'elle pouvait, elle descendit un peu moins vite, mais tomba quand même en arrivant par terre. Il y avait déjà du lait partout.

Bientôt, ils trouvèrent leur rythme et parvinrent tous deux à atterrir sur leurs pieds la plupart du temps. La mamelle engorgée pendait, et ils réussirent à mieux contrôler leur descente. Le lait giclait en abondance. Pendant qu'ils glissaient, le lait jaillissait des pis comme d'une lance à incendie. Ils durent sauter soixante-dix fois chacun avant que le flot ne commence à diminuer.

– De l'autre côté maintenant, dit Kendra, le souffle court.

– Je suis mort, se plaignit Seth.

– Allez, on se dépêche.

Ils déplacèrent les escabeaux et recommencèrent. Kendra essaya de s'imaginer qu'elle était dans un parc surréaliste où, au lieu de jouer dans le sable, les enfants pataugeaient dans du lait et glissaient le long de gros poteaux charnus.

Elle se concentrait pour grimper à l'escabeau et atterrir le plus légèrement possible. Elle n'avait pas du tout envie d'avoir un accident – se fouler une cheville, se casser quelque chose, ou pire.

Dès que le flot de liquide commença à faiblir, ils s'affalèrent, épuisés, sans se soucier d'être allongés dans du lait, car leurs habits et leurs cheveux étaient déjà trempés. Tous deux cherchaient désespérément à retrouver leur souffle. Kendra porta une main à son cou.

– Mon cœur bat comme un marteau-piqueur !

– J'ai bien cru que j'allais vomir, tellement c'était dégoûtant, déclara Seth.

– Moi je suis plus fatiguée que malade.

– Tu te rends compte, tu es en train de dégouliner de lait cru et chaud pendant que ta figure a frotté le long d'une tétine de vache une centaine de fois !

– Une centaine ? Plus que ça.

– On a inondé la grange, dit Seth. Je ne boirai plus jamais de lait.

– Et je ne mettrai plus jamais les pieds dans un jardin d'enfants, jura Kendra.

– Qu'est-ce que tu racontes ?

– Je t'expliquerai, un jour.

Seth inspecta le sol.

– Il y a une évacuation, mais je ne crois pas que beaucoup de lait soit parti par là.

– J'ai vu un tuyau, là-bas. Ça m'étonnerait que la vache ait envie de patauger dans du lait tourné.

Kendra s'assit et essora ses cheveux.

– Ça, c'est du sport ! Je suis crevée.

– Si je faisais ça tous les jours, je ressemblerais à Hercule, dit Seth.

– Ça t'ennuie de ranger les escabeaux ?

– Pas si tu t'occupes du tuyau.

Le tuyau était long et doté d'une bonne pression, et les évacuations semblaient avoir une bonne capacité. Chasser le lait s'avéra la partie la plus facile du programme. Kendra aspergea Seth avec le tuyau, et il lui rendit la pareille.

À partir du moment où la traite avait commencé sérieusement, la vache n'avait plus fait de bruit et ne leur avait plus manifesté d'intérêt. Ils appelèrent Grand-Père et Léna, par acquit de conscience, d'abord d'une petite voix pour ne pas faire peur à la vache, puis de plus en plus fort. Comme cela avait été leur lot toute la journée, leurs appels n'obtinrent pas de réponse.

– On devrait retourner à la maison, dit Kendra.

– Je pense aussi. Il ne va pas tarder à faire nuit.

– Je suis fatiguée, et j'ai faim. Il faudrait trouver à manger.

Ils quittèrent la grange. La journée touchait effectivement à sa fin.

– Ta chemise est déchirée, remarqua Kendra.

– Je me suis fait ça pendant qu'on échappait à l'ogresse.

– Je peux t'en prêter une rose, si tu veux.

– Celle-ci m'ira toujours très bien quand elle sera sèche.

– Mais la rose te cacherait aussi bien que le camouflage, dit Kendra.

– Est-ce que toutes les filles sont aussi bêtes que toi ?

– Tu ne vas pas me dire que tu crois qu'une chemise verte te rend invisible aux monstres !

– Pas invisible, mais moins visible. En tout cas, moins que ta chemise bleue.

– Alors j'imagine que je devrais en mettre une verte, moi aussi.

CHAPITRE TREIZE

UN MESSAGE INATTENDU

Assise par terre dans la salle à manger, Kendra mordit dans son deuxième sandwich au beurre d'arachides et à la gelée. En fouillant la cuisine, Seth et elle avaient trouvé assez de provisions pour tenir des semaines. Le garde-manger contenait des conserves de fruits et de légumes, des pots de confiture, du pain, des flocons d'avoine, de la crème de blé, des craquelins, du thon et plein d'autres choses encore.

Le réfrigérateur fonctionnait toujours, même couché sur le côté, et ils nettoyèrent de leur mieux le verre brisé. Il restait du lait, du fromage et des œufs en quantité. Le congélateur était rempli de viande.

Kendra prit une autre bouchée, s'adossa au mur et ferma les yeux. Elle avait cru qu'elle aurait assez faim pour un deuxième sandwich, mais maintenant, elle n'était plus sûre d'être capable de le terminer.

– Je suis lessivée, annonça-t-elle.

– Moi aussi, dit Seth.

Il posa un morceau de fromage sur un craquelin et le couronna d'une sardine à la moutarde.

– J'ai les yeux qui piquent.

– Moi, c'est la gorge, dit Kendra. Le soleil n'est même pas encore couché.

– Qu'est-ce qu'on va faire, pour Grand-Père ?

– Je pense que la meilleure chose à faire est de se reposer. On y verra plus clair demain matin.

– On a dormi combien de temps, la nuit dernière ?

– Une demi-heure, à peu près, répondit Kendra.

– On est restés éveillés presque deux jours entiers !

– Maintenant, tu vas pouvoir dormir pendant deux jours.

– Sûrement pas !

– Ah mais si, je t'assure, tes glandes vont se mettre à secréter un cocon.

– Tu ne me feras pas croire ça.

– C'est pour ça que tu as si faim. Tu engranges de la graisse pour hiberner.

Seth finit son craquelin.

– Tu devrais essayer les sardines.

– Je ne mange pas les poissons qui ont encore leur tête.

– C'est le meilleur morceau ! Tu peux sentir les yeux qui éclatent quand tu...

– Stop !

Kendra se leva.

– Il faut que j'aille me coucher.

Seth l'imita.

– Pareil.

Ils montèrent l'escalier, longèrent le couloir encombré et gravirent les marches du grenier. Leur chambre était sens dessus dessous, à part les lits. Boucles d'Or sautilla jusqu'au coin et se mit à caqueter. Son grain était éparpillé sur le sol.

– Tu avais raison, le sel n'a pas été très efficace, dit Seth.

– Peut-être que ça ne marche que dans la maison.

– Ces hommes-boucs étaient idiots, mais ils étaient plutôt marrants.

– Ce sont des satyres, pas des hommes-boucs, dit Kendra.

– Il faut absolument que je trouve des grandes piles. Ils ont dit qu'ils nous donneraient de l'or en échange.

– Oui, mais ils n'ont pas dit combien.

– Quand même, échanger des piles contre de l'or ! Je pourrais devenir millionnaire !

– Ces types ne m'inspirent pas tellement confiance.

Kendra s'affala sur son lit, le visage dans son oreiller.

– Pourquoi est-ce que Boucles d'Or n'arrête pas de caqueter ?

– Je suppose que sa cage lui manque.

Seth alla voir la poule agitée.

– Kendra, tu devrais venir voir ça.

– Ça ne peut pas attendre demain matin ? demanda-t-elle, la voix étouffée par son oreiller.

– Non, viens voir.

Kendra se leva et rejoignit son frère. Dans le coin de la pièce, plus de cent grains de blé avaient été arrangés pour former huit lettres :

SUIS RUTH

– Tu plaisantes ! fit Kendra.

Elle jeta un coup d'œil soupçonneux à Seth.

– C'est toi qui as écrit ça ?

– Pas du tout.

Kendra s'accroupit devant Boucles d'Or.

– Tu es Grand-Mère Sorenson ?

La poule hocha la tête.

– C'était un oui ?

La poule acquiesça de nouveau.

– Fais-moi un non, pour que je sois sûre.

Boucles d'Or secoua la tête.

– Comment c'est arrivé ? demanda Seth. Quelqu'un t'a transformée ?

La poule fit signe que oui.

– Que faut-il faire pour te rendre ton apparence ? demanda Kendra.

Boucles d'Or resta immobile.

– Et pourquoi Grand-Père ne l'a pas fait ? s'enquit Seth.

– Grand-Père a essayé de te retransformer ? demanda Kendra.

La poule hocha la tête, puis la secoua.

– Oui et non ?

Elle fit signe que oui.

– Il a essayé, mais ça n'a pas marché, devina Kendra.

Boucles d'Or hocha de nouveau la tête.

– Tu sais comment on pourrait faire pour te transformer ? demanda Kendra.

Un autre signe de tête affirmatif.

– C'est quelque chose qu'on peut faire dans la maison ?

La poule secoua la tête.

– Il faut qu'on t'emmène chez la sorcière ? suggéra Seth.

Elle fit signe que oui. Puis elle battit des ailes et s'éloigna.

– Grand-Mère, attends !

Kendra essaya de l'attraper, mais le volatile agité lui échappa.

– Elle pique sa crise.

Seth la poursuivit et lui mit la main dessus.

– Grand-Mère, est-ce que tu nous entends toujours ?

La poule n'avait plus du tout l'air de comprendre quoi que ce soit.

– Grand-Mère, est-ce que tu peux toujours nous répondre ? demanda Kendra.

Boucles d'Or se démena, mais Seth tint bon. Elle lui picora la main et il la lâcha. Ils la regardèrent un moment. Pendant plusieurs minutes, elle ne fit rien qui pouvait trahir une intelligence anormale et ne réagit plus du tout aux questions.

– Elle nous répondait tout à l'heure, non ? fit Kendra.

– Elle nous a écrit un message ! s'exclama Seth en indiquant les deux mots inscrits dans le coin de la pièce.

– Elle a dû disposer d'un temps très court pour communiquer avec nous, réfléchit Kendra. C'est comme si elle avait juste eu le temps de nous remettre un message.

– Pourquoi n'a-t-elle pas parlé plus tôt ?

– Je ne sais pas. Peut-être qu'elle a essayé et qu'on n'a pas compris.

Seth inclina la tête d'un air pensif, puis haussa les épaules.

– On l'emmène chez la sorcière demain matin ?

– Je ne sais pas. Muriel n'a plus qu'un nœud.

– Quoi qu'il arrive, on ne le défera pas. Mais peut-être qu'on pourra marchander avec elle.

– Marchander quoi ? demanda Kendra.

– On pourrait lui apporter de la nourriture. Ou d'autres trucs, des choses pour rendre sa cabane plus confortable.

– Je ne pense pas qu'elle marchera. Elle devinera bien que nous ne savons pas quoi faire pour régler le problème de Grand-Mère.

– Nous ne lui laisserons pas d'autre choix.

Kendra se mordit la lèvre.

– Et si elle refuse ? Elle a tenu bon avec Grand-Père. Est-ce qu'on la libérera, si elle accepte de rendre son apparence à Grand-Mère ?

– Pas question ! trancha Seth. Dès qu'elle sera libre, qu'est-ce qui l'empêchera de tous nous changer en poulets ?

– Grand-Père dit qu'on ne peut pas utiliser la magie contre d'autres personnes si elles ne l'ont pas fait avant. On n'a jamais fait de mal à Muriel, n'est-ce pas ?

– Mais c'est une sorcière, objecta Seth. Pourquoi serait-elle prisonnière si elle n'était pas dangereuse ?

– Je ne dis pas que je veux la libérer, je dis que nous sommes dans une situation d'urgence où nous n'avons pas d'autre choix. Le risque pourrait en valoir la peine pour retrouver Grand-Mère. Et puis Muriel pourra nous aider.

Seth réfléchit.

– Et si on arrive à lui faire dire où est Grand-Père ?

– On peut lui demander aussi ! s'exclama Kendra, tout excitée. Je parie qu'elle ferait n'importe quoi pour être libérée. Je suis sûre qu'elle ferait au moins ces deux choses-là. On pourrait alors se sortir de ce bazar.

– Tu as raison, on n'a pas beaucoup d'autres solutions.

– On devrait dormir d'abord, dit Kendra. On est crevés, tous les deux. On décidera quoi faire demain matin.

– D'accord.

Kendra grimpa dans son lit, se glissa sous les couvertures, posa la tête sur son oreiller et s'endormit avant qu'une autre pensée ait eu le temps de lui traverser l'esprit.

– On n'aurait peut-être pas dû rincer le lait de nos habits, dit Seth. Comme ça, on aurait pu faire du beurre en marchant !

– C'est dégoûtant !

– À la fin de la journée, j'aurais eu du yogourt sous les bras.

– Tu es vraiment débile.

– On aurait pu y ajouter de la confiture de Léna, ça nous aurait fait des yogourts aux fruits.

– Mais arrête !

Seth paraissait content de lui. Boucles d'Or était dans la brouette, enfermée dans un sac de toile qu'il avait trouvé dans le garde-manger. Ils avaient essayé de réparer la cage, mais sans réussir à faire tenir la porte. Le sac avait un lien coulissant, qu'ils avaient tiré autour du cou de la poule pour qu'elle garde la tête à l'air.

Il était difficile de penser au volatile comme à Grand-Mère Sorenson. La poule ne s'était pas comportée une seule fois en grand-mère de toute la matinée. Elle n'avait pas réagi quand ils lui avaient annoncé qu'ils allaient voir Muriel, et elle avait pondu un œuf sur le lit de Kendra pendant la nuit.

Seth et Kendra s'étaient réveillés juste avant le lever du soleil. Ils avaient trouvé la brouette dans la grange et s'étaient dit que ce serait plus commode que de porter Boucles d'Or jusqu'à la cabane couverte de lierre.

C'était au tour de Kendra de pousser. La poule paraissait sereine. Elle profitait probablement du bon air. Le temps était agréable, ensoleillé et chaud, mais pas trop.

Kendra se demandait bien comment allaient se dérouler les négociations avec Muriel. Finalement, ils avaient décidé que cela ne coûtait rien d'aller voir quelles seraient les conditions de la sorcière. Ils pourraient alors se décider en fonction de ce que Muriel accepterait de faire, au lieu de se perdre en conjectures.

Dans la brouette, ils avaient chargé de la nourriture, des vêtements, des outils et des ustensiles de cuisine pour le cas où ils pourraient marchander un peu de confort avec la sorcière à la place de sa liberté. La plupart des vêtements avaient été abîmés la nuit du solstice d'été, mais ils en avaient trouvé quelques-uns en bon état pour habiller Grand-Mère s'ils réussissaient à lui rendre son apparence humaine. Ils avaient donné du lait à Boucles d'Or et en avaient bu eux-mêmes.

Ils n'eurent aucun mal à retrouver le chemin. Quand ils aperçurent la hutte feuillue, Seth laissa la brouette et porta Boucles d'Or, pendant que Kendra déballait ses articles. L'adolescente avait déjà recommandé à son frère de rester calme et poli quoi qu'il advienne, mais elle lui répéta son conseil.

En s'approchant de la cabane, ils entendirent une étrange musique, comme si quelqu'un tirait sur un élastique en jouant des castagnettes. Lorsqu'ils atteignirent la porte, ils découvrirent l'affreuse vieille mégère qui, d'une main, jouait de la guimbarde pendant qu'elle faisait danser son gigueux de l'autre.

– Je n'espérais pas avoir de nouveau des visiteurs aussi vite, dit la sorcière en riant, quand elle eut fini sa chanson. C'est triste pour Stanley.

– Qu'est-ce que vous savez au sujet de notre grand-père ? demanda Seth.

– Les bois sont en effervescence à propos de son enlèvement, répondit Muriel, et de celui de la naïade gouvernante, si l'on en croit les rumeurs. Un vrai scandale.

– Savez-vous où ils sont ? tenta Seth.

– Voyez donc tous les beaux cadeaux que vous m'avez apportés ! dit la sorcière avec effusion, en joignant ses mains veinées. La couverture est superbe, mais elle s'abîmerait dans mon humble demeure. Je ne vous laisserai pas gaspiller votre générosité pour moi ; je ne saurais que faire de si jolies choses.

– Nous les avons apportées pour vous proposer un échange, déclara Kendra.

– Un échange ? répéta la sorcière d'un air théâtral, en faisant claquer ses lèvres. Pour ma tisane ? Sottise, petite, je ne songerais pas à vous demander quelque chose en échange de mon hospitalité. Entrez et nous boirons ensemble.

– Il ne s'agit pas de la tisane, dit Seth en levant Boucles d'Or. Nous voulons que vous rendiez son apparence à notre grand-mère.

– En échange d'un poulet ?

– C'est *elle*, le poulet.

Muriel fit un large sourire en se caressant le menton.

– Il me semblait bien que sa tête me disait quelque chose, murmura-t-elle d'un air songeur. Pauvres petits. Un grand-père disparu dans la nuit et une grand-mère changée en volaille…

– Nous pouvons vous offrir une couverture, un peignoir, une brosse à dents et des tonnes de nourriture, exposa Kendra.

– C'est très gentil, mais c'est de l'énergie d'un nœud défait dont j'ai besoin pour accomplir le sortilège capable de redonner sa véritable apparence à votre grand-mère.

– Nous ne pouvons pas défaire votre dernier nœud, dit Seth. Grand-Père serait furieux.

La sorcière haussa les épaules.

– Mon problème est simple. Emprisonnée dans cette hutte, mes capacités sont restreintes. Cela n'a rien à voir avec le fait que je veuille vous aider ou non. Le seul moyen pour moi d'exaucer votre requête est de recueillir le pouvoir contenu dans le dernier nœud. La décision est entre vos mains. Je n'ai pas d'autre choix.

– Si nous défaisons le dernier nœud, est-ce que vous nous direz aussi où notre grand-père a été emmenée ? demanda Kendra.

– Mon enfant, je n'aimerais rien tant que vous rendre votre grand-père disparu. Mais la vérité est que je n'ai pas la moindre idée de l'endroit où il se trouve. Là encore, il faudrait défaire mon nœud afin que je rassemble assez de pouvoirs pour deviner où il est.

– Vous pourriez trouver Grand-Père et transformer Grand-Mère avec le pouvoir d'un seul nœud ? demanda Kendra.

– Malheureusement, je ne pourrai pas faire les deux. C'est impossible.

– Débrouillez-vous pour trouver une solution. C'est ça ou rien, déclara Seth.

– Alors, nous sommes dans une impasse, dit la sorcière d'un ton de regret. Si vous me dites que nous ne pouvons pas nous entendre à moins que je réalise l'impossible, alors nous ne pouvons pas nous entendre. Je pourrais exaucer une de vos requêtes, mais pas les deux.

– Si nous vous demandons de transformer Grand-Mère, reprit Kendra, pourrez-vous nous aider à retrouver Grand-Père quand vous serez libre ?

– Peut-être, répondit pensivement Muriel. Oui, sans garantie, une fois libre, je pourrais probablement utiliser mes capacités pour éclaircir le lieu de détention de votre grand-père.

– Comment savoir que vous ne nous attaquerez pas si nous vous libérons ? demanda Seth.

– Bonne question, dit la sorcière. Je pourrais être aigrie par de longues années d'emprisonnement et être avide de commettre des méchancetés. Néanmoins, je vous donne ma parole de praticienne de l'art ancien que je ne causerai de mal ni à vous, ni à votre grand-mère quand je serai libérée. Si j'éprouvais de la malveillance, ce serait envers ceux qui m'ont emprisonnée, des ennemis qui sont morts depuis des décennies, pas envers ceux qui m'auront rendu la liberté. En fait, je me sentirai redevable envers vous.

– Et vous promettez de nous aider à retrouver Grand-Père Sorenson ? insista Kendra.

– Votre grand-mère pourrait refuser mon aide. Elle et Stan ne m'ont jamais tenue en grande estime. Mais si elle accepte mon assistance pour le localiser, je vous l'accorderai.

– Il faut que nous en discutions en privé, dit Kendra.

– Je vous en prie, répondit Muriel.

Seth et Kendra retournèrent sur le sentier. Kendra laissa tomber les objets qu'elle portait dans la brouette. Elle chuchota :

– Je ne pense pas qu'on ait le choix.

– Je n'aime pas sa gentillesse, dit Seth. Elle me fait presque plus peur qu'avant. Je crois qu'elle brûle d'être libérée.

– Je sais. Mais nous sommes tout aussi impatients de retrouver Grand-Mère, et peut-être Grand-Père.

– C'est une menteuse, prévint Seth. Je ne pense pas qu'on puisse se fier à ses promesses.

– Probablement pas.

– On peut être sûrs qu'elle nous attaquera dès qu'elle sera libre. Si elle ne le fait pas, tant mieux, mais j'ai apporté du sel au cas où.

– N'oublie pas que nous aurons Grand-Mère pour nous aider à en venir à bout.

– Grand-Mère ne saura peut-être pas comment lutter contre une sorcière.

– Je suis sûre qu'elle connaît un tour ou deux. Essayons de l'interroger.

Seth leva la poule. Kendra lui caressa doucement la tête.

– Grand-Mère Sorenson, dit-elle. Ruth… Il faut que tu m'écoutes. Si tu m'entends, tu dois répondre. C'est très important.

La poule parut écouter.

– Devons-nous défaire le dernier nœud pour que Muriel Taggert te rende ton apparence ?

Boucles d'Or hocha la tête.

– C'était un oui ?

Nouveau signe d'assentiment.

– Tu peux nous donner un non ?

La poule ne répondit pas.

– Grand-Mère. Ruth. Peux-tu secouer la tête pour qu'on soit sûrs que tu nous entends ?

Boucles d'Or ne réagit toujours pas.

– Peut-être qu'elle ne pouvait répondre qu'à tes premières questions, suggéra Seth.

– Elle a semblé hocher la tête, dit Kendra. De toute façon, je ne vois pas ce qu'on peut faire d'autre. Libérer la sorcière est un prix élevé à payer, mais est-ce que c'est pire que de n'avoir aucun espoir de retrouver Grand-Père et de laisser Grand-Mère sous la forme d'une poule pour toujours ?

– On devrait la libérer.

Kendra marqua une pause, pesant ses sentiments. Était-ce vraiment la seule solution ? Apparemment, oui.

– Retournons à la cabane, accorda-t-elle.

Ils rejoignirent l'entrée de la hutte.

– Nous voulons que vous transformiez Grand-Mère, annonça Kendra.

– Vous déferez volontairement mon dernier nœud, la dernière entrave à mon indépendance, si je rends sa forme humaine à votre grand-mère ?

– C'est d'accord. Comment faut-il faire ?

– Dites simplement : « De mon plein gré, je défais ce nœud », et soufflez dessus. Il faudra habiller votre grand-mère, parce qu'elle n'aura pas de vêtements.

Kendra courut à la brouette et revint avec le peignoir et une paire de pantoufles. Muriel se tenait sur le seuil, serrant la corde.

– Posez la poule devant ma porte, ordonna-t-elle.

– Je veux souffler sur le nœud, dit Seth.

– D'accord.

– Sors Grand-Mère du sac !

Kendra s'accroupit et ouvrit le sac. Muriel tendit la corde à Seth. La poule leva la tête, ébouriffa ses plumes et battit des ailes. Kendra essaya de la faire tenir tranquille, dégoûtée de sentir ses petits os bouger sous ses mains.

– De mon plein gré, je défais ce nœud, dit Seth, tandis que Boucles d'Or caquetait bruyamment.

Il souffla sur le nœud, qui se défit.

Muriel étendit les deux mains sur la poule agitée et entonna une incantation incompréhensible. L'air trembla. Kendra serra plus fort le volatile qui se débattait. Au début, ce fut comme si des bulles traversaient la chair de la poule ; puis les os délicats se mirent à bouillonner. Kendra lâcha Boucles d'Or et recula.

Kendra vit tout comme à travers des lunettes déformantes. Muriel devint d'abord très large, puis très grande. Seth prit la forme d'un sablier avec une grosse tête, une taille minuscule et des pieds de clown. L'adolescente se frotta les yeux, mais cela n'arrangea pas sa vision déformée. Quand elle baissa les yeux, le sol s'incurva dans toutes les directions. Elle s'appuya et écarta les bras pour garder son équilibre.

La Muriel de foire commença à onduler, et l'image stupéfiante de Boucles d'Or aussi, alors qu'elle perdait ses plumes et prenait la taille d'un être humain. La scène s'assombrit, comme si des nuages cachaient le soleil, et un halo noir entoura la sorcière et Grand-Mère. L'obscurité s'étendit, avalant tout pendant un instant, puis Grand-Mère se dressa devant eux, complètement nue. Kendra posa le peignoir sur ses épaules.

De l'intérieur de la cabane vint un bruit pareil à un vent terrible qui se déchaînait. Le sol trembla.

– Baissez-vous, dit Grand-Mère, en plaquant Kendra à terre.

Seth s'allongea aussi.

Une bourrasque furieuse fit voler les murs de la cabane en éclats. Le toit s'envola par-dessus la cime des arbres, dans un geyser de confettis de bois. La souche se fendit en deux et des fragments de planches et de lierre partirent en sifflant dans toutes les directions, heurtant les troncs d'arbres et cinglant les fourrés.

Kendra leva la tête. Vêtue de haillons, Muriel s'émerveillait. Des morceaux de bois et de lierre continuaient à tomber comme de la grêle. La sorcière sourit, montrant ses dents gâtées et ses gencives gonflées. Elle se mit à glousser, des larmes dans les yeux, et écarta ses bras ridés.

– Liberté ! s'écria-t-elle. La justice, enfin !

Grand-Mère Sorenson se releva. Elle était plus petite et plus robuste que Muriel, avec des cheveux couleur de cannelle et de sucre.

– Vous devez quitter immédiatement cette propriété, dit-elle.

Muriel lui jeta un regard noir ; son expression joyeuse avait laissé place au dépit. Une larme glissa dans une ride jusqu'à son menton.

– C'est comme ça que vous me remerciez de vous avoir libérée du sortilège ?

– Vous avez déjà été bien assez récompensée. Vous êtes libre, maintenant. Vous chasser de cette réserve n'est que la conséquence de fautes antérieures.

– J'ai payé mes dettes, et vous n'êtes pas le gardien.

– J'ai autant d'autorité que mon mari. En son absence, c'est moi la gardienne. Je vous ordonne de partir et de ne jamais revenir.

Muriel se détourna et commença à s'éloigner, furieuse.

– J'irai où bon me semble.

Elle ne regarda pas en arrière.

– Peut-être, mais pas sur ma réserve.

– *Votre* réserve ? Je ne suis pas d'accord avec vos prétentions de propriétaire.

Muriel ne se retournait toujours pas. Grand-Mère la suivit, une vieille femme en peignoir suivant une vieille femme en haillons.

– Toute nouvelle mauvaise action impliquera un nouveau châtiment, l'avertit Grand-Mère.

– Vous serez surprise d'apprendre qui administre les pénalités.

– Ne recommencez pas. Partez paisiblement.

Grand-Mère hâta le pas et attrapa Muriel par le bras.

La sorcière se dégagea et lui fit face.

– Allez-y doucement, Ruth. Si vous cherchez des ennuis devant les petits, je vous ferai ce plaisir. Ce n'est pas le bon moment pour se cramponner à un protocole dépassé. Les choses ont changé, et plus que vous ne le pensez. Je vous suggère de partir avant que je ne retrouve mon autorité ici.

Seth courut vers les deux femmes. Grand-Mère recula d'un pas et le jeune garçon lança une poignée de sel à la sorcière, ce qui n'eut aucun effet. Muriel pointa un doigt sur lui.

– Tu ne perds rien pour attendre, mon intrépide petit morveux. J'ai la mémoire longue.

– Vos mauvaises actions doivent être punies, avertit Grand-Mère.

Muriel s'éloigna de nouveau.

– Je fais la sourde oreille.

– Vous avez dit que vous nous aideriez à retrouver Grand-Père ! lança Kendra.

La sorcière rit sans se retourner.

– Taisez-vous, les enfants, ordonna Grand-Mère. Muriel, je vous ai ordonné de partir. Votre attitude de défi est une déclaration de guerre.

– Tout ce que vous cherchez, c'est me pousser à désobéir pour justifier une nouvelle punition, déclara Muriel. Je n'ai pas peur de me battre avec vous.

Grand-Mère se détourna d'elle.

– Kendra, viens ici.

Elle serra Seth sur son cœur. Quand Kendra s'approcha, elle l'étreignit elle aussi.

– Je suis désolée de vous avoir mal guidés, les enfants. Je n'aurais pas dû vous conduire à Muriel. Je n'avais pas réalisé que c'était son dernier nœud.

– Comment ça ? demanda Kendra. Tu nous as pourtant entendus en parler !

Grand-Mère sourit tristement.

– Pour une poule, penser clairement est un défi épuisant. Mon esprit était embrumé. Me conduire avec vous comme une personne humaine, ne fût-ce qu'un moment, me demandait une formidable concentration.

Seth désigna Muriel d'un signe de tête.

– Est-ce qu'on doit l'arrêter ? Je parie qu'à nous trois, on pourrait la vaincre.

– Si nous attaquons, elle pourra se défendre par de la magie, répondit Grand-Mère. Nous renoncerions ainsi à la protection prodiguée par les clauses du traité.

– Est-ce qu'on a semé la pagaille ? demanda Seth. En la libérant, je veux dire…

– Les choses étaient déjà délicates, dit Grand-Mère. Le fait qu'elle soit libre complique certainement la situation. Reste à savoir si mon assistance pourra compenser son interférence.

Elle était rouge. Elle s'éventa en agitant la main.

– Votre grand-père nous a laissés dans une situation fâcheuse.

– Ce n'est pas sa faute, dit Seth.

Grand-Mère se courba, les mains sur les genoux. Kendra lui apporta son soutien.

– Tout va bien, Kendra. Je suis juste un peu étourdie.

Elle tenta de se redresser.

– Dites-moi ce qui s'est passé. Je sais que des créatures indésirables sont entrées dans la maison et ont emmené Stan.

– Elles ont emmené Léna, aussi, et je pense qu'elles ont changé Dale en statue, rapporta Kendra. On l'a trouvé sur le terrain.

Grand-Mère hocha la tête.

– En tant que gardien, Stan est une prise de choix. Même chose pour une nymphe déchue. En revanche, Dale était sans importance, et ils l'ont laissé derrière eux. Des indices sur ceux qui les ont enlevés ?

– On a trouvé des empreintes près de Dale, dit Seth.

– Elles vous ont conduits quelque part ?

– Non.

– Avez-vous une idée de l'endroit où Grand-Père et Léna se trouvent ?

– Non.

– Muriel le sait probablement, déclara Grand-Mère. Elle s'est alliée avec les mutards.

– En parlant de Muriel, où est-elle allée ? demanda Kendra.

Ils regardèrent autour d'eux. La sorcière avait disparu. Grand-Mère fronça les sourcils.

– Elle doit connaître des tours pour se cacher et se déplacer discrètement. Aucune importance. De toute façon, nous ne sommes pas équipés pour nous occuper d'elle, en tout cas pas pour l'instant.

– Et maintenant, qu'est-ce qu'on fait ? demanda Seth.

– Notre priorité est de retrouver votre grand-père. Tout d'abord, il faut découvrir l'endroit où il se trouve. Ensuite, nous saurons comment procéder.

– Comment on va faire ?

Grand-Mère soupira.

– Notre meilleure solution est Néro.

– Qui ça ?

– C'est un troll des falaises. Il possède une pierre de voyance. Si on réussit à traiter avec lui, il devrait pouvoir nous dire où est Stan.

– Tu le connais bien ? demanda Seth.

– Je ne l'ai jamais rencontré. Votre grand-père a eu affaire à lui une fois. Ce sera dangereux, mais pour le moment, c'est probablement notre seule chance. Il faut se dépêcher. Je vous en dirai plus en chemin.

CHAPITRE QUATORZE

UN TROLL POUR RETROUVER GRAND-PÈRE

– Vous est-il déjà arrivé d'entendre des gens parler, au moment de vous endormir ? demanda Grand-Mère. Les mots vous parviennent de loin, et vous en comprenez à peine le sens.

– Ça m'est arrivé une fois dans un motel, en voyage, répondit Kendra. Maman et Papa parlaient. Je me suis endormie et leur conversation s'est changée en rêve.

– Alors, dans une certaine mesure, tu peux comprendre mon état d'esprit quand j'étais une poule. Vous dites qu'on est au mois de juin. Mes derniers souvenirs nets remontent à février, quand on m'a jeté ce sort. Les deux ou trois premiers jours, je suis restée assez alerte. Le temps passant, je suis tombée dans un état de conscience affaibli, incapable de penser rationnellement et d'interpréter ce qui m'entourait comme un être humain.

– Ça doit être bizarre, dit Seth.

– Je vous ai reconnus quand vous êtes arrivés, mais vous étiez flous, comme si j'étais en train de vous regarder à travers une lentille. Mon esprit ne s'est vraiment réveillé que lorsque vous avez laissé entrer ces créatures par la fenêtre. Le choc m'a arrachée de ma torpeur, mais j'ai dû lutter pour me cramponner à ma conscience retrouvée. Vous ne pouvez mesurer la concentration qu'il m'a fallue pour vous écrire ce message. Mon esprit voulait se défiler, se détendre. J'avais envie de picorer le grain, pas d'en faire des mots.

Ils marchaient sur un large chemin de terre. Au lieu de retourner vers la maison, ils avaient continué sur le sentier qui partait de la hutte pour s'enfoncer dans la forêt. Au bout d'un moment, le sentier avait bifurqué, puis il avait coupé le chemin qu'ils suivaient maintenant. Le soleil brillait très fort, l'air était lourd et humide, et la forêt restait étrangement silencieuse autour d'eux.

Kendra et Seth avaient apporté un jean, mais il datait du temps où Grand-Mère était plus mince et elle ne rentrait plus dedans. Les tennis appartenaient à Grand-Père et avaient plusieurs pointures de trop. Aussi Grand-Mère portait-elle maintenant un maillot de bain sous son peignoir, et elle était toujours en pantoufles.

Elle leva les mains, les ouvrit et les referma.

– Ça fait un drôle d'effet d'avoir de nouveau des doigts, murmura-t-elle.

– Comment es-tu devenue une poule ? demanda Seth.

– L'orgueil m'a rendue imprudente. Il faut le prendre comme un rappel déplaisant qu'aucun d'entre nous n'est à l'abri des dangers qui rôdent par ici, même quand on croit avoir les choses en main. Gardons les détails pour une autre fois.

– Pourquoi Grand-Père ne t'a-t-il pas rendu ton apparence ? voulut savoir Kendra.

Grand-Mère haussa les sourcils.

– Probablement parce que je lui donnais régulièrement des œufs pour son petit déjeuner ! Je pense que s'il m'avait tout de suite emmenée chez Muriel, j'aurais pu éviter tous ces inconvénients. Mais je suppose qu'il cherchait une autre solution.

– Il ne voulait pas s'adresser à Muriel ?

– C'est bien cela.

– Alors pourquoi lui a-t-il demandé de me guérir, moi ?

– À mon avis, sachant que vos parents reviendraient bientôt, il n'avait pas assez de temps pour trouver un autre remède.

– Tu ne te doutais pas que Seth était devenu un morse mutant et avait été sauvé par Muriel ? questionna Kendra.

– J'ai manqué tout ça, répondit Grand-Mère. En tant que poule, la plupart des détails m'échappaient. Quand je vous ai demandé de m'emmener chez Muriel, je pensais que sa corde avait encore deux nœuds. C'est seulement en voyant qu'il n'en restait qu'un que j'ai commencé à mesurer le problème. Mais il était trop tard. À propos, comment es-tu devenu un morse ?

Seth et Kendra racontèrent l'histoire de la fée changée en mutard et du châtiment qui avait suivi. Grand-Mère écouta en posant quelques questions.

Alors que le chemin contournait un grand buisson, un pont couvert apparut devant eux. Construit en bois sombre, il enjambait un ravin. Bien qu'il fût ancien et patiné par le temps, il paraissait en assez bon état.

– Nous approchons, annonça Grand-Mère.

– C'est de l'autre côté du pont ? demanda Kendra.

– Non, c'est dans le ravin.

Grand-Mère s'arrêta et examina le feuillage de chaque côté du chemin.

– Le calme de ces bois ne me dit rien qui vaille, dit-elle. Une grande tension pèse sur Fablehaven, aujourd'hui.

Elle se remit à marcher.

– À cause de Grand-Père ? demanda Seth.

– Oui, et de ton inimitié avec les fées. Mais je crains qu'il y ait autre chose. Je suis un peu anxieuse à l'idée de parler à Néro.

– Il va vraiment nous aider ? voulut savoir Kendra.

– Il nous ferait plutôt du mal. Les trolls peuvent être violents et imprévisibles. Je ne lui demanderais pas d'informations si notre situation était moins désespérée.

– Quel est ton plan ? s'enquit Seth.

– Notre seule chance est de marchander habilement. Les trolls des falaises sont rusés et impitoyables, mais leur cupidité peut être une faiblesse.

– Leur cupidité ? répéta Seth.

– Leur avarice. Les trolls des falaises sont des créatures pingres. Ce sont des amasseurs de trésors, des négociateurs pleins de fourberie. La perspective de vaincre un adversaire les excite, ils adorent ça. Quel que soit l'accord auquel on parviendra, il faudra que Néro ait l'impression d'en être le vainqueur incontesté. J'espère seulement que nous pourrons trouver quelque chose qu'il appréciera et dont nous serons prêts à nous séparer.

– Et si ça ne marche pas ? demanda Kendra.

– Il le faut. Si nous ne trouvons pas d'arrangement, Néro ne nous laissera pas partir indemnes.

Ils arrivèrent au bord du ravin. Kendra appuya une main sur le pont et se pencha pour regarder en bas. C'était incroyablement profond. Une végétation tenace s'accrochait aux parois abruptes. Un petit ruisseau coulait au fond.

– Comment on va faire pour descendre ?

– En faisant attention, répondit Grand-Mère qui s'assit au bord du précipice.

Elle se mit sur le ventre et commença à descendre la pente à reculons, les pieds en avant. Son peignoir et ses pantoufles lui donnaient un air ridicule. Le versant n'était pas complètement vertical, mais la pente était très raide.

– Si on tombe, on roulera jusqu'en bas, observa Kendra.

– Voilà une bonne raison pour ne pas tomber, dit Grand-Mère en descendant prudemment. Venez, ça paraît pire que ça ne l'est en réalité. Il suffit de trouver des prises solides et de descendre pas à pas.

Seth suivit Grand-Mère, puis Kendra entama sa descente, s'accrochant désespérément à la pente. Ses essais étaient hésitants, car il fallait chercher à l'aveuglette un endroit où poser le pied. Une fois lancé, c'était moins difficile que cela en avait l'air. Il y avait de nombreuses prises, notamment des buissons décharnés aux racines solides. Au fur et à mesure qu'elle prenait confiance en elle, elle allait plus vite.

Quand elle parvint au fond du ravin, elle trouva Seth accroupi près de touffes de fleurs au bord du ruisseau. Grand-Mère Sorenson se tenait à côté de lui.

– Tu en as mis, du temps ! dit le jeune garçon.

– Je faisais attention, c'est tout.

– Je n'avais jamais vu quelqu'un avancer à trois centimètres à l'heure.

– Ce n'est pas le moment de se chamailler, dit Grand-Mère. Kendra s'est bien débrouillée, Seth. Il faut qu'on se dépêche.

– J'aime bien l'odeur de ces fleurs, dit Seth.

– Ne t'en approche surtout pas, conseilla Grand-Mère.

– Pourquoi ? Elles sentent très bon, regarde.

– Elles sont dangereuses, et nous sommes pressés.

Grand-Mère lui fit signe de la suivre et se mit à marcher, choisissant son chemin avec soin dans le fond rocailleux du ravin.

– Pourquoi sont-elles dangereuses ? voulut savoir Seth, en la rattrapant.

– C'est une espèce particulière de fleurs de lotus. Leur parfum est enivrant et leur goût, divin. Mordiller un pétale suffirait à te transporter dans une transe léthargique peuplée d'hallucinations.

– C'est comme une drogue ?

– Pire que la plupart des drogues. Si tu goûtes une fleur de lotus, plus rien ne peut calmer ton envie de recommencer. Beaucoup de gens ont perdu leur vie à chercher et à consommer les pétales de ces fleurs ensorcelantes.

– Je n'avais pas l'intention de les manger.

– Tu crois ça ? Respire-les quelques minutes, et tu te retrouveras avec un pétale dans la bouche avant d'avoir compris ce qui t'arrive.

Ils avancèrent en silence pendant quelques centaines de mètres. Plus ils avançaient, plus les parois du ravin devenaient raides et escarpées. Ils remarquèrent d'autres touffes de fleurs de lotus.

– Où est Néro ? demanda Kendra.

Grand-Mère inspecta la paroi du ravin.

– Plus très loin. Il vit sur une saillie.

– Il faudra grimper jusqu'à lui, alors ?

– D'après Stan, Néro a une échelle de corde pour les visiteurs.

– Qu'est-ce que c'est que ça ? demanda Seth en pointant un doigt devant lui.

– Je n'en suis pas sûre… répondit Grand-Mère.

À une bonne distance dans le ravin, une vingtaine de poteaux de bois de plus en plus hauts menait du bord du ruisseau à la paroi rocheuse. Le plus haut donnait accès à une saillie dans le rocher.

– C'est peut-être là que nous allons, mais ça ne correspond pas à ce que Stan m'a décrit.

Ils arrivèrent aux rondins. Le plus petit mesurait un mètre, le suivant deux mètres, et chacun des suivants dépassait le précédent d'un mètre environ, jusqu'au plus grand qui faisait à peu près vingt mètres. Ils étaient espacés régulièrement et disposés sur une rangée qui zigzaguait. Aucun des rondins n'avait de branches. Grands ou petits, ils avaient tous le même diamètre et étaient plats sur le dessus.

Plaçant une main près de sa bouche, Grand-Mère appela vers la saillie :

– Néro ! Nous aimerions vous rencontrer !

– Vous tombez mal, répondit une voix grave et suave. Revenez la semaine prochaine.

Ils ne voyaient pas celui qui parlait.

– C'est aujourd'hui ou jamais, insista Grand-Mère.

– Qui est si pressé ? demanda la voix sonore.

– Ruth Sorenson et ses petits-enfants.

– Ruth Sorenson ? Que voulez-vous ?

– Nous devons retrouver Stan.

– Le gardien ? Oui, je peux voir où il est. Montez et nous discuterons des conditions.

Grand-Mère regarda autour d'elle.

– Vous ne voulez pas parler de ces rondins ? lança-t-elle.

– Si, exactement.

– Stan m'a dit que vous aviez une échelle.

– C'était avant que je n'installe ces bûches. Un sacré boulot d'ailleurs !

– Cela me paraît délicat de les escalader.

– Dites-vous que c'est un filtre, expliqua Néro, un moyen de m'assurer que les gens qui viennent réclamer mes services sont vraiment sérieux.

– Alors, nous devons grimper sur ces rondins pour avoir le privilège de vous parler ? Et si nous nous entretenions d'en bas ?

– Inacceptable.

– Vos escaliers aussi sont inacceptables ! déclara Grand-Mère d'un ton ferme.

– Si vous avez vraiment besoin de moi, vous les gravirez, rétorqua le troll.

– Qu'avez-vous fait de votre échelle ?

– Je l'ai toujours.

– Ne pourrait-on pas l'utiliser, à la place ? Je ne suis pas habillée pour une course d'obstacles. Vous ne le regretterez pas.

– Si on trouvait un compromis ? L'un de vous escalade les bûches. Puis j'enverrai l'échelle pour les deux autres. C'est ma dernière offre. Acceptez ou allez chercher vos informations ailleurs.

– Je vais le faire, dit Seth.

Grand-Mère le regarda.

– Si quelqu'un doit escalader ces rondins, c'est moi. Je suis plus grande et plus à même d'aller de bûche en bûche.

– J'ai de plus petits pieds, et les bûches paraîtront plus larges. Je garderai plus facilement mon équilibre.

– Désolée, Seth. C'est moi qui dois y aller.

Seth courut à la première bûche, l'escalada sans trop d'effort et bondit comme s'il jouait à saute-mouton. Il atterrit assis sur la deuxième.

Grand-Mère se précipita au pied du rondin.

– Descends de là !

Seth se releva en chancelant, puis se pencha en avant et posa les mains sur le troisième rondin. De sa position sur la deuxième bûche, le haut de la suivante lui arrivait presque au milieu de la poitrine. Un nouveau saut et il s'assit sur la bûche de trois mètres.

– C'est facile, dit-il.

– Ce ne sera pas si facile quand tu seras plus haut, l'avertit Grand-Mère. Descends et laisse-moi faire.

– Pas question. J'ai déjà perdu une grand-mère.

Kendra observait la scène en silence. Seth se mit à genoux et se leva d'un mouvement mal assuré. Il sauta sur le quatrième rondin, maintenant largement hors de portée de Grand-Mère. Kendra était contente que son frère se charge de l'ascension. Elle ne pouvait imaginer Grand-Mère sautant de rondin en rondin, et surtout pas en peignoir et en pantoufles. En plus, il y avait sûrement des échardes ! Et puis l'adolescente se représentait très clairement Grand-Mère Sorenson gisant sans vie au fond du ravin.

– Seth Andrew Sorenson, écoute ta Grand-Mère ! Je veux que tu descendes de là !

– Arrête de me distraire, répondit Seth.

– Ça peut paraître amusant sur les rondins les plus bas, mais quand tu seras là-haut…

– Je grimpe tout le temps sur des trucs hauts, insista Seth. Mes copains et moi, on escalade les barreaux sous les gradins du collège. Si on tombe, on peut se tuer aussi.

Il se mit debout. Il semblait plus à l'aise. Il atterrit sur le rondin suivant, le chevauchant un moment avant de se mettre à genoux.

– Fais attention, dit Grand-Mère. Ne pense pas à la hauteur.

– Je sais que tu essaies de m'aider, rétorqua Seth, mais s'il te plaît, arrête de parler.

Grand-Mère se rapprocha de Kendra.

– Tu crois qu'il peut y arriver ? chuchota-t-elle.

– Il a de bonnes chances. Il est vraiment courageux, et très athlétique. La hauteur ne l'impressionnera peut-être pas. Moi, j'aurais déjà piqué une crise, c'est sûr !

Kendra avait envie de regarder ailleurs. Elle ne voulait pas voir son frère tomber. Pourtant, elle ne pouvait détacher les yeux de Seth tandis qu'il sautait de rondin en rondin, de plus en plus haut. Quand il bondit sur le treizième, haut de près de douze mètres, il pencha dangereusement sur le côté. Des frissons parcoururent Kendra comme si c'était elle qui perdait l'équilibre. Seth se retint à la force de ses jambes et se remit d'aplomb. Kendra put de nouveau respirer.

Quatorze, quinze, seize… Kendra jeta un coup d'œil à Grand-Mère. Il allait y arriver ! Dix-sept. Il se leva, vacillant légèrement, les bras écartés.

– Ces grands rondins tremblent un peu, lança-t-il de là-haut.

Seth sauta sur le rondin suivant et atterrit maladroitement trop près du bord. Pendant un moment, il parut sur le point de reprendre son équilibre. Tous les muscles de Kendra étaient noués par l'horreur. Seth agita les bras puis tomba. Kendra cria. Elle ne pouvait détourner son regard.

Quelque chose tomba comme un éclair de la saillie – une mince chaîne noire avec un poids métallique au bout. La chaîne s'enroula autour d'une jambe de Seth. Au lieu de tomber, il se balança contre la falaise, heurtant rudement le rocher.

Pour la première fois, Kendra aperçut Néro. D'aspect humanoïde, le troll avait des traits de reptile. Quelques dessins jaune vif décoraient son corps noir et luisant. Il tenait dans sa main palmée la chaîne au bout de laquelle Seth se balançait. Les muscles tendus, il remonta Seth jusqu'à lui. Ils disparurent, puis une échelle de corde jaillit de la saillie et se déroula jusqu'au pied de la falaise.

– Tu vas bien ? cria Kendra à Seth.

– Oui, répondit-il. J'ai juste eu le souffle coupé.

Grand-Mère commença à grimper à l'échelle. Kendra la suivit, se forçant à fixer le barreau suivant, résistant à l'envie de regarder en bas. Enfin, elle atteignit le surplomb. Elle s'en éloigna immédiatement et s'arrêta près de l'entrée d'une caverne sombre dont venait un courant d'air froid.

Néro était encore plus intimidant vu de près. De petites écailles lisses couvraient son corps sinueux. Même s'il n'était pas beaucoup plus grand que Grand-Mère, son physique musclé lui donnait une apparence massive. Il avait un mufle plus qu'un nez, et des yeux exorbités qui ne clignaient jamais. Une rangée d'épines acérées allait du centre de son front au creux de ses reins.

– Merci d'avoir sauvé Seth, dit Grand-Mère.

– Je me suis dit que si le garçon dépassait quinze rondins, je l'aiderais s'il tombait. Je reconnais que je suis curieux de savoir ce que vous êtes prête à me donner pour savoir où se trouve votre mari.

La voix du troll était douce et profonde.

– Dites-nous ce que vous avez en tête, répondit Grand-Mère.

Une longue langue grise sortit de la bouche de Néro et lécha son œil droit.

– Vous voulez que je parle le premier ? Soit. Je ne demande pas grand-chose, une broutille insignifiante pour la propriétaire de cette illustre réserve : six coffres d'or, douze coffrets d'argent, trois sacs de pierres précieuses non taillées et un seau d'opales.

Kendra regarda Grand-Mère. Était-il possible qu'elle possède un tel trésor ?

– C'est raisonnable, dit Grand-Mère. Malheureusement, nous n'avons pas apporté de telles richesses avec nous.

– Je peux attendre que vous alliez chercher le paiement, si vous me laissez la fille en gage.

– Je regrette, mais nous n'avons pas le temps de vous apporter ce trésor, à moins que vous ne vouliez révéler l'endroit où se trouve Stan avant d'être payé.

Néro lécha son œil gauche et fit un grand sourire, un sourire hideux qui montra de doubles rangées de dents affilées.

– Je dois être payé en totalité avant d'exaucer votre requête.

Grand-Mère croisa les bras.

– Je suppose que vous possédez déjà de grands trésors. Je suis surprise que la maigre offrande financière que je pourrais vous fournir puisse vous pousser à faire un échange.

– Continuez, dit le troll.

– Vous nous offrez un service. Nous pourrions peut-être vous payer avec un autre service.

Néro hocha la tête d'un air pensif.

– C'est possible. Le garçon a du caractère. Confiez-le-moi comme apprenti pendant cinquante ans.

Seth jeta un regard désespéré à Grand-Mère.

– J'espère conserver la possibilité de faire des affaires avec vous dans l'avenir, je ne souhaite donc pas que vous vous sentiez frustré. Le garçon a du caractère, mais peu de capacités. Vous assumeriez la charge de le former comme domestique et vous vous retrouveriez entravé par son incompétence. Vous ajouteriez plus de valeur à sa vie par votre éducation qu'il n'en ajouterait à la vôtre en vous servant.

– J'apprécie votre franchise, dit Néro, mais vous avez beaucoup à apprendre pour marchander. Je commence à me demander si vous avez quelque chose de valeur à échanger. Dans le cas contraire, notre discussion ne se terminera pas bien.

– Vous parlez de valeur, reprit Grand-Mère. Je pose la question : quelle valeur a un trésor pour un riche troll ? Plus il possède de richesses, moins chaque nouvelle acquisition augmente sa fortune. Un lingot d'or représente beaucoup plus pour un pauvre que pour un roi. Je demande aussi : quelle valeur aurait un frêle serviteur humain pour un maître infiniment plus sage et plus capable ? Considérez la situation. Nous voulons que vous nous rendiez un service de valeur, quelque chose que nous ne pouvons faire nous-mêmes. Vous ne devriez pas attendre moins.

– Je suis d'accord, mais prenez garde. Vos paroles étendent un filet à vos pieds.

Une intonation meurtrière perçait dans la voix du troll.

– C'est exact, à moins que je ne sois entraînée à fournir un service d'une valeur extraordinaire. Vous a-t-on déjà fait un massage ?

– Vous êtes sérieuse ? Cette idée m'a toujours paru ridicule.

– Elle paraît absurde à tous les non-initiés. Gardez-vous des jugements trop rapides. Nous poursuivons tous la fortune, et ceux qui en accumulent le plus peuvent se permettre certains luxes inaccessibles aux masses. Parmi ces luxes, il y a l'indescriptible relaxation prodiguée par un massage effectué par une personne qualifiée dans cet art.

– Et vous prétendez être qualifiée dans ce soi-disant art ?

– J'ai été formée par un vrai maître. Mon adresse est si grande qu'elle peut à peine s'acheter. La seule personne au monde qui a eu droit à un massage complet de mes mains est le gardien lui-même, et ce, parce que je suis sa femme. Je pourrais vous faire bénéficier d'un tel massage, pour détendre chaque muscle de votre corps. Cette expérience changerait votre perception du plaisir.

Néro secoua la tête.

– Il faut plus que de belles paroles et de grandioses promesses pour me convaincre.

– Réfléchissez à mon offre, insista Grand-Mère. Des gens paient des sommes exorbitantes pour un massage d'expert. Vous recevrez le vôtre gratuitement, simplement en échange d'un service. Combien de temps vous faudra-t-il pour savoir où se trouve Stan ?

– Quelques instants.

– Un massage me prendra trente pénibles minutes. Et vous expérimenterez quelque chose de nouveau, un délice que vous n'avez jamais connu au cours de vos longues années. Vous ne rencontrerez peut-être plus jamais pareille opportunité.

Néro se lécha un œil.

– D'accord, on ne m'a jamais fait de massage. Je pourrais nommer maintes choses que je n'ai jamais faites, principalement parce qu'elles ne m'intéressent pas. J'ai goûté la nourriture humaine et l'ai trouvée insatisfaisante. Je ne suis pas convaincu que je trouverais un massage aussi satisfaisant que vous le dites.

Grand-Mère l'étudia.

– Trois minutes. Je vais vous donner un échantillon de trois minutes. Cela ne vous donnera qu'un petit aperçu de la volupté indicible qui vous attend, mais vous serez plus à même de prendre une décision.

– Très bien. Je n'ai rien contre une démonstration.

– Donnez-moi votre main.

– Ma main ?

– Je vais vous masser une main. Vous devrez vous servir de votre imagination pour vous représenter ce que vous ressentiriez dans tout votre corps.

Le troll tendit une main. Grand-Mère Sorenson la prit et commença à masser sa paume de ses pouces. Au début, il essaya de garder une mine sévère, mais sa bouche se mit à frémir et ses yeux à rouler.

– Qu'est-ce que ça donne ? demanda Grand-Mère. J'espère que je n'y vais pas trop fort ?

Les lèvres fines de Néro tremblèrent.

– Juste comme il faut, ronronna-t-il.

Grand-Mère continua habilement à masser sa paume et le dos de sa main. Il se mit à se lécher les yeux d'un geste compulsif. Elle finit par ses doigts.

– La démonstration est terminée, annonça-t-elle.

– Trente minutes de ce traitement sur tout mon corps, vous dites ?

– Les enfants m'assisteront, déclara Grand-Mère. Nous échangerons un service contre un service.

– Mais je pourrais échanger mon service contre quelque chose de plus durable ! Un trésor ! Un massage est trop fugace.

– La loi de l'intérêt décroissant s'applique aux massages, comme à la plupart des choses. Le premier est le meilleur, et c'est tout ce dont vous avez vraiment besoin. En outre, vous avez bien des occasions d'échanger vos services contre des trésors. Ceci est peut-être votre seule chance de recevoir un massage d'expert.

Néro tendit son autre main.

– Une autre démonstration, pour m'aider à me décider.

– Plus d'échantillons.

– Vous offrez un seul massage ? Et si vous deveniez ma masseuse personnelle pendant douze ans ?

Grand-Mère prit un air sévère.

– Je ne vous demande pas de consulter votre pierre de multiples fois, dans des buts multiples. Je ne sollicite qu'une information. Un service pour un service. C'est mon offre, qui penche en votre faveur. Le massage dure trente minutes, contre quelques instants à regarder dans votre pierre.

– Mais vous avez besoin de l'information, lui rappela Néro, et je n'ai pas besoin d'un massage.

– Satisfaire des besoins est le fardeau des pauvres. Les riches et les puissants peuvent se permettre d'exaucer leurs souhaits et leurs caprices. Si vous laissez passer cette chance, vous vous demanderez toujours ce que vous avez manqué.

– Ne le fais pas, Grand-Mère, intervint Kendra. Donne-lui juste le trésor.

Néro leva un doigt.

– Cette proposition est peu orthodoxe et s'oppose à mon jugement, mais l'idée d'un massage m'intrigue, et je suis rarement intrigué. Toutefois, trente minutes est une durée beaucoup trop courte. Disons… deux heures.

– Soixante minutes, rétorqua platement Grand-Mère.

– Quatre-vingt-dix.

Grand-Mère se tordit les mains, croisa et décroisa les bras, se frotta le front.

– Quatre-vingt-dix minutes, c'est trop long ! protesta Kendra. Tu n'as jamais massé Grand-Père plus d'une heure !

– Tais-toi, petite, ordonna Grand-Mère.

– Quatre-vingt-dix ou on ne fait pas affaire, dit le troll.

Grand-Mère poussa un soupir résigné.

– D'accord… Quatre-vingt-dix minutes.

– Très bien, j'accepte. Mais si je n'apprécie pas tout le massage, le marché ne tient plus.

Grand-Mère secoua la tête.

– Pas de faux-fuyant. Un seul massage de quatre-vingt-dix minutes en échange de l'endroit où se trouve Stan Sorenson. Vous savourerez ce souvenir jusqu'à la fin de vos jours.

Néro regarda Seth et Kendra avant de fixer Grand-Mère d'un œil acéré.

– D'accord. Comment procédons-nous ?

La meilleure table que Grand-Mère put trouver était une étagère en pierre assez étroite près de l'entrée de la caverne. Le troll s'y allongea et Grand-Mère montra à Seth et Kendra comment lui masser les jambes et les pieds. Elle leur expliqua comment utiliser le talon de leurs mains et les articulations de leurs doigts, et à quels endroits.

– Il est très fort, dit-elle en pressant les articulations de ses doigts sur la plante de son pied. Inutile de le ménager.

Elle reposa sa jambe et alla se placer près de sa tête.

– Les enfants ont reçu mes instructions, Néro. Les quatre-vingt-dix minutes commencent maintenant.

Kendra posa les mains avec hésitation sur le mollet volumineux du troll. Même si elles n'étaient pas mouillées, ses écailles paraissaient visqueuses. Elle avait touché un serpent, une fois, et la texture de la peau de Néro y ressemblait beaucoup.

Le troll allongé à plat ventre, Grand-Mère se mit à lui masser la nuque et les épaules. Elle employa toute une variété de techniques – appuyant avec ses pouces, frottant de ses paumes, pressant ses poings, creusant de ses coudes. Elle finit en lui massant les reins, prenant soin d'éviter les pointes de son échine, serrant, pétrissant par divers moyens.

Néro était visiblement en extase. Il ronronnait et gémissait de satisfaction. Des compliments ensommeillés sortaient à flots de ses lèvres. D'une voix languide, il les encourageait à le masser plus fort et plus profondément.

Kendra commença à se fatiguer. De temps à autre, Grand-Mère lui montrait, ainsi qu'à Seth, de nouvelles techniques à employer. Kendra détestait surtout travailler sur les pieds de Néro, à cause de ses talons rugueux et craquelés, des durillons de ses plantes de pieds et des oignons de ses orteils. Mais elle s'efforçait d'imiter l'exemple de son inlassable grand-mère. En plus de les aider pour les jambes et les pieds, Grand-Mère lui massait la tête, le cou, les épaules, le dos, les bras, les mains, la poitrine et le ventre.

Quand ils eurent enfin terminé, Néro s'assit, arborant un sourire euphorique. Toute ruse avait disparu de ses yeux globuleux. Il semblait prêt à faire la sieste la plus délicieuse de sa vie.

– Près de cent minutes, dit Grand-Mère. Mais je voulais bien faire.

– Merci, dit le troll d'un air étourdi. Je n'aurais jamais pu imaginer une chose pareille.

Il se mit debout, s'appuyant à la falaise pour se soutenir.

– Vous avez amplement gagné votre récompense.

– Je n'avais jamais massé quelqu'un si plein de nœuds et de tensions, dit Grand-Mère.

– Je me sens délié, à présent, déclara Néro en balançant les bras. Je reviens tout de suite avec votre information.

Il se courba pour entrer dans la caverne.

– Je veux voir sa pierre magique, marmonna Seth.

– Attends, dit Grand-Mère en essuyant la sueur qui perlait sur son front.

– Tu dois être épuisée, dit Kendra.

– Je ne suis pas en très grande forme, reconnut Grand-Mère. Ça m'a demandé beaucoup d'énergie.

Elle baissa la voix.

– Mais ça vaut bien un trésor que nous n'avons pas.

Seth alla au bord de la saillie et regarda en bas, dans le ravin. Grand-Mère s'assit sur le rebord de pierre où ils avaient fait le massage et Kendra attendit à côté d'elle.

Peu après, Néro reparut. Il avait toujours l'air affable et détendu, mais moins étourdi qu'avant.

– Stan est enchaîné dans le sous-sol de la Chapelle oubliée.

La mâchoire de Grand-Mère se crispa.

– Vous en êtes sûr ?

– Ça a été un peu difficile de le trouver à cause de celui qui est aussi emprisonné là-bas. Mais oui, j'en suis certain.

– Il va bien ?

– Il est vivant.

– Léna est avec lui ?

– La naïade ? Oui, je l'ai vue.

– Muriel était-elle à proximité ?

– Muriel ? Pourquoi serait-elle… Oh, c'était donc ça ! Ruth, notre arrangement valait pour une seule information. Mais non, je ne l'ai pas aperçue. Je crois que ceci met fin à notre accord.

Il désigna l'échelle.

– Si vous voulez bien m'excuser, j'ai besoin de m'allonger.

CHAPITRE QUINZE

L'AUTRE PARTIE DU GRENIER

Grand-Mère refusa de parler tant qu'ils étaient dans le ravin. Elle arborait une expression austère et pensive, et coupait court à toute tentative de conversation. Kendra attendit qu'ils soient de nouveau sur le chemin près du pont couvert pour reposer sa question.

– Grand-Mère…

– Pas ici, coupa Ruth. On ne doit pas discuter de la situation dehors.

Elle leur fit signe de s'approcher et poursuivit à voix basse :

– Que ceci vous suffise : nous devons aller chercher votre grand-père aujourd'hui. Demain, il sera peut-être trop tard. Nous allons retourner à la maison, nous équiper et nous rendre à l'endroit où il est détenu. Je vous révélerai où il se trouve quand nous serons à l'intérieur. Muriel ne le sait peut-être pas encore, mais même si elle le sait, je ne veux pas qu'elle découvre que nous sommes au courant.

Grand-Mère cessa de chuchoter et les fit avancer.

– Désolée si je me suis montrée peu sociable depuis que nous avons quitté Néro, reprit-elle quand ils eurent marché en silence durant quelques minutes. J'avais besoin de définir un plan. Les enfants, vous vous êtes exceptionnellement bien débrouillés, là-bas. Personne ne devrait avoir à passer un après-midi à masser les pieds d'un troll. Seth a été héroïque sur les rondins, et Kendra a bluffé au bon moment pendant les négociations. Vous avez dépassé mes attentes, tous les deux.

– J'ignorais que tu savais masser, dit Kendra.

– C'est Léna qui m'a appris. Elle a réuni les savoirs de maîtres du monde entier. Si jamais vous avez l'occasion de vous faire masser par elle, ne refusez pas.

Grand-Mère repoussa quelques mèches de cheveux derrière son oreille. Elle redevint distante pendant un moment, les lèvres pincées, le regard fixe.

– J'ai quelques questions à vous poser ; des choses dont nous pouvons parler dehors. Avez-vous rencontré un homme appelé Warren ?

– Warren ? répéta Seth.

– Un bel homme silencieux ? Aux cheveux blancs et à la peau claire ? C'est le frère de Dale.

– Non, répondit Kendra.

– Ils l'ont certainement amené à la maison pendant la nuit du solstice d'été, insista Grand-Mère.

– On était avec Grand-Père, Dale et Léna jusqu'au coucher du soleil. On n'a vu personne d'autre, dit Seth.

– Je n'ai même jamais entendu prononcer son nom, ajouta Kendra.

– Moi non plus, renchérit Seth.

Grand-Mère hocha la tête.

– Il a dû rester à la cabane. Avez-vous rencontré Hugo ?

– Oh oui ! s'exclama Seth. Il est impressionnant. D'ailleurs, je me demande où il est passé.

Grand-Mère le mesura du regard.

– Je suppose qu'il a fait son travail dans la grange.

– Ça m'étonnerait, dit Kendra. On a dû traire la vache nous-mêmes, hier.

– Vous avez trait Viola ? s'écria Grand-Mère, stupéfaite. Mais comment ?

Kendra lui décrivit comment ils avaient installé les escabeaux et s'étaient laissé glisser le long des tétines. Seth ajouta des détails, précisant qu'ils dégoulinaient de lait.

– Quels enfants pleins de ressources ! Stan ne vous avait pas parlé d'elle ?

– Non, on l'a découverte parce qu'elle meuglait très fort, déclara Seth. Elle faisait trembler toute la grange.

– Ses mamelles semblaient sur le point d'exploser, précisa Kendra.

– Viola est notre vache laitière, dit Grand-Mère. Chaque réserve en possède une, même si parfois ce ne sont pas des bovins. Elle est plus vieille que ce domaine, qui a pourtant été fondé en 1711. À cette époque, elle a été amenée d'Europe par bateau. Née d'une vache laitière dans une réserve des Pyrénées, elle avait environ cent ans quand elle a fait le voyage, et elle était déjà plus grosse qu'un éléphant. Elle est ici depuis ce moment-là, grandissant un peu chaque année.

– Elle ne tiendra bientôt plus dans la grange, remarqua Seth.

– Sa croissance s'est ralentie, mais tu as raison, un jour, elle deviendra peut-être trop énorme pour son abri actuel.

– C'est donc elle qui fournit le lait que boivent les fées, dit Kendra.

– Pas seulement les fées. Sa race ancienne est vénérée par toutes les créatures fabuleuses. Elles lancent chaque jour des enchantements sur sa nourriture et font des offrandes secrètes pour l'honorer et la fortifier, car son lait est capital pour leur survie. Il n'est pas étonnant que les vaches soient encore considérées comme des animaux sacrés dans certaines parties du monde.

– Elle doit produire des tonnes de fumier, observa Seth.

– Une autre bénédiction ! Ses bouses sont le meilleur engrais du monde et font pousser les plantes beaucoup plus vite que la normale. Parfois, ces plantes atteignent des proportions incroyables. Grâce à son fumier, nous pouvons faire plusieurs récoltes par an, et de nombreuses plantes tropicales poussent sur cette propriété alors qu'elles devraient dépérir. Avez-vous pensé à mettre du lait dehors pour les fées ?

– Non, répondit Seth, on a tout déversé dans les égouts. On essayait surtout de calmer la vache.

– Ce n'est pas grave. L'absence de lait mettra peut-être les fées de mauvaise humeur, mais elles s'en remettront. Nous nous assurerons qu'elles en aient demain.

– Alors, normalement, c'est Hugo qui trait Viola ? devina Kendra.

– Exact. C'est un ordre permanent, aussi doit-il avoir une bonne raison pour ne pas l'avoir fait ces derniers jours. Vous ne l'avez pas revu depuis la nuit du solstice d'été ?

– Non.

– On lui a probablement demandé de surveiller Warren et la cabane jusqu'à nouvel ordre. Il devrait venir si on l'appelle.

– Il a pu lui arriver quelque chose ? demanda Seth.

– Un golem a peut-être l'air de n'être que de la matière animée dotée d'une intelligence élémentaire, mais la plupart des créatures de la réserve craignent Hugo. Peu d'entre elles pourraient lui faire du mal si elles essayaient. Il sera notre principal allié dans le sauvetage de votre grand-père.

– Et Warren ? demanda Kendra. Il nous aidera aussi ?

Grand-Mère fronça les sourcils.

– Vous ne l'avez pas rencontré parce que son esprit a été détruit. Si Dale est resté dans cette réserve, c'est avant tout pour s'occuper de lui. Warren est perdu dans une espèce de catatonie, c'est-à-dire qu'il n'a pas de réactions. Il y a beaucoup d'histoires, à Fablehaven. La sienne est le récit tragique d'un mortel qui s'est aventuré là où il ne devait pas. Warren ne nous aidera pas.

– Qui d'autre pourrait nous aider ? voulut savoir Seth. Les satyres ?

– Les satyres ? s'exclama Grand-Mère. Quand les avez-vous rencontrés ? J'aurai deux mots à dire à votre grand-père quand nous le retrouverons…

– On les a rencontrés par hasard dans les bois, expliqua Kendra. On sortait du ragoût de ce qui ressemblait à un puits, et ils nous ont prévenus qu'en fait, on volait une ogresse.

– Ces vauriens protégeaient leur petit commerce plus que vous, dit Grand-Mère en soufflant. Ils lui chipent du ragoût depuis des années. Les scélérats ne voulaient pas avoir à reconstruire leur dispositif de vol – cela ressemblait probablement trop à du travail. Les satyres vivent pour la frivolité, ce sont les amis des bons jours. Votre grand-père et moi partageons un respect mutuel avec diverses créatures de cette réserve, mais on n'y trouve pas beaucoup plus de loyauté que dans la nature. Le troupeau se contente de regarder quand les malades ou les blessés sont attrapés par des prédateurs. Si votre grand-père doit être sauvé, ce sera grâce à nous, sans aucune autre aide que celle d'Hugo.

Ils arrivèrent à la maison tard dans l'après-midi. Grand-Mère mit ses mains sur ses hanches, observant la scène : la cabane de l'arbre, détruite ; les meubles endommagés, éparpillés dans le jardin ; les fenêtres béantes, sans vitres.

– Je ne sais pas si j'ai envie de voir l'intérieur de la maison, marmonna-t-elle.

– Tu ne te souviens pas des dégâts ? demanda Kendra.

– C'était une poule, tu te souviens ? rétorqua Seth. Même qu'on mangeait ses œufs !

Le front de Grand-Mère se plissa.

– Cela fait l'effet d'une telle trahison, de voir sa maison violée, dit-elle doucement. Je sais bien que des créatures maléfiques et sinistres sont tapies dans les bois, mais elles n'avaient jamais franchi cette limite.

Seth et Kendra la suivirent à travers le jardin et montèrent avec elle les marches du porche. Elle se baissa et ramassa un triangle en cuivre, qu'elle suspendit à un crochet. Kendra se souvint avoir vu le triangle se balancer parmi les carillons. Une petite baguette était attachée au triangle par une chaîne de perles. Grand-Mère en frappa bruyamment le triangle.

– Ce gong devrait faire venir Hugo, expliqua-t-elle.

Elle traversa le porche et s'arrêta sur le seuil, fixant l'intérieur de la maison.

– On dirait qu'on a été bombardés, murmura-t-elle. Un tel vandalisme, c'est insensé !

Elle parcourut la demeure saccagée d'un air sombre et abasourdi, s'arrêtant de temps à autre pour ramasser un cadre abîmé et examiner la photo déchirée qu'il contenait, ou pour passer la main sur les restes d'un meuble qu'elle aimait bien. Puis elle monta l'escalier et se rendit dans sa chambre. Seth et Kendra la virent fouiller dans le placard et en sortir une boîte métallique, du genre de celles dans lesquelles on met sa collation.

– Au moins, ceci est intact, dit-elle.

– Tu as faim ? demanda Seth.

Kendra lui frappa l'épaule du dos de la main.

– Qu'est-ce que c'est, Grand-Mère ?

– Suivez-moi.

Dans la cuisine, elle ouvrit la boîte et en sortit une poignée de photos.

– Aidez-moi à les étaler.

C'étaient des photos de la maison. Chaque pièce était prise sous différents angles, et l'extérieur était également photographié selon de multiples perspectives. Au total, il y avait plus de cent clichés. Ils les étalèrent sur le sol de la cuisine.

– Nous avons pris ces photos au cas où l'impensable arriverait, expliqua Grand-Mère.

Kendra comprit brusquement.

– Pour les brownies ?

– Exactement. Je ne suis pas sûre qu'ils soient capables de relever le défi, compte tenu de l'étendue des dégâts, mais ils ont fait des miracles par le passé. Je suis désolée que cette calamité nous soit tombée dessus pendant votre séjour.

– Tu ne dois pas être désolée, dit Seth. C'est arrivé à cause de moi.

– Tu n'as pas à supporter tout le blâme, déclara Grand-Mère.

– Qu'est-ce qu'on peut faire ? demanda Kendra. C'est quand même nous qui avons causé ce désastre.

– Kendra n'a rien fait, protesta Seth. Elle a essayé de m'en empêcher. Tout est de ma faute.

Grand-Mère le regarda d'un air pensif.

– Tu n'avais pas l'intention de faire du tort à ton grand-père. Mais oui, tu l'as rendu vulnérable par ta désobéissance. À ce que j'ai compris, on vous avait défendu de regarder par la fenêtre. Si tu avais obéi, tu n'aurais pas été tenté d'ouvrir, et ton grand-père n'aurait pas été enlevé. Tu dois affronter ce fait et en tirer des leçons. Néanmoins, l'entière responsabilité de la situation de Stan dépasse de loin ce que tu mérites de supporter. Ton grand-père et moi sommes les gardiens de ce domaine. Nous sommes responsables des agissements des gens que nous accueillons ici, en particulier les enfants. Stan vous a permis de venir ici pour rendre service à vos parents, mais aussi parce que nous devons commencer à partager ce secret avec notre descendance, en choisissant ceux qui en sont dignes. Nous ne serons pas toujours là. On nous a transmis ce secret et, un jour, la responsabilité de ce sanctuaire enchanté est tombée sur nos épaules. Tôt ou tard, nous devrons la transmettre à d'autres.

Elle prit Seth et Kendra par la main et les couvrit d'un regard affectueux.

– Je sais que les bêtises que vous avez faites n'étaient ni voulues ni méchantes. Votre grand-père et moi avons commis beaucoup d'erreurs nous aussi, comme tous les gens qui ont vécu ici, même en étant sages et prudents. Votre grand-père doit prendre sa part de responsabilité pour vous avoir placés dans une situation où le fait d'ouvrir une fenêtre dans une bonne intention pouvait causer tant de mal et de destruction. Et bien sûr, les vauriens qui l'ont enlevé sont finalement les plus coupables.

Seth et Kendra étaient silencieux. Le visage de Seth se plissa.

– Si je n'avais pas désobéi, Grand-Père irait bien maintenant, dit-il en se retenant de pleurer.

– Et je serais toujours une poule dans une cage, déclara Grand-Mère. Soucions-nous de régler le problème au lieu d'attribuer les torts aux uns et aux autres. Ne désespérez pas. Je sais que nous pouvons remettre les choses en ordre. Conduisez-moi à Dale.

Seth hocha la tête en reniflant et s'essuya le nez sur son bras. Il partit le premier vers le porche de derrière puis s'engagea dans le jardin.

– Il n'y a vraiment pas beaucoup de fées aujourd'hui, constata Grand-Mère. Je n'ai jamais vu le terrain aussi dénué de vie.

– Elles ne sont plus très nombreuses depuis qu'elles ont attaqué Seth, dit Kendra. Et il y en a encore moins depuis que Grand-Père a disparu.

Lorsqu'ils arrivèrent devant la statue métallique de Dale, Grand-Mère secoua la tête.

– Je n'ai jamais eu affaire à ce genre d'enchantement, mais il s'agit bien de Dale.

– Est-ce que tu peux l'aider ? demanda Kendra.

– Peut-être, avec suffisamment de temps. Pour contrer un sort, il faut déjà savoir qui l'a lancé, et comment.

– On a trouvé des traces, dit Seth.

Il montra à Grand-Mère l'empreinte dans le massif de fleurs. Elle s'était un peu estompée, mais elle restait reconnaissable.

Grand-Mère fronça les sourcils.

– Ça ne me paraît pas familier. Les nuits de festivités, beaucoup de créatures que nous ne rencontrons jamais habituellement se déchaînent, c'est pourquoi nous nous réfugions à l'intérieur. Cette empreinte n'est peut-être même pas un indice valable. Elle peut appartenir au coupable, ou à la monture qu'il chevauchait, ou à quelque chose qui est simplement passé par là pendant la nuit.

– Alors on ne s'occupe pas de Dale, pour le moment ? demanda Kendra.

– Nous n'avons pas le choix. Le temps presse. Nous pouvons seulement espérer qu'en sauvant votre grand-père, nous pourrons éclaircir ce qui est arrivé à Dale et trouver un moyen d'annuler le sortilège. Venez.

Ils retournèrent à la maison. Pendant qu'ils montaient au deuxième étage, Grand-Mère lança par-dessus son épaule :

– Il existe des endroits protégés dans la maison. L'un d'eux est votre chambre, et la deuxième moitié du grenier en est un autre.

– Je le savais ! s'exclama Kendra. J'avais bien vu, de dehors, que le grenier était plus grand. Mais je n'ai jamais réussi à trouver l'entrée.

– Tu cherchais probablement au mauvais endroit, dit Grand-Mère, en les conduisant jusqu'à sa chambre. Les deux parties du grenier ne sont pas reliées entre elles. Quand nous serons là-haut, je vous expliquerai mon plan.

Elle se baissa et fouilla les débris d'une table de nuit. Elle trouva quelques épingles à cheveux et s'en servit pour se faire un chignon de dame. Cherchant encore, elle trouva une clé. Elle guida les enfants dans la salle de bains attenante où elle s'en servit pour ouvrir un placard.

La porte du placard en révéla une deuxième, en acier et munie d'une grosse combinaison. Une porte de coffre-fort. Grand-Mère se mit à tourner la roue.

– Quatre tours à droite jusqu'à 11, trois tours à gauche jusqu'à 28, deux tours à droite jusqu'à 3, un tour à gauche jusqu'à 31, et un demi-tour à droite jusqu'à 18.

Elle tira sur un levier et la lourde porte s'ouvrit avec un déclic. Un escalier recouvert d'un tapis montait vers une autre porte. Grand-Mère passa la première. Seth et Kendra la rejoignirent dans le grenier.

Cette partie du grenier était encore plus grande que la salle de jeux. Grand-Mère appuya sur un interrupteur et plusieurs lampes dissipèrent l'obscurité. Un long établi dominait un côté de la pièce ; au-dessus, le mur était couvert d'outils suspendus à des crochets. De beaux cabinets en bois garnissaient les autres murs. Divers objets inhabituels jonchaient la pièce : une cage à oiseaux, un phonographe, une hache de guerre, un mannequin, un globe de la taille d'un ballon de plage. Des malles et des boîtes étaient alignées en rangs, laissant juste assez de place pour y accéder. De lourds rideaux masquaient les fenêtres.

Grand-Mère leur fit signe d'aller à l'établi, où ils se perchèrent sur des tabourets.

– Qu'est-ce qu'il y a dans toutes ces boîtes ? demanda Seth.

– Beaucoup de choses, la plupart dangereuses. C'est là que nous gardons nos armes et nos talismans les plus précieux. Des recueils de sortilèges, des ingrédients pour des potions, tout ce qu'il faut.

– Tu peux nous en dire plus au sujet de Grand-Père, maintenant ? demanda Kendra.

– Mais bien sûr. Vous avez entendu Néro dire que Stan et Léna sont retenus prisonniers dans la Chapelle oubliée. Je vais vous résumer l'histoire de ce lieu afin que vous en saisissiez bien toutes les ramifications. Il y a longtemps, ces terres appartenaient à un puissant démon nommé Bahumat. Pendant des siècles, il a terrorisé les habitants de la région. Ils ont appris à éviter certains endroits, mais même avec ces précautions, aucune zone n'était vraiment sûre. Les gens faisaient toutes les offrandes que le démon paraissait exiger, mais ils vivaient dans la peur. Quand un groupe d'Européens a proposé de renverser le démon en échange des terrains qu'il hantait, les chefs locaux, incrédules, ont accepté. Aidés par de puissants alliés et une magie efficace, les Européens ont réussi à le vaincre et à l'emprisonner. Quelques années plus tard, ils ont fondé Fablehaven sur les terres qu'ils avaient arrachées à Bahumat. Le temps a passé. Au début du XIXe siècle, une communauté constituée autour d'une grande famille s'était développée sur cette réserve. Ces gens ont bâti des habitations autour du manoir d'origine, bien avant que la maison actuelle et la grange ne soient construites. Le vieux manoir existe toujours dans les profondeurs de la propriété, mais les constructions moins solides qui l'entouraient ont été détruites par le temps et les intempéries. Toutefois, en plus de leurs maisons, ils avaient édifié un bâtiment fait pour durer : une église. En 1826, du fait de la fragilité et de la sottise humaines, Bahumat a failli s'échapper. Cela aurait pu être un terrible désastre, car les gens qui demeuraient dans la réserve ne possédaient ni les ressources ni le savoir nécessaires pour vaincre une créature aussi puissante. Bien que l'évasion ait été évitée, l'expérience s'est révélée trop dérangeante pour la plupart de ceux qui vivaient là, et la majorité sont partis. La prison qui retenait le démon a néanmoins été endommagée. Bahumat a alors été transféré dans un autre cachot, situé dans la crypte de l'église. Les offices ont cessé quelques mois plus tard et, par la suite, cette église a pris le nom de Chapelle oubliée.

– Alors, Bahumat s'y trouve toujours ? demanda Kendra.

– Crois-moi, s'il avait été libéré, nous le saurions. Je doute que quiconque au monde serait capable de capturer à nouveau ce démon s'il s'échappait. Son espèce a disparu depuis trop longtemps. Ceux qui savaient comment vaincre un tel adversaire sont morts et n'ont pas transmis leur secret. Ce qui m'amène à mon plus grand souci : que Muriel essaie de libérer Bahumat.

– Elle ferait quelque chose d'aussi stupide ? s'écria Seth.

– Muriel est une élève du Mal. Elle a été emprisonnée justement parce qu'elle se mêlait de ce genre de choses. Si elle atteint la Chapelle oubliée la première, ce qu'elle a peut-être déjà fait si ses mutards l'ont informée de la situation, nous devrons la neutraliser pour sauver votre grand-père. Et si nous lui laissons assez de temps pour libérer Bahumat, nous aurons tous besoin d'être sauvés. C'est pourquoi je dois essayer de l'arrêter immédiatement.

– Pas toi toute seule, objecta Seth.

– Hugo et moi nous en occuperons. Vous, les enfants, vous en avez assez fait.

– Quoi ? s'exclama Seth. Pas question !

– Libérer votre grand-père ne devrait pas être trop difficile. Mais si le pire scénario se produit, et que j'échoue, ce pourrait être la fin de Fablehaven. Comme tous les démons de son espèce, Bahumat n'a jamais accepté le traité qui protège ce sanctuaire. Il revendique ces terres, et c'est un être suffisamment puissant pour détruire le traité, ce qui plongerait la réserve dans une obscurité sans fin. Chaque jour deviendrait semblable à ces terribles nuits de festivités, et la propriété serait à jamais inhabitable, sauf par les habitants des ténèbres. Tout mortel piégé ici deviendrait la proie d'horreurs trop abominables pour y songer.

– Ça pourrait vraiment arriver ? demanda Kendra, à voix basse.

– Ce ne serait pas la première fois, dit Grand-Mère. D'autres réserves sont déjà tombées. Les causes en sont très nombreuses, et sont généralement nées de la folie des hommes. Certaines ont été récupérées, d'autres n'ont pu être sauvées. Actuellement, il y a au moins trente réserves déchues de par le monde. Et le plus ennuyeux, peut-être, ce sont les récentes rumeurs à propos de la Société de l'Étoile du Soir.

– Maddox nous en a parlé, dit Seth.

– Grand-Père a reçu une lettre l'avertissant de se tenir sur ses gardes, ajouta Kendra.

– Traditionnellement, la chute d'une réserve est un phénomène peu courant. Autrefois, il y en avait peut-être une ou deux par siècle. Il y a dix ans environ, des bruits ont commencé à circuler disant que la Société faisait de nouveau des siennes. À peu près au même moment, des réserves se sont mises à tomber à un rythme alarmant. Quatre ont disparu au cours des cinq dernières années.

– Qui peut vouloir une chose pareille ? demanda Kendra.

– Bien des gens ont cherché la réponse à cette question, déclara Grand-Mère. Pour se procurer des richesses ? Du pouvoir ? Nous qui protégeons les réserves sommes essentiellement des conservateurs. Nous ne voulons pas voir disparaître les magnifiques créatures magiques du monde. Nous essayons de ne pas faire de discrimination à l'encontre des créatures de l'ombre ; nous voulons qu'elles survivent aussi. Mais nous les tenons à l'écart quand c'est nécessaire. Des membres de la Société cachent leurs véritables intentions sous des discours qui nous reprochent d'emprisonner à tort des créatures des ténèbres.

– Et c'est le cas ? voulut savoir Kendra.

– Les démons les plus violents et les plus maléfiques sont emprisonnés, oui, mais c'est pour la sécurité du monde. Toujours en quête de carnage sans fin et de domination illégale, ils se sont heurtés jadis aux bons humains et aux créatures de lumière, et payent un prix élevé pour leur défaite. De nombreuses autres entités sinistres ont été admises dans les réserves à la seule condition qu'elles acceptent certaines limites – des accords qu'elles ont conclus volontairement. Une restriction commune est qu'elles n'ont pas le droit de quitter la réserve. La Société considère donc qu'elles sont emprisonnées. Ils arguent que les clauses des réserves créent des règles artificielles qui chamboulent l'ordre naturel des choses et considèrent que la majorité de l'humanité est bonne à sacrifier. Leur principe est que le chaos et le sang versé sont préférables à de justes régulations. Nous ne sommes pas d'accord.

– Tu crois que les gens de la Société sont impliqués dans l'enlèvement de Grand-Père ? demanda Kendra.

Grand-Mère haussa les épaules.

– C'est possible, mais j'espère que non. Dans le cas contraire, cela a été fait avec une grande subtilité. Il est très difficile pour une personne extérieure d'entrer dans une réserve. Et la nôtre est l'une des plus secrètes.

Grand-Mère ouvrit un tiroir et en sortit un rouleau de parchemin. Elle le déroula, révélant une carte du monde. De gros points et des croix signalaient des endroits sur la carte, en plus des noms de plusieurs grandes villes.

– Les croix indiquent les réserves déchues, expliqua-t-elle, et les points celles qui sont en activité.

– Fablehaven n'est pas indiqué, remarqua Kendra.

– Tu as l'œil, dit Grand-Mère. Trente-sept réserves en activité sont marquées sur la carte, et cinq n'y figurent pas, dont Fablehaven. Même parmi les gens les plus fiables de notre communauté, très peu connaissent les réserves non marquées. Et personne ne les connaît toutes.

– Pourquoi ? demanda Seth.

– Des objets spéciaux que l'on appelle des « artéfacts », des objets d'un grand pouvoir, sont cachés dans ces cinq réserves.

– C'est quel genre d'objets ? questionna Seth, excité.

– Je ne peux pas vous le dire. Je ne connais pas tous les détails moi-même. Celui qui se trouve à Fablehaven n'est pas en notre possession. Il est gardé dans un endroit secret de la propriété. Les gens malveillants, en particulier ceux de la Société, n'aimeraient rien tant que de rassembler les artéfacts des réserves cachées.

– Fablehaven doit donc être protégé pour de nombreuses raisons, dit Kendra.

Grand-Mère hocha la tête.

– Votre grand-père et moi sommes prêts à donner notre vie pour cette réserve si c'est nécessaire.

– Peut-être qu'aucun de nous ne devrait aller chercher Grand-Père, suggéra Kendra. On ne peut pas obtenir de l'aide ?

– Certains viendraient à notre aide si on les appelait, mais je dois arrêter Muriel et trouver votre grand-père aujourd'hui même. Personne ne pourrait nous rejoindre aussi vite. Fablehaven est protégé par le secret, ce qui est parfois un inconvénient. J'ignore quels sortilèges retiennent Bahumat, mais je suis certaine qu'avec suffisamment de temps, Muriel trouvera un moyen de les dissiper. Je dois agir maintenant.

Grand-Mère descendit de son tabouret, se dirigea vers une allée, ouvrit un coffre et en sortit une boîte décorée de motifs en relief de fleurs et de plantes grimpantes. Elle contenait un petit arc pas plus grand qu'un pistolet, ainsi qu'une petite flèche ornée de plumes noires, avec une tige en ivoire et une pointe en argent.

– Super ! s'écria Seth. Moi aussi j'en veux une !

– Cette flèche peut tuer tout être qui a été mortel, y compris les personnes victimes d'un enchantement et les morts-vivants, si elle atteint un endroit fatal.

– Quels sont les endroits fatals ? demanda Kendra.

– Le cœur et le cerveau sont les plus sûrs. Les sorcières peuvent être retorses, mais c'est le seul talisman dont je sois sûre qu'il peut abattre Muriel.

– Tu vas la tuer ? chuchota Kendra.

– Seulement en dernier recours. D'abord, j'essaierai de la faire capturer par Hugo. Mais les enjeux sont trop grands pour que nous nous lancions sans filet. Si, contre toute attente, le golem devait me décevoir, je n'ai pas les capacités pour vaincre Muriel moi-même. Croyez-moi, la dernière chose que je souhaite est d'avoir son sang sur les mains. Tuer un mortel est un crime moins grave que de tuer une créature mystique, mais cela dissiperait néanmoins la plus grande part de la protection qui m'est accordée par le traité. Je devrais probablement quitter la réserve.

– Mais elle essaye de la détruire ! protesta Seth.

– Pas en tuant quelqu'un directement, dit Grand-Mère. La chapelle est un terrain neutre. Si j'y vais et que je la tue, et même si je peux justifier mon acte, je perdrai à jamais la protection du traité.

– J'ai entendu Dale tirer des coups de fusil la nuit où les créatures sont entrées par la fenêtre, dit Kendra.

– Ces créatures envahissaient notre territoire, expliqua Grand-Mère. Quelle qu'en soit la raison, en entrant dans cette maison, elles renonçaient à toute protection. Dans ces circonstances, Dale pouvait les abattre sans avoir à craindre nulle vengeance, ce qui veut dire que son statut restait sûr au regard du traité. Ce même principe pourrait jouer contre vous, si vous vous aventuriez dans certaines zones interdites de Fablehaven. Si vous étiez ainsi privés de toute protection, la chasse serait ouverte contre Seth et Kendra. C'est précisément pour cela que ces zones vous sont interdites.

– Je ne comprends pas qui te punirait si tu tuais Muriel, dit Seth.

– Les barrières mystiques qui me protègent seraient supprimées, et la punition suivrait naturellement. Vous voyez, en tant que mortels, nous pouvons choisir d'enfreindre les règles. C'est un luxe que ne peuvent pas s'offrir les créatures magiques qui viennent se réfugier ici. Beaucoup enfreindraient les règles si elles le pouvaient, mais elles n'ont pas le choix. Tant que je respecte les règles, je ne crains rien. Mais si je perdais les protections accordées par le traité, les conséquences de ma vulnérabilité suivraient inévitablement.

– Alors ça veut dire que Grand-Père est forcément vivant ? demanda Kendra d'une petite voix. Ils ne peuvent pas le tuer ou lui faire autre chose ?

– Stan n'a pas versé le sang et donc, même durant leurs nuits de festivités, les créatures obscures de cette réserve ne peuvent pas le tuer. Elles ne peuvent pas non plus l'obliger à aller dans un endroit qui leur permettrait de le faire. Il peut être emprisonné, torturé, changé en plomb, on peut lui faire perdre la raison, mais il doit rester vivant. Et je dois le sauver.

– Et je dois venir avec toi, dit Seth. Tu as besoin de soutien.

– C'est Hugo, mon soutien.

Seth grimaça, retenant ses larmes.

– Je ne veux pas vous perdre tous les deux, surtout que tout cela est ma faute.

Grand-Mère Sorenson l'enlaça.

– Mon cœur, j'apprécie ton courage, mais je ne veux pas non plus risquer de perdre un petit-fils.

– Est-ce qu'on ne sera pas autant en danger ici qu'on le serait avec toi ? demanda Kendra. Si le démon s'échappe, on sera tous cuits.

– J'ai l'intention de vous faire sortir de la réserve, dit Grand-Mère.

Kendra croisa les bras.

– Pour qu'on attende devant le portail que nos parents reviennent pour leur dire que vous avez été tués par un démon et qu'on ne peut pas aller à la maison parce qu'il s'agit en réalité d'une réserve magique qui est tombée dans les ténèbres ? C'est ça ?

– Vos parents ne connaissent pas la véritable nature de cet endroit, déclara Grand-Mère. Et ils ne vous croiraient pas sans vérifier par eux-mêmes.

– Exactement ! confirma Kendra. Si vous échouez, la première chose que fera Papa sera d'aller droit à la maison et de faire des recherches. Rien de ce qu'on dira ne pourra le retenir. Il appellera probablement la police, et le monde entier découvrira la vérité sur Fablehaven.

– Les gens ne verraient rien, objecta Grand-Mère, mais beaucoup mourraient inexplicablement. Si, en fait, ils pourraient voir la vache, même sans boire de lait, parce que Viola reste un être mortel.

– On t'a été utiles avec le troll, insista Seth. Et quoi que tu fasses ou que tu dises, je te suivrai quand même.

Grand-Mère leva les mains.

– Franchement, les enfants, je pense que tout ira bien. Je sais que j'ai décrit un scénario sinistre, mais ces choses-là arrivent dans les réserves de temps en temps, et normalement on les résout. Je ne vois pas pourquoi cette fois, ce serait différent. Hugo règlera le problème sans incident sérieux et, s'il le faut, je tire très bien à l'arc. Si vous voulez juste attendre devant les grilles, je viendrai vous chercher avant qu'il ne soit trop tard.

– Mais je veux voir Hugo écrabouiller Muriel ! soutint Seth.

– Si nous devons hériter de cet endroit un jour, vous ne pourrez pas toujours nous protéger du danger, plaida Kendra. Est-ce que ce ne serait pas une bonne expérience pour nous de vous voir gérer la situation, Hugo et toi ? Peut-être qu'on pourrait même vous aider !

– C'est parti ! s'écria Seth.

Grand-Mère les regarda avec affection.

– Vous grandissez si vite, les enfants, soupira-t-elle.

CHAPITRE SEIZE

LA CHAPELLE OUBLIÉE

Tandis que le soleil hésitait à l'horizon, Kendra regardait par le côté du chariot les arbres qui défilaient. Elle se rappelait ceux qu'elles observait à travers la vitre du VUS le jour où elle était arrivée à Fablehaven avec ses parents. Ce trajet-ci était beaucoup plus bruyant, plus cahoteux et plus venteux. Et la destination était beaucoup plus intimidante.

Hugo tirait le pousse-pousse géant. Kendra doutait qu'un attelage de chevaux eût pu rivaliser avec la vitesse de ses enjambées bondissantes.

Ils atteignirent un endroit à découvert, et Kendra vit la haute haie qui entourait l'étang avec la promenade et les pavillons. Il était étrange de penser que Léna avait vécu ici, jadis, lorsqu'elle était une naïade.

Avant qu'ils montent dans le chariot, Grand-Mère avait commandé à Hugo d'obéir à toutes les instructions de Kendra et Seth. Elle avait dit aux enfants que si les choses tournaient mal, ils devraient battre rapidement en retraite avec le golem. Elle leur avait également demandé d'être prudents quant à ce qu'ils lui demanderaient. Comme il n'avait pas de volonté propre, les punitions pour ses éventuelles mauvaises actions retomberaient sur ceux qui lui donnaient les ordres.

Grand-Mère avait quitté son peignoir. Elle portait maintenant un jean délavé, des bottes de travail et un haut vert – des habits trouvés au grenier. Seth était très content qu'elle ait choisi un chandail vert.

Le jeune garçon serrait une poche en cuir. Grand-Mère lui avait expliqué qu'elle contenait une poudre spéciale qui tiendrait éloignées d'eux les créatures indésirables. Elle avait dit à Seth qu'il pourrait l'utiliser de la même façon que le sel. Elle l'avait aussi prévenu de ne s'en servir qu'en dernier ressort. Toute magie dont ils se serviraient conduirait à des représailles s'ils échouaient. Elle avait également un sachet de poudre.

Kendra avait les mains vides. Comme elle n'avait pas encore utilisé la magie, Grand-Mère avait déclaré que ce serait une erreur qu'elle commence maintenant. Apparemment, les protections du traité étaient très fortes pour ceux qui s'abstenaient complètement de faire de la magie, ou des bêtises.

Le pousse-pousse sauta sur un endroit particulièrement cahoteux. Seth s'agrippait pour éviter de tomber. Il regarda par-dessus son épaule et sourit.

– On s'envole !

Kendra aurait bien voulu être aussi confiante que lui. Elle commençait à avoir mal au ventre. Ça lui rappelait la première fois où elle avait dû chanter en solo au spectacle de l'école, en dernière année du primaire. Elle s'était toujours bien débrouillée lors des répétitions, mais quand elle avait jeté un coup d'œil au public entre les fentes du rideau, elle avait eu une drôle de sensation dans le ventre et la certitude qu'elle allait vomir. Au signal, elle était entrée sur la scène illuminée, scrutant la foule obscure, incapable de trouver ses parents. Néanmoins, quand elle s'était mise à chanter, sa peur s'était dissipée et sa nausée avait disparu.

Est-ce que ce serait la même chose aujourd'hui ? L'appréhension était-elle pire que l'événement lui-même ? Au moins, quand ils y seraient, la réalité remplacerait l'incertitude et ils pourraient faire quelque chose, agir. Pour le moment, tout ce qu'elle pouvait faire, c'était s'inquiéter.

À quelle distance était cette maudite église ? Grand-Mère avait dit qu'il ne faudrait pas beaucoup plus d'un quart d'heure à Hugo pour l'atteindre, vu le bon état de la route. Kendra avait beau guetter des licornes, elle ne vit aucune créature fabuleuse. Toutes restaient cachées.

Le soleil se coucha. Grand-Mère tendit le doigt. Devant eux, au milieu d'une clairière, se dressait une église ancienne. C'était un bâtiment trapu avec une rangée de grandes fenêtres aux vitres cassées et une coupole qui devait contenir une cloche. Le toit s'affaissait, les murs en bois étaient gris et abîmés et on ne pouvait deviner sa couleur d'origine. Une courte volée de marches tordues menait à une entrée vide, qui devait autrefois être garnie d'une double porte. Ça ressemblait au repaire idéal pour des chauves-souris et des zombies.

Hugo ralentit son allure, et ils s'arrêtèrent devant l'entrée obscure. L'église était totalement silencieuse. Aucun signe n'indiquait que quelqu'un soit venu là depuis au moins cent ans.

– J'aurais préféré qu'il fasse soleil, mais au moins, nous avons encore de la lumière, dit Grand-Mère en ajustant la flèche à pointe d'argent sur la corde de son arc miniature. Débarrassons-nous de cette histoire le plus vite possible. Le Mal aime l'obscurité.

– Pourquoi ? demanda Seth.

Grand-Mère réfléchit un instant avant de répondre.

– Parce que le Mal aime se cacher.

Kendra n'apprécia pas du tout les picotements qui parcoururent son dos quand Grand-Mère prononça ces mots.

– Pourquoi ne parle-t-on pas de choses plus gaies ? suggéra-t-elle tandis qu'ils descendaient du pousse-pousse.

– Parce qu'on chasse des sorcières et des monstres, répondit Seth.

– Kendra a raison, déclara Grand-Mère. Cela ne nous fait aucun bien de nous appesantir sur de sombres pensées. Mais il faut que nous soyons sur la route et loin d'ici avant la fin du crépuscule.

– Je persiste à dire qu'on aurait dû apporter des fusils, dit Seth.

– Hugo ! lança Grand-Mère. Passe le premier pour entrer dans la crypte, sans faire de bruit. Protège-nous de tout mal, mais ne tue pas.

Kendra se sentit réconfortée à la seule vue du colosse de terre et de pierre. Avec Hugo comme champion, elle n'imaginait pas que quoi que ce soit puisse leur poser trop de problèmes.

Les marches grincèrent sous le poids d'Hugo. Avançant le plus légèrement possible, il se courba pour franchir l'entrée. Les autres le suivirent, restant près de leur imposant garde du corps. Grand-Mère jeta un foulard rouge sur son arc, pour le cacher.

« Faites que Muriel ne soit pas là, pria Kendra en silence. Faites qu'on trouve Grand-Père et Léna, et rien d'autre ! »

L'intérieur de l'église était encore plus sinistre que l'extérieur. Les bancs pourrissants avaient été écrasés et retournés, l'autel renversé, et les murs étaient couverts de graffitis d'une couleur violacée. Des toiles d'araignée festonnaient les poutres comme des bannières de gaze. La lumière ambrée du soleil couchant entrait par les fenêtres et quelques trous irréguliers dans le toit, mais pas suffisamment pour dissiper l'obscurité. Rien n'indiquait que cet édifice avait été autrefois un lieu de culte. C'était juste une grande salle vide et délabrée.

Le plancher craqua quand Hugo marcha sur la pointe des pieds vers une porte sur le côté de la chapelle. Kendra s'inquiéta que le sol cède et que le golem tombe abruptement dans la crypte. Il devait peser au moins cinq cents kilos.

Hugo ouvrit la porte abîmée. Comme l'entrée était de taille normale, il dut se baisser et se contorsionner pour passer.

– Tout ira bien, dit Grand-Mère en posant une main rassurante sur l'épaule de Kendra. Restez derrière moi.

L'escalier descendait en colimaçon et se terminait par une ouverture sans porte. De la lumière se déversait dans la cage d'escalier. Regardant derrière Hugo, qui se penchait pour franchir le seuil, Kendra s'aperçut qu'ils n'étaient pas seuls. En entrant avec Grand-Mère Sorenson dans la vaste crypte, elle commença à comprendre ce qui se passait.

La pièce était éclairée par au moins deux douzaines de lanternes. Elle avait un haut plafond et peu de meubles. Grand-Père Sorenson et Léna étaient enchaînés au mur, bras et jambes écartés.

Une forme singulière se tenait devant eux. On aurait dit un pantin, entièrement fait de bois lisse et noir, et pas beaucoup plus petit que Grand-Père. Au lieu d'articulations, ses différentes parties étaient jointes par des crochets dorés aux poignets, aux coudes, aux épaules, au cou, aux chevilles, aux genoux, aux hanches, à la taille et aux doigts. Sa tête évoquait à Kendra un masque de hockey en bois, plus grossier et plus simple. Le curieux mannequin dansait une petite gigue, balançant les bras et tapant des pieds en regardant le fond de la crypte.

– C'est son gigueux ? demanda doucement Seth.

Mais bien sûr ! C'était l'effrayant pantin dansant de Muriel, sauf qu'il était maintenant beaucoup plus grand et qu'il n'avait plus de tige dans le dos.

Au fond de la crypte, il y avait une grande alcôve. On aurait dit que quelqu'un avait arraché des planches pour accéder à la niche. Un filet de cordes nouées était tendu devant le renfoncement, empêchant de voir à l'intérieur. Une forme sombre apparaissait vaguement derrière lui. Une grande et belle femme aux longs cheveux blonds et brillants se tenait près de l'alcôve et était en train de souffler sur l'un des nœuds. Elle portait une spectaculaire robe bleu azur qui mettait en valeur sa silhouette séduisante.

Cette femme superbe était entourée par ce qui semblait être des versions à taille humaine des mutards que Kendra avait vus dans la hutte de Muriel, tous tournés vers l'alcôve et fixant le sol. Ils mesuraient entre un mètre cinquante et un mètre quatre-vingts. Certains étaient gros, d'autres maigres, quelques-uns étaient musclés. Certains avaient le dos tordu, ou des bosses, ou des cornes, ou des bois, ou des kystes bourgeonnants, ou des queues. Deux ou trois avaient perdu un membre ou une oreille. Tous avaient des cicatrices, une peau rugueuse et tannée et des moignons à la place des ailes. Aux pieds de ces mutards à taille humaine, il y en avait une multitude d'autres, plus petits, de la taille des fées.

L'air trembla. Une paire d'ailes noires faites de fumée et d'ombre se déploya depuis l'alcôve. Kendra éprouva le même vertige que celui qui l'avait saisie quand ils avaient assisté à la transformation de Boucles d'Or en Grand-Mère. C'était comme si l'alcôve devenait plus lointaine, comme si elle la regardait par le mauvais bout d'un télescope. Un éclat de noirceur éclipsa un instant la lumière des lanternes et, soudain, au milieu de l'endroit que les mutards fixaient, un nouveau mutard à taille humaine apparut.

Kendra se couvrit la bouche de ses deux mains. La belle femme devait être Muriel. Bahumat était emprisonné par un filet de cordes nouées, semblables à celle qui l'avait retenue prisonnière. Chaque fois qu'elle en dénouait un, elle demandait au démon d'augmenter la taille de ses mutards, le libérant peu à peu du même coup !

– Hugo, dit doucement Grand-Mère. Neutralise les mutards et capture Muriel.

Hugo chargea.

Un mutard se tourna et poussa un horrible hurlement, puis d'autres pivotèrent pour faire face aux intrus, révélant des figures cruelles et démoniaques. La superbe blonde se tourna à son tour, les yeux écarquillés par la surprise.

– Attrapez-les ! cria-t-elle.

Il y avait plus de vingt mutards géants, et dix fois plus de petits. Conduits par le plus grand et le plus musclé du lot, ils se ruèrent sur Hugo, troupe disparate de démons noueux.

Hugo les affronta au milieu de la pièce. D'une main, avec une fluide précision, il attrapa le chef des mutards par la taille, saisit ses deux pieds de l'autre et tordit rapidement ses mains en sens opposés. Puis il le jeta, hurlant, tandis que les autres fondaient sur lui.

Abattant ses poings comme des béliers, le golem faisait voler les créatures en de sauvages pirouettes. Ils grouillaient, bondissant agilement pour atterrir sur ses épaules et lui égratigner la tête. Mais Hugo continuait à tournoyer, à se tordre et à soulever ses adversaires, en un ballet violent qui expédiait tous les mutards se jetant sur lui à travers la crypte.

Quelques-uns le contournèrent lestement pour foncer sur Grand-Mère, Seth et Kendra. Le colosse virevolta et chargea derrière eux, en attrapant deux par les genoux et les maniant comme des gourdins pour disperser les autres.

La résistance des mutards était impressionnante. Quand Hugo en lançait un contre le mur, la tenace créature retombait sur ses pieds et revenait à l'assaut. Même leur grand gaillard de chef participait toujours à la bagarre, titubant gauchement sur ses jambes tordues.

Kendra regarda au-delà du tumulte et vit Muriel souffler sur un nœud.

– Grand-Mère, elle prépare quelque chose, murmura-t-elle.

– Hugo ! cria Grand-Mère. Laisse-nous les mutards et va capturer Muriel !

Hugo lança violemment le mutard qu'il tenait. La créature gémissante frôla le plafond jusqu'au mur, qu'elle heurta dans un craquement dégoûtant. Puis le golem s'élança sur Muriel.

– Mendigo, protège-moi ! rugit la sorcière.

Le bonhomme en bois, qui dansait toujours près de Grand-Père et Léna, fonça pour intercepter Hugo.

Libérés des attaques invincibles du Goliath d'argile, les mutards blessés convergèrent sur Grand-Mère, qui se plaça devant Seth et Kendra. Tenant son sac dans une main, elle le balança de telle manière qu'il répandit un brillant nuage de poudre. Quand les mutards atteignirent ce nuage, de l'électricité crépita et les projeta en arrière. Quelques-uns se jetèrent dans le nuage, essayant de se frayer un passage au travers, mais l'électricité flamba de plus belle et les fit reculer. Grand-Mère dispersa encore de la poudre dans l'air.

De grandes ailes noires se déployaient depuis l'alcôve. L'air ondulait. Kendra avait l'impression de voir la crypte de loin, à travers un tunnel étroit.

Hugo avait presque atteint Muriel. Le grand gigueux plongea sur les pieds du golem, se servant de ses bras et de ses jambes pour entraver les chevilles d'Hugo. Le colosse bascula en avant, puis se libéra de Mendigo à coups de pieds, expédiant le pantin à travers la pièce, se redressa à genoux et essaya d'attraper

Muriel. Ses mains tendues étaient à quelques centimètres d'elle quand un coup de tonnerre ébranla la crypte, accompagné d'un instant d'obscurité. Le golem massif s'effondra en un tas de décombres.

Muriel brailla de triomphe, les yeux fous, transportée d'avoir échappé à Hugo. D'un côté de la salle, Mendigo se redressa sur son séant. Le pantin avait perdu un bras. Il le ramassa et le rattacha.

Les yeux de Muriel se firent plus acérés tandis qu'elle flairait une victoire certaine.

– Amenez-les-moi, tous ! clama-t-elle.

Un foulard rouge voleta jusqu'au sol. Grand-Mère Sorenson leva son arc d'une main pendant que, de l'autre, elle répandait ce qu'il lui restait de poudre. Elle jeta le sac vide et s'avança dans le brillant nuage de poudre, tenant l'arc à deux mains.

La flèche s'envola. Mendigo bondit, essayant désespérément d'arrêter le trait, mais Hugo l'avait expédié trop loin. Muriel cria de douleur et recula en chancelant contre le filet de cordes, sa main manucurée pressée sur sa blessure. Elle rebondit en avant et tomba à genoux, haletante, serrant toujours son épaule. Des plumes noires étaient plantées entre ses doigts minces.

– Vous allez me payer ça ! hurla-t-elle.

– Courez ! cria Grand-Mère aux enfants.

Trop tard. Les yeux fermés, les lèvres remuant silencieusement, Muriel tendit en avant une main ensanglantée et une rafale de vent dispersa la poudre brillante. Les mutards blessés accoururent et saisirent brutalement Grand-Mère.

Seth bondit en avant et lança une poignée de poudre sur les mutards qui détenaient Grand-Mère. Dans un éclair, ils s'écartèrent en chancelant.

– Mendigo, amène-moi le garçon ! cria Muriel.

Son serviteur de bois chargea sur Seth, courant à quatre pattes. Les mutards s'étaient dispersés ; plusieurs d'entre eux s'attroupèrent près de la porte pour empêcher leurs adversaires de s'échapper. Seth jeta de la poudre au moment où Mendigo bondissait sur lui. Le nuage électrique repoussa le pantin. Au même instant, un mutard arriva par-derrière, arrachant le sac des mains de Seth.

Le grand mutard fit pivoter Seth, l'attrapa par les bras et le souleva de telle sorte qu'ils se retrouvèrent face à face. Le mutard siffla, la bouche ouverte, sa langue noire pendant d'une façon grotesque.

– Hé ! s'exclama Seth en le reconnaissant. Tu es la fée que j'ai capturée !

Le mutard jeta Seth sur son épaule et courut vers Muriel tandis qu'un autre s'emparait de Grand-Mère pour l'amener à la sorcière.

Kendra était figée de terreur. Des mutards l'entouraient. Il était impossible de s'échapper. Hugo n'était plus qu'un tas de débris. La flèche de Grand-Mère avait manqué Muriel, la blessant sans la tuer. Seth avait fait de son mieux, mais Grand-Mère et lui avaient été capturés. Ils ne pouvaient plus se défendre ni jouer de tours aux mutards. Il n'y avait plus rien entre Kendra et les horreurs que Muriel et ses créatures voulaient leur infliger.

Pourtant, les mutards ne l'attrapaient pas. Ils se tenaient autour d'elle, mais semblaient incapables de la toucher. Ils levaient les bras et interrompaient leur geste, comme si leurs membres refusaient de leur obéir.

– Mendigo, amène-moi la fille, ordonna Muriel.

Le gigueux se fraya un passage entre les mutards. Il tendit la main vers Kendra et s'arrêta. Ses doigts de bois s'agitaient, ses crochets tintaient doucement.

– Ils ne peuvent pas te toucher, Kendra ! lança Grand-Père, attaché au mur. Tu n'as pas causé de troubles, utilisé de magie ni fait de mal. Cours, Kendra, ils ne peuvent pas t'arrêter !

Kendra commença à se frayer un passage entre les mutards pour se diriger vers la porte, mais s'arrêta.

– Je ne peux pas t'aider ?

– Muriel n'est pas liée par les lois qui restreignent ses acolytes, cria Grand-Père. Cours jusqu'à la maison, en suivant la route que vous avez prise à l'aller. Ne fais pas de mal et ne t'écarte pas du chemin ! Puis quitte la propriété ! Enfonce le portail avec mon camion ! Fablehaven va tomber ! L'un de nous doit survivre !

Muriel, tenant son épaule blessée, s'était déjà lancée à la poursuite de Kendra. L'adolescente grimpa l'escalier quatre à quatre et fonça à travers la chapelle jusqu'à la porte d'entrée.

– Petite, attends ! cria la sorcière.

Kendra s'arrêta sur le seuil et regarda en arrière. Muriel s'appuyait à la porte de la crypte, très pâle, la manche de sa robe trempée de sang.

– Qu'est-ce que vous me voulez ? demanda Kendra, essayant de paraître courageuse.

– Pourquoi partir si vite ? Reste, nous pouvons discuter.

– Vous n'avez pas l'air très en forme.

– Cette broutille ? Je la guérirai en défaisant un nœud.

– Alors pourquoi ne l'avez-vous pas déjà fait ?

– Je voulais te parler avant que tu t'en ailles, répondit la sorcière d'un ton apaisant.

– Je n'ai rien à vous dire. Laissez partir ma famille !

– Je le ferai peut-être, en temps voulu. Mon enfant, tu ne veux certainement pas courir à travers bois à cette heure tardive. Qui peut dire quelles horreurs t'attendent ?

– Elles ne peuvent dépasser ce qui se passe ici. Pourquoi libérez-vous ce démon ?

– Tu ne peux pas comprendre, dit Muriel.

– Pensez-vous qu'il sera votre ami ? Vous finirez enchaînée au mur, comme les autres.

– Ne parle pas de ce que tu ne comprends pas, coupa Muriel. J'ai établi des clauses qui me placeront dans une position de pouvoir insondable. Après avoir attendu pendant de longues années, je sens arriver mon triomphe. L'étoile du soir se lève.

– L'étoile du soir ? répéta Kendra.

La sorcière sourit largement.

– Mes ambitions dépassent de loin la chute d'une seule réserve. Je fais partie d'un mouvement qui a des objectifs beaucoup plus ambitieux.

– La Société de l'Étoile du Soir !

– Tu ne peux pas imaginer tout ce que nous avons prévu. J'ai été enfermée pendant des années, oui, mais pas sans moyens de communication avec le monde extérieur.

– Les mutards…

– Et d'autres collaborateurs. Bahumat prépare ce jour depuis sa capture. Le temps a été notre allié. En observant et en attendant, nous avons tranquillement organisé d'innombrables opportunités pour assurer peu à peu notre libération. Aucune prison n'est éternelle. Parfois, nos efforts n'ont porté que peu de fruits. En d'autres occasions plus heureuses, nous avons fait tomber de nombreux dominos d'une simple poussée. Quand Éphira a réussi à vous faire ouvrir la fenêtre, la nuit du solstice d'été, nous espérions que les événements se dérouleraient comme ils se sont déroulés.

– Éphira ?

– Tu l'as regardée dans les yeux.

Kendra se crispa. Elle n'aimait pas se souvenir de la femme translucide aux vaporeux vêtements noirs.

Muriel hocha la tête.

– Elle et d'autres vont hériter de ce sanctuaire, un pas capital vers l'accomplissement de nos desseins finaux. Après des décennies d'attente, rien ne peut plus m'arrêter.

– Alors pourquoi vous ne relâchez pas ma famille ? implora Kendra.

– Ils essaieraient de s'opposer à mes plans. Non qu'ils puissent le faire à ce stade – ils ont eu leur chance et ont échoué – mais je ne veux pas prendre de risques. Viens, affronte la fin avec ceux que tu aimes au lieu de partir seule dans la nuit.

Kendra secoua la tête.

Muriel tendit son bras qui n'était pas blessé. Ses doigts, rouges de son sang, se tordirent d'une façon étrange. Elle parla dans un langage incompréhensible qui évoqua à Kendra des hommes en colère en train de chuchoter. L'adolescente courut aussitôt hors de la chapelle, dévala les marches et se dirigea vers le chariot. Elle s'arrêta pour regarder en arrière. Muriel n'apparut pas sur le seuil. Quel que soit le sort que la sorcière avait essayé de lui lancer, apparemment il n'avait pas eu d'effet.

Kendra courut le long de la route. Le coucher de soleil était encore éclatant. Elle n'était restée dans la chapelle que pendant quelques minutes. Des larmes commencèrent à l'aveugler, mais elle continua à courir, sans savoir si elle était poursuivie.

Toute sa famille était perdue ! Et tout était arrivé si vite ! Un instant, Grand-Mère les rassurait avec confiance, et l'instant d'après, Hugo était détruit et Grand-Mère et Seth, capturés. Kendra aurait dû l'être, elle aussi, mais elle s'était montrée si prudente depuis son arrivée à Fablehaven qu'elle était apparemment protégée par la force du traité. Les mutards n'avaient pas pu la toucher, et Muriel était trop affaiblie pour la poursuivre.

Kendra regarda derrière elle, le long de la route déserte. La sorcière avait dû guérir de sa blessure, maintenant, mais elle ne la poursuivrait probablement pas avant d'avoir libéré Bahumat, car Kendra avait déjà pris une bonne avance.

Mais Muriel pouvait aussi utiliser la magie pour la rattraper. Toutefois, l'adolescente soupçonnait que sa hâte à libérer le démon l'empêcherait de se lancer à sa poursuite.

Devait-elle faire demi-tour et retourner à la chapelle ? Essayer de sauver sa famille ? Mais comment ? En lançant des pierres ? Kendra ne pouvait envisager autre chose qu'être capturée si elle rebroussait chemin.

Pourtant, elle devait faire quelque chose ! Un fois le démon libéré, il détruirait le traité et Seth mourrait, ainsi que Grand-Père, Grand-Mère et Léna !

La seule possibilité qui lui venait à l'esprit était de retourner à la maison et d'essayer de trouver une arme au grenier. Pourrait-elle se rappeler la combinaison de la porte blindée ? Elle avait vu Grand-Mère l'ouvrir une heure plus tôt, l'avait entendue prononcer les chiffres à voix haute. Elle ne s'en souvenait pas maintenant, mais il lui semblait que cela lui reviendrait quand elle serait devant.

Kendra savait que c'était sans espoir. La maison était à des kilomètres. Combien ? Huit, dix, douze ? Il lui faudrait beaucoup de chance pour y arriver, et encore plus pour en revenir avant que Bahumat soit libéré.

Les nœuds étaient nombreux, et apparemment Muriel ne pouvait en défaire qu'un seul à la fois. Chaque nœud semblait demander au moins quelques minutes. Néanmoins, à ce rythme, il ne lui faudrait que quelques heures pour en venir à bout.

Au moins, aller chercher une arme à la maison était un but. Même si la situation paraissait désespérée, ça lui donnait une direction à suivre et une raison d'avancer. Qui savait ce que serait cette arme, comment elle l'utiliserait, et si elle pourrait entrer dans le grenier ? Mais au moins, c'était un plan. Au moins, elle pouvait se dire que si elle s'était échappée, c'était pour une bonne raison.

CHAPITRE DIX-SEPT

UN PARI DÉSESPÉRÉ

Redouter la tombée de la nuit ne l'empêche pas d'arriver. Le soleil couchant pâlit et disparut, jusqu'à ce que Kendra n'ait plus que la lumière d'une demi-lune pour la guider. La nuit se fit plus fraîche, mais il ne faisait pas froid. La forêt était enveloppée dans des ombres lugubres. De temps en temps, Kendra entendait des bruits inquiétants, mais elle ne voyait jamais ce qui les causait. Elle regardait souvent en arrière, mais la route restait aussi déserte derrière elle que devant.

Tantôt elle trottait, tantôt elle marchait. Sans repères, il était difficile de savoir quelle distance elle parcourait. Le chemin de terre semblait s'étirer sans fin.

Elle s'inquiétait pour sa grand-mère. Comme Ruth avait tiré sur Muriel et utilisé Hugo pour blesser les mutards, elle ne serait probablement plus protégée. Kendra commença à regretter de ne pas avoir accepté l'offre de Muriel de rester dans la chapelle avec sa famille. La culpabilité d'être la seule rescapée était presque insupportable.

Elle avait du mal à évaluer le passage du temps. La nuit s'écoulait, aussi infinie que la route. La lune se déplaçait peu à peu dans le ciel. Ou était-ce le chemin qui changeait de direction ?

Kendra était certaine d'avancer depuis des heures quand elle atteignit un endroit à découvert. Le clair de lune éclairait un petit sentier qui partait de la route et allait vers une haute haie sombre.

L'étang aux pavillons ! Enfin un repère. Elle ne pouvait pas être à plus d'une demi-heure de la maison, et il n'y avait encore aucun signe annonçant l'aube.

Combien de temps restait-il avant que Bahumat soit libéré ? Le démon était peut-être déjà en liberté. Le saurait-elle, quand cela arriverait, ou ne le découvrirait-elle que lorsqu'elle serait assaillie par des monstres ?

Kendra se frotta les yeux. Elle se sentait fatiguée. Ses jambes n'avaient plus envie d'avancer. Elle s'avisa qu'elle avait très faim. Elle s'arrêta et s'étira une minute. Puis elle se remit à courir. Elle pouvait courir le reste du chemin, non ? Ce n'était plus très loin.

En passant devant le petit sentier qui partait de la route, elle se figea brusquement. Elle venait d'avoir une nouvelle idée, inspirée par la haie irrégulière qui dominait le chemin.

La Reine des Fées avait un autel sur l'île au milieu de l'étang. N'était-elle pas censée être la personne la plus puissante du monde des créatures fabuleuses ? Peut-être que Kendra pourrait essayer de lui demander de l'aider.

L'adolescente croisa les bras. Elle savait si peu de choses sur la Reine des Fées ! Hormis le fait qu'elle avait entendu dire qu'elle était très puissante, elle savait seulement que mettre le pied sur son île entraînait une mort certaine. Un homme avait essayé et il avait été changé en duvet de pissenlit !

Mais pourquoi avait-il essayé ? Kendra ne se rappelait pas en avoir entendu la raison, sauf qu'il avait un besoin désespéré de quelque chose. Toutefois, le fait qu'il avait essayé signifiait qu'il pensait pouvoir réussir. Peut-être n'avait-il pas une assez bonne raison, tout simplement.

Kendra étudia les siennes. Ses grands-parents et son frère allaient être tués, Fablehaven allait être détruit. Ce serait une mauvaise chose pour les fées aussi, non ? Ou alors elles s'en moqueraient. Peut-être iraient-elles tout simplement ailleurs.

Indécise, l'adolescente contempla le sentier. Quelle arme espérait-elle trouver à la maison ? Probablement aucune. Elle finirait sûrement par enfoncer le portail ou l'escalader avant que Bahumat et Muriel ne la rattrapent et en terminent avec elle. Et sa famille périrait.

Mais cette idée de Reine des Fées marcherait peut-être. Si la reine était si puissante, elle pourrait arrêter Muriel et peut-être même Bahumat. Kendra avait besoin d'une alliée. En dépit de ses nobles intentions, elle ne voyait pas comment elle pourrait y arriver toute seule.

Depuis que l'idée avait germé dans sa tête, elle éprouvait une nouvelle sensation. C'était si inattendu qu'elle mit un moment à comprendre que c'était de l'espoir. Il n'y avait pas de serrure à combinaison pour lui barrer la route. Elle avait juste à implorer la merci d'un être tout-puissant et à plaider pour sa famille.

Au pire, que pouvait-il lui arriver ? La mort, mais sans mutards assoiffés de sang, sans sorcières, sans démons. Juste une grosse touffe de duvet de pissenlit.

Quelle était la meilleure possibilité ? Que la Reine des Fées change Muriel en pissenlit et sauve sa famille.

Kendra s'engagea dans le sentier. Des papillons voletaient dans son estomac. C'était une sorte de nervosité encourageante, largement préférable à la peur d'échouer de façon certaine. Elle se mit à courir.

Elle ne rampa pas sous la haie, cette fois. Elle suivit le sentier jusqu'à l'arche et pénétra sur la pelouse soignée.

Au clair de lune, les pavillons peints en blanc et la promenade étaient encore plus pittoresques que dans la journée. Kendra pouvait vraiment se représenter une Reine des Fées vivant sur l'île au milieu de l'étang tranquille. Bien sûr, la reine n'habitait pas vraiment là, c'était juste un sanctuaire. Kendra devrait lui exposer sa requête et espérer qu'elle répondrait.

Atteindre l'île serait le premier défi. L'étang était plein de naïades qui aimaient noyer les gens, ce qui signifiait qu'elle aurait besoin d'une barque solide.

Kendra traversa vivement la pelouse vers le pavillon le plus proche. Elle s'efforça d'ignorer les ombres changeantes qu'elle voyait devant elle – diverses créatures qui allaient se cacher. Alors qu'elle songeait à ce qu'elle était sur le point d'entreprendre, elle eut l'impression qu'un batteur à œufs lui vrillait les intestins. Elle s'obligea à chasser sa peur. Est-ce que Grand-Père ferait demi-tour et s'enfuirait ? Et Grand-Mère ? Et Seth ? Ou feraient-ils de leur mieux pour la sauver ?

Elle monta au pas de charge les marches du pavillon et se mit à courir le long de la promenade. Ses chaussures résonnaient bruyamment sur les planches, défiant le silence. Elle voyait sa destination : l'abri à bateaux, à trois pavillons de là.

La surface de l'étang était un miroir noir reflétant le clair de lune. Quelques fées scintillantes voletaient au-dessus de l'eau. À part elles, il n'y avait aucun signe de vie.

Kendra atteignit le pavillon relié à la petite jetée. Elle dévala les marches et mit le pied sur le quai, puis elle alla à l'abri et essaya d'ouvrir la porte. Comme la première fois, elle était fermée à clé. La porte n'était pas grande, mais elle paraissait solide.

L'adolescente donna de grands coups de pied dedans. L'impact remonta le long de sa jambe et la fit grimacer. Elle donna alors des coups d'épaule, qui lui firent encore plus mal sans pour autant ébranler la porte.

Elle recula. L'abri à bateaux était un grand appentis qui flottait sur l'eau. Il n'avait pas de fenêtres. Elle espéra qu'il contenait toujours des barques. Si oui, les embarcations seraient posées sur l'eau, protégées par des murs et un toit, mais sans plancher. Si elle sautait dans l'étang, elle pourrait ressortir dans l'abri et monter dans une barque.

Elle examina l'eau. La surface noire et réfléchissante était impénétrable. Il pouvait y avoir une centaine de naïades attendant en embuscade, ou aucune – c'était impossible à dire.

Son plan ne rimerait à rien si elle se noyait avant d'atteindre l'île. D'après ce que lui avait dit Léna, les naïades attendraient impatiemment qu'elle s'approche de l'eau. Sauter serait du suicide.

Elle s'assit par terre et se mit à frapper la porte de ses deux pieds, comme Seth lorsqu'ils étaient entrés dans la grange. Elle fit beaucoup de bruit, mais sans résultat. Frapper plus fort ne réussit qu'à lui faire encore plus mal aux jambes.

Il lui fallait soit un outil, soit une clé, soit de la dynamite.

Elle retourna au pavillon, cherchant quelque chose qui pourrait lui servir à forcer la porte. Elle ne vit rien. Si seulement une masse traînait par là…

Elle essaya de se calmer. Elle devait réfléchir ! Peut-être que si elle continuait à taper dans la porte, celle-ci finirait par céder, selon le principe de l'érosion. Mais elle n'avait pas encore bougé, et Kendra n'avait pas toute la nuit. Il devait y avoir une solution plus intelligente. Qu'avait-elle à sa disposition ? Rien ! Rien, sauf quelques créatures de l'ombre qui se cachaient à son approche.

– Écoutez ! cria-t-elle. Je sais que vous pouvez m'entendre. Il faut que j'entre dans l'abri à bateaux. Une sorcière est en train de libérer Bahumat, et Fablehaven va être détruit. Je ne vous demande pas de vous montrer. J'ai juste besoin que quelqu'un ouvre la porte de l'abri. Mon grand-père est le gardien de cette réserve, et je vous en donne la permission. Je vais tourner le dos et fermer les yeux. Quand j'entendrai la porte s'ouvrir, j'attendrai dix secondes avant de me retourner.

Kendra pivota et ferma les yeux. Elle n'entendit rien.

– Allez-y, abattez cette porte. Je promets que je ne regarderai pas.

Elle entendit un léger bruit d'éclaboussures et un tintement.

– Très bien, on dirait que nous avons un volontaire ! Ouvrez juste la porte.

Elle n'entendit plus rien. Elle s'avisa alors que quelque chose avait pu émerger de l'eau et se faufiler derrière elle. Incapable de résister, elle se tourna pour regarder.

Aucune créature dégoulinante n'était visible. Tout était tranquille. Mais il y avait des rides sur l'étang encore lisse un moment plus tôt. Et sur le quai près de l'abri se trouvait une clé.

Kendra dévala les marches et la ramassa. Elle était mouillée, rouillée et un peu visqueuse. Plus longue qu'une clé ordinaire, elle paraissait ancienne.

Kendra l'essuya sur sa chemise, alla à l'abri et la glissa dans la serrure. Elle correspondait parfaitement. L'adolescente la tourna et la porte s'ouvrit vers l'intérieur.

Kendra frémit. Les implications étaient troublantes. Apparemment, une naïade lui avait lancé la clé. Elles voulaient qu'elle s'aventure sur l'eau.

À la seule lueur du clair de lune qui entrait par la porte, l'abri était très sombre. Kendra plissa les paupières et vit trois barques amarrées au quai étroit : deux grands canots à rames, l'un plus large que l'autre, et un petit pédalo. Kendra en avait fait une fois, dans un parc.

Sur un mur étaient accrochées plusieurs rames de différentes tailles et, près de la porte, il y avait une manivelle et un levier. Elle essaya de tourner la manivelle, mais sans succès. Elle tira sur le levier. Rien ne se passa. Elle revint à la manivelle, qui tourna cette fois-ci. Une porte coulissante commença à s'ouvrir au fond de l'abri, laissant entrer plus de lumière. Kendra continua à tourner la manivelle, soulagée à l'idée qu'elle pourrait sortir un canot directement de l'abri dans l'étang.

Debout dans la pénombre et fixant la porte ouverte, l'adolescente se mit à douter. La peur lui donnait la nausée. Était-elle réellement prête à mourir ? À être noyée par des naïades ou victime d'un sortilège protégeant une île interdite ?

Grand-Père et Grand-Mère Sorenson étaient pleins de ressources. Peut-être s'étaient-ils déjà échappés. Faisait-elle tout ceci pour rien ?

Kendra se rappela un incident survenu trois ans plus tôt dans une piscine municipale. Elle avait voulu à tout prix sauter du plus grand plongeoir. Sa mère l'avait avertie qu'il était plus haut qu'il en avait l'air, mais rien n'avait pu la dissuader. De nombreux enfants de son âge y allaient, et même des plus petits qu'elle.

Elle faisait la queue au pied de l'échelle. Quand son tour vint, elle se mit à monter, stupéfaite de voir de combien elle s'élevait à chaque échelon. Quand elle arriva au sommet, elle eut l'impression de se tenir sur un gratte-ciel. Elle eut envie de faire demi-tour, mais tous les enfants qui attendaient en bas auraient su qu'elle était terrifiée. En plus, ses parents la regardaient.

Elle s'avança le long du plongeoir. Il y avait une légère brise. Elle se demanda si les gens qui étaient au sol la sentaient. Quand elle approcha du bord de la planche, elle regarda en bas l'eau qui frissonnait. Elle voyait jusqu'au fond de la piscine. Cela ne l'amusait plus du tout de sauter.

Plus elle hésitait, plus elle attirait l'attention. Elle se résolut donc à redescendre du plongeoir, essayant de ne pas croiser le regard des gens qui attendaient en bas. Depuis cet épisode, elle n'était plus remontée sur un grand plongeoir. En fait, elle prenait rarement des risques.

De nouveau, elle se tenait au bord de quelque chose d'effrayant. Mais c'était différent. Sauter d'un grand plongeoir, faire des loopings sur des montagnes russes ou faire passer un billet à Scott Thomas, c'étaient des choses excitantes et que l'on décidait de faire. Si l'on évitait le risque, ça n'avait pas de conséquence. Dans sa situation actuelle, sa famille mourrait probablement si elle n'agissait pas. Elle devait s'en tenir à sa première décision et exécuter son plan, quoi qu'il arrive.

Kendra considéra les rames. Elle-même n'avait jamais ramé et elle s'imaginait en train de patauger, surtout si de méchantes naïades lui donnaient du fil à retordre. Elle examina ensuite le pédalo. Prévu pour un seul passager, il était plus large que nécessaire, probablement pour lui donner plus de stabilité. L'embarcation enfantine était beaucoup moins grande que les barques et Kendra serait près de l'eau. Mais au moins elle pensait pouvoir la manœuvrer.

Elle soupira. S'agenouillant, elle détacha le petit bateau et jeta l'amarre sur le siège. Le pédalo vacilla quand elle monta dedans, et elle dut s'accroupir et se tenir pour ne pas tomber à l'eau. Le fond était complètement fermé, rien ne pourrait donc la tirer par les pieds.

Une fois installée, Kendra était assise face au quai. Il y avait un volant pour contrôler les mouvements latéraux. Elle le tourna à fond d'un côté en pédalant en arrière, et s'écarta du quai. Braquant le volant dans l'autre sens, elle se mit à pédaler en avant, et le pédalo glissa sans bruit hors de l'abri à bateaux.

L'avant du pédalo ridait la surface de l'eau, tandis qu'elle le dirigeait vers l'île, pédalant vivement. L'île n'était pas loin, à quatre-vingts mètres environ. Le petit bateau se rapprochait régulièrement de sa destination, jusqu'à ce qu'il se mette à *s'éloigner* de l'île.

Kendra pédala plus fort, mais le pédalo continua à faire marche arrière, en diagonale. Quelque chose la tirait. Le bateau se mit à tourner sur lui-même. Ses manœuvres n'y faisaient rien. Puis, le pédalo s'inclina soudain dangereusement sur le côté. On essayait de le renverser !

L'adolescente se pencha du côté opposé pour empêcher l'embarcation de se retourner, et le pédalo s'inclina brusquement dans l'autre sens. Kendra changea de position, essayant désespérément de contrebalancer ses mouvements. Elle vit des doigts mouillés s'agripper au bord et leur donna une tape. Elle entendit un gloussement.

Le pédalo commença à tourner plus vite.

– Laissez-moi tranquille ! exigea Kendra. Il faut que j'atteigne l'île !

Ceci lui valut d'autres gloussements, qui durèrent plus longtemps.

Kendra pédalait furieusement, mais cela ne servait à rien. Elle continuait à tourner et à être entraînée dans la mauvaise direction. Puis les naïades se remirent à secouer le pédalo. Grâce à son centre de gravité situé très bas, Kendra se rendit compte que se pencher de l'autre côté suffisait à empêcher le bateau de se retourner, mais les naïades étaient infatigables. Elles essayèrent de la distraire en frappant le fond du bateau et en lui faisant des signes de la main. Le pédalo roulait, tanguait et tournait, et parfois les naïades réussissaient même à le soulever, essayant de déséquilibrer Kendra. Chaque fois, l'adolescente réagissait rapidement, se déplaçant pour contrecarrer leurs efforts. Elles étaient dans une impasse.

Les naïades ne se montraient pas. Kendra entendait leurs rires et apercevait leurs mains, mais elle ne voyait jamais leur visage.

Elle décida d'arrêter de pédaler. Cela ne la menait à rien et elle gaspillait son énergie. Elle résolut de se contenter d'empêcher le pédalo de se renverser.

Les tentatives des naïades se firent moins fréquentes. Kendra ne disait rien, ne répondait pas à leurs rires provocateurs, ignorait les mains qui saisissaient les bord du pédalo. Elle se déportait simplement quand elles essayaient de renverser le petit esquif. Elle y arrivait de mieux en mieux. Les naïades ne parvenaient plus à l'incliner autant.

Enfin, les attaques cessèrent. Au bout d'une minute sans incident, Kendra se remit à pédaler en direction de l'île. Sa progression fut rapidement interrompue. Elle arrêta aussitôt de pédaler. Les naïades la firent tourner et la balancèrent encore un peu.

Kendra attendit. Après une autre minute de tranquillité, elle pédala de nouveau. Une fois de plus, les naïades l'éloignèrent, mais avec moins d'ardeur. L'adolescente sentit que tout cela commençait à les ennuyer.

À son huitième essai, les naïades perdirent apparemment tout intérêt pour elle. L'île se rapprocha. Vingt mètres. Dix mètres. Kendra s'attendait à ce qu'elles l'arrêtent au dernier moment, mais elles ne le firent pas. L'avant du pédalo racla le rivage. Tout était tranquille.

Le moment de vérité était arrivé. Quand elle poserait le pied sur l'île, ou bien elle se changerait en duvet de pissenlit, ou il ne se passerait rien.

Kendra sauta hors du pédalo et atterrit sur la berge. L'île ne semblait avoir rien de magique ni même de spécial, et elle ne se changea pas en pissenlit.

Cependant, des rires résonnaient derrière elle. Elle se retourna et vit son pédalo s'éloigner de l'île. Il était déjà trop tard pour faire quoi que ce soit sans sauter à l'eau. Elle se frappa le front avec la main : les naïades n'avaient pas renoncé, elles avaient juste changé de tactique ! Elle était si obnubilée par son histoire de pissenlit qu'elle n'avait pas pensé à tirer le pédalo hors de l'eau. Elle aurait pu au moins tenir l'amarre !

Bon. Une faveur de plus à demander à la Reine des Fées.

L'île n'était pas grande. Il fallut seulement soixante-dix pas à Kendra pour en faire le tour. Cette exploration ne révéla rien d'intéressant. Le sanctuaire se trouvait probablement au milieu.

Il n'y avait pas d'arbres sur l'île, mais de nombreux buissons, dont beaucoup étaient plus hauts qu'elle. Il n'y avait pas de sentiers non plus, et se faufiler dans les buissons l'agaçait. À quoi ressemblerait le sanctuaire ? Kendra s'imaginait un petit édifice, mais après avoir traversé l'île dans tous les sens, elle comprit qu'il n'existait rien de tel ici.

Peut-être ne s'était-elle pas transformée en duvet de pissenlit parce que l'île était un canular. Ou peut-être le sanctuaire n'était-il plus là. D'une manière ou d'une autre, elle était coincée sur un îlot minuscule au milieu d'un étang plein de créatures qui voulaient la noyer. À quoi cela ressemblerait-il de se noyer ? Avalerait-elle de l'eau, ou mourrait-elle simplement ? À moins que le démon ne l'attrape d'abord.

Non ! Elle avait quand même réussi à venir jusque-là ! Elle allait donc regarder de nouveau, avec plus d'attention. Le sanctuaire était peut-être quelque chose de naturel, comme un buisson ou une souche.

Elle refit le tour de l'île, plus lentement cette fois. Elle remarqua un mince filet d'eau et fut surprise de découvrir un ruisseau, même petit, sur une île aussi minuscule. Elle remonta le cours d'eau vers le centre de l'île et repéra l'endroit d'où il sortait de terre.

Là, à sa source, se trouvait la statuette d'une fée, haute de cinq centimètres et joliment sculptée. Elle était posée sur un socle qui lui faisait gagner quelques centimètres. Un petit bol en argent était disposé devant elle.

Bien sûr, les fées étaient si petites ! Il était normal que le sanctuaire ait une taille miniature !

Kendra s'agenouilla à côté de la source, juste devant la petite figurine. La nuit était silencieuse. Regardant le ciel, l'adolescente remarqua que l'horizon se teintait de rose à l'est. Il allait bientôt faire jour.

Tout ce que Kendra put trouver à faire, ce fut d'ouvrir son cœur avec une totale sincérité.

– Bonjour, Reine des Fées. Merci de m'avoir laissée vous rendre visite sans me changer en duvet de pissenlit.

Elle déglutit. Ça lui faisait un drôle d'effet de parler à une minuscule statue. Elle n'avait rien de royal.

– Si vous pouvez m'aider, j'en ai vraiment besoin. Une sorcière appelée Muriel est sur le point de libérer un démon nommé Bahumat. La sorcière retient Grand-Père et Grand-Mère Sorenson prisonniers, ainsi que mon frère Seth et mon amie Léna. Si ce démon s'échappe, il va saccager toute cette réserve, et je n'ai aucun moyen de l'arrêter sans votre aide. S'il vous plaît, j'aime vraiment ma famille, et si je ne fais pas quelque chose, ce démon va… ce démon va…

La réalité de ce qu'elle disait la frappa comme une masse et elle se mit à pleurer. Pour la première fois, le fait que Seth allait mourir pénétra vraiment son cerveau. Elle se rappela des moments avec lui, ses côtés touchants et agaçants à la fois, et se rendit compte qu'il n'y en aurait plus.

Ses sanglots la faisaient trembler. Des larmes brûlantes ruisselaient sur ses joues. Elle les laissa couler. Elle avait besoin de se relâcher, de cesser d'essayer de nier l'horreur de la situation. Les larmes qu'elle avait versées en fuyant la Chapelle oubliée étaient des larmes de choc et de terreur. Celles-ci étaient provoquées par une prise de conscience.

Ses larmes glissèrent le long de son menton et tombèrent dans le bol en argent. Elle avait le souffle entrecoupé par les sanglots.

– S'il vous plaît, aidez-moi ! parvint-elle à dire.

Une brise parfumée se répandit sur l'île. Elle sentait la terre et les fleurs, avec une pointe d'odeur marine.

Les pleurs de Kendra commencèrent à se calmer. Elle essuya ses joues et se moucha dans sa manche. Elle renifla, étonnée d'avoir le nez si vite bouché.

La statue miniature était mouillée. Avait-elle pleuré dessus ? Non ! De l'eau coulait de ses yeux, s'égouttant dans le bol en argent.

L'air s'agita de nouveau, toujours chargé d'arômes puissants. Inexplicablement, Kendra sentit une présence. Elle n'était plus seule.

J'accepte ton offrande, et je joins mes larmes aux tiennes.

Les mots n'étaient pas audibles, mais ils frappèrent l'esprit de Kendra avec une telle force qu'elle retint une exclamation. Elle n'avait jamais rien éprouvé de semblable. Un fluide transparent continuait à s'écouler de la statuette et à remplir le bol.

Avec des larmes, du lait et du sang, compose un élixir, et mes servantes t'aideront.

Les larmes, c'était évident. Pour le lait, Kendra ne voyait que Viola. Mais quel sang ? Le sien ? Celui de la vache ? Les servantes dont elle parlait devaient être les fées.

– Attendez ! Qu'est-ce que je fais, maintenant ? demanda l'adolescente. Comment vais-je quitter l'île ?

En réponse, le vent tourbillonna pendant un moment et souffla très fort. Les parfums agréables disparurent. La petite statue ne pleurait plus. La présence indéfinissable s'en était allée.

Kendra ramassa le bol. Grand comme sa paume, il était rempli au tiers. Elle avait espéré que la Reine des Fées règlerait la situation. À la place, elle lui avait apparemment indiqué un moyen de résoudre le problème par elle-même. Le message télépathique était aussi clair que des mots prononcés à haute voix. Sa famille était encore en danger, mais à présent, l'étincelle d'espoir était devenue une flamme.

Comment allait-elle quitter l'île ? Kendra se releva et marcha jusqu'à la rive. De manière incroyable, le pédalo venait dans sa direction, à une vitesse régulière. Puis il atteignit la berge.

Lorsqu'elle y grimpa, il s'écarta du rivage spontanément, tourna et se dirigea vers la petite jetée blanche.

Kendra ne disait rien. Elle ne pédalait pas. Elle craignait de faire quelque chose qui puisse gêner la facile progression vers le bord de l'étang. Elle tenait le bol sur ses genoux, veillant à ne pas renverser une goutte.

Puis elle le vit, silhouette sombre debout sur la jetée, qui attendait son retour. Un pantin de la taille d'un homme : Mendigo.

Sa gorge se serra de frayeur. Elle avait fait de la magie sur l'île ! Obtenir ces larmes de la statue était de la magie, non ? Sa protection n'existait plus, et Mendigo était venu la chercher.

– Pouvez-vous me déposer ailleurs ? demanda-t-elle.

Le pédalo ne dévia pas de sa route. Que pouvait-elle faire ? Même si elle accostait à un autre endroit, Mendigo la suivrait.

L'esquif était à vingt mètres de la jetée. À dix mètres. Elle devait protéger le contenu du bol. Elle ne pouvait pas laisser Mendigo l'emmener. Mais comment l'arrêter ?

Le pédalo toucha la jetée et s'arrêta. Mendigo ne fit pas un geste pour l'attraper. Il semblait attendre qu'elle débarque. Kendra posa le bol sur la jetée et se leva, tout en remarquant que le pédalo était stable.

Quand elle mit le pied sur la jetée, Mendigo s'avança, mais comme auparavant, il semblait incapable de la saisir. Il se tenait là, les deux bras à moitié levés, agitant les doigts. Kendra ramassa le bol et contourna le gigueux. Mendigo la suivit.

Pourquoi Muriel aurait-elle envoyé le mannequin après elle s'il ne pouvait pas l'attraper ? Est-ce que la sorcière savait qu'elle avait communiqué avec la Reine des Fées ? Si oui, le pantin avait fait vite. Sa présence ici était probablement une simple précaution.

Le problème qui se posait à Kendra était épineux. Manifestement, elle n'avait pas pratiqué la magie sur l'île ; elle avait juste recueilli un ingrédient. Mais en composant l'élixir que la Reine avait indiqué et en le donnant aux fées, elle ferait certainement de la magie. Et dès qu'elle ne serait plus protégée, Mendigo s'en prendrait à elle.

Cela ne pouvait pas se passer ainsi.

Kendra posa le bol en argent sur les marches menant au pavillon, puis elle pivota et fit face au mannequin. Il avait une tête de plus qu'elle.

– Je pense que tu fonctionnes comme Hugo. Tu n'as pas de cerveau et tu fais juste ce qu'on te demande. Est-ce exact, Mendigo ?

Le gigueux resta immobile. Kendra s'efforça de ne pas se laisser effrayer.

– J'ai le sentiment que tu ne m'obéiras pas, mais cela vaut la peine d'essayer. Mendigo, grimpe dans un arbre et restes-y à jamais.

Le pantin ne bougea pas. Kendra marcha droit sur lui. Il essayait toujours de lever les bras pour l'attraper, mais n'y arrivait pas. Une fois près de lui, elle tendit un doigt hésitant et toucha son torse de bois. Il ne réagit pas, sauf pour continuer à lutter contre la force qui l'empêchait de la saisir, quelle qu'elle soit.

– Tu ne peux pas me toucher. Je n'ai rien fait de mal et je n'ai pas utilisé de magie. Mais moi, je peux te toucher.

Elle caressa doucement ses deux bras, juste sous les épaules. Le gigueux tressauta sous l'effort qu'il faisait pour s'emparer d'elle.

– Tu veux voir ma deuxième action décisive de la nuit ? demanda Kendra.

Mendigo frémit et ses crochets tintèrent, mais il demeurait impuissant. Se mordant inconsciemment la lèvre inférieure, Kendra empoigna ses deux bras, les décrocha et partit en courant. Elle entendit le mannequin la poursuivre tandis qu'elle courait au bord de l'étang pour lancer les bras en bois dans l'eau.

Quelque chose s'abattit sur l'épaule de Kendra et la fit valdinguer par terre. Une force écrasante pressa sur son dos, la clouant au sol. Elle pouvait à peine respirer. En se tordant le cou, elle vit Mendigo qui la dominait, se servant de son pied pour la maintenir en place. Comment une créature qui paraissait si fluette pouvait-elle être aussi forte ? L'endroit où il lui avait donné un coup de pied élançait ; elle aurait sûrement un bleu.

Kendra tendit la main vers son autre jambe, espérant décrocher son mollet, mais le pantin esquiva. Pendant un moment, il parut indécis. Kendra se prépara à rouler loin de lui s'il essayait de nouveau de la frapper. Si seulement elle pouvait décrocher une jambe !

Mendigo courut sur la jetée. Ses deux bras flottaient sur l'eau, et l'un d'eux était presque accessible. Le mannequin s'accroupit, se mit prudemment en équilibre sur un pied et tendit une jambe vers le bras le plus proche.

Alors qu'il le touchait de ses orteils, une main blanche jaillit de l'eau et le saisit par la cheville, l'attirant dans l'étang au milieu d'éclaboussures. Kendra attendit et regarda en retenant son souffle. Le gigueux ne refit pas surface.

Elle retourna à toute allure vers les marches et ramassa le bol. Elle n'osait pas courir, de peur de renverser les larmes, et marchait d'un pas vif, veillant sur son précieux récipient. Elle traversa la pelouse, franchit l'arche, longea le sentier et regagna la route.

Les étoiles continuaient à pâlir à l'est. Kendra se dépêchait. Elle était quasiment sûre de ne plus être protégée. Mais si elle avait commis une mauvaise action, au moins, cela lui avait paru en valoir la peine. Et elle avait le sentiment que ce ne serait pas sa dernière méchanceté de la nuit.

CHAPITRE DIX-HUIT

BAHUMAT

Quand Kendra arriva à la grange, une lumière grise qui précédait l'aurore teintait l'horizon à l'est. Son trajet depuis l'étang s'était bien passé ; pas une goutte n'était tombée du bol en argent. Elle alla à la petite porte que Seth avait ouverte et se courba pour entrer.

La gigantesque vache mangeait du foin. Chaque fois que Kendra voyait Viola, elle était fascinée par sa taille. Les mamelles de la vache étaient gonflées, presque autant que la première fois où ils l'avaient traite.

Kendra avait déjà les larmes, il lui fallait maintenant du lait et du sang. Comme la Reine des Fées avait communiqué mentalement avec elle, elle s'en tenait à ses premières impressions. Le lait était sûrement celui de Viola. Mais le sang ? Le sien ou celui de la vache ? Il fallait peut-être les deux. Mais d'abord, le lait.

Kendra posa le bol dans un coin, à l'abri, et sortit un des escabeaux. Elle comptait prendre seulement quelques giclées. Elle n'avait pas le temps de procéder à une traite complète.

La première fois, elle n'avait pas essayé de recueillir le lait de Viola. Seth et elle avaient simplement voulu soulager la vache et avaient laissé couler le lait par terre. Il y avait plein de tonneaux, mais verser le lait d'un tonneau dans un petit bol lui paraissait délicat. Et puis, étant donné qu'elle devrait glisser le long d'une tétine, elle aurait du mal à ne pas tomber elle-même dans le tonneau.

Elle aperçut un grand moule à gâteaux, l'un de ceux dont Dale se servait pour donner du lait aux fées. Parfait. Il était assez petit pour être vidé dans le bol, et assez grand pour recueillir tout le lait dont elle avait besoin. Elle plaça le plat sous la tétine, essayant d'estimer où le lait tomberait.

Ensuite, elle gravit l'escabeau et sauta, enlaçant la tétine charnue. Du lait se déversa sur le sol. Seule une petite quantité arriva dans le plat. Elle l'ajusta, remonta sur l'escabeau et recommença. Cette fois, le jet fit mouche et remplit le moule presque jusqu'au bord ; Kendra réussit même à rester sur ses pieds en atterrissant.

Elle porta le moule jusqu'au bol et versa du lait jusqu'à ce qu'il soit plein aux trois quarts. Il ne manquait plus que le sang.

Viola meugla puissamment, apparemment déçue que la traite se soit arrêtée si tôt.

– Je crois bien que tu vas meugler encore plus fort… marmonna Kendra.

Combien de sang fallait-il ? La Reine des Fées n'avait pas précisé les quantités. Kendra fouilla les placards en quête d'un outil. Elle se décida pour une fourche et un autre moule à gâteaux. Elle n'était pas réjouie à l'idée de devoir obtenir assez de sang pour le verser du moule dans le bol, mais elle craignait de tout renverser si elle essayait de recueillir directement le sang dans le petit récipent.

– Viola ! appela-t-elle. Je ne sais pas si tu me comprends. J'ai besoin d'un peu de ton sang pour sauver Fablehaven. Ça peut piquer un peu, alors essaie d'être courageuse.

La vache ne montra aucun signe laissant croire qu'elle avait compris. Kendra retourna à la tétine qu'elle avait pressée. C'était une zone qui n'était pas protégée par son pelage, et elle pensait que ce serait le meilleur endroit pour une piqûre.

Elle ne monta que trois marches de l'escabeau. Elle voulait piquer la tétine assez bas, pour que le sang s'égoutte. Si elle avait trouvé un couteau, elle aurait essayé de faire une petite balafre. Les seules parties aiguisées de la fourche étaient ses pointes, aussi devrait-elle se contenter d'une piqûre.

Vue de près, la tétine rose lui paraissait vraiment bizarre. Elle devrait sans doute frapper vraiment très fort car, sur un animal aussi énorme, la peau devait être particulièrement épaisse. Elle se dit que pour la vache géante, ce serait comme se faire piquer par une épine. Mais est-ce que ça lui plairait, à elle, qu'on lui plante une épine dans la chair ? Viola n'aimerait sûrement pas ça non plus.

Kendra leva la fourche, tenant le plat dans l'autre main.

– Désolée, Viola ! cria-t-elle, en plongeant l'outil dans la chair spongieuse.

Les pointes s'enfoncèrent presque jusqu'au bout, et la vache poussa un meuglement terrifié.

La lourde tétine se balança et frappa Kendra, qui bascula de l'escabeau. Elle se cramponna à la fourche et l'arracha de la blessure en tombant. L'escabeau se renversa à côté d'elle.

Viola fit un pas de côté et rejeta la tête en arrière, meuglant de nouveau. La grange trembla ; Kendra entendit du bois se fendre. Le toit fut ébranlé. Les murs vacillèrent et craquèrent. Kendra se couvrit la tête. Des sabots gigantesques frappèrent le sol, et la vache poussa une longue plainte. Puis elle se calma.

Kendra leva les yeux. De la poussière et du foin voletaient dans l'air. Du sang coulait le long de la tétine et tombait goutte à goutte.

Comme Viola s'était calmée et que le sang s'égouttait régulièrement, Kendra écarta le moule à gâteaux et reprit le bol. Debout sous la tétine, elle commença à recueillir le sang. Elle avait visité une grotte avec sa famille, une fois, et elle pensa à de l'eau tombant d'une stalactite.

Bientôt, le contenu du bol passa du blanc au rose. Le flot de sang se ralentit. Kendra estima que c'était suffisant.

Elle alla s'asseoir près de la petite porte. Maintenant, son sang à elle. À moins qu'elle se contente d'essayer avec uniquement le sang de la vache ? Non, il était capital d'aller vite. Mais comment allait-elle se faire saigner ? Pas question d'utiliser la fourche sans la stériliser.

Elle alla fouiller de nouveau dans les placards, et aperçut une épingle à nourrice sur une salopette. Elle la défit et retourna en courant près du bol.

La main au-dessus du récipient, elle hésita. Elle avait toujours détesté les aiguilles et les piqûres. Toutefois, ce n'était pas le moment de faire la délicate. Serrant les dents, elle se piqua le pouce avec l'épingle et le pressa pour faire couler deux gouttes de sang dans le mélange. Il faudrait que cela suffise.

Ensuite, Kendra regarda le moule à gâteaux. Elle devrait probablement boire du lait, puisqu'une nouvelle journée commençait. Elle en prit une gorgée, puis se dit que sa famille aurait aussi besoin de lait quand elle la retrouverait.

Elle avait vu des bouteilles d'eau dans un placard. Elle alla en prendre une, la vida et la remplit de lait à l'aide du plat. Elle entrait à peine dans sa poche.

L'adolescente reprit le petit bol en argent, en remua un peu le contenu et sortit de la grange. Les couleurs de l'aube teintaient l'horizon. Le soleil allait bientôt se lever.

Et maintenant, que faire ? Il n'y avait pas de fées en vue. Quand la Reine des Fées avait donné ses instructions, Kendra avait pensé sans le moindre doute que les servantes dont elle parlait étaient les fées. Elle était censée préparer une potion pour elles, afin qu'elles l'aident.

Mais comment ? Elle n'en avait aucune idée. Et à quoi pouvait servir la potion ? À gagner leur affection ? Et après ? N'ayant pas d'autre solution, elle devait se fier au réconfort qu'elle avait éprouvé quand la Reine des Fées avait parlé à son esprit.

D'abord, il fallait trouver des fées. Elle parcourut le jardin et en vit une, vêtue de noir et d'orange avec des ailes de papillon assorties.

– Hé, la fée, j'ai quelque chose pour vous ! cria-t-elle.

La fée vint à elle comme une flèche, regarda le bol, se mit à gazouiller d'une voix grinçante et s'envola à tire d'ailes. Kendra erra jusqu'à ce qu'elle trouve une autre fée, dont elle obtint la même réaction. La fée parut très excitée, puis s'éloigna.

Bientôt, de nombreuses fées volaient vers Kendra, regardaient dans le bol et s'en allaient. Apparemment, la nouvelle se répandait.

Kendra finit par arriver à la statue en métal de Dale. Elle posa le bol par terre et s'écarta, pour le cas où sa présence découragerait les fées. Le matin devenait plus clair. Bientôt, des dizaines de fées voletèrent autour du bol. Un attroupement se forma. De temps à autre, une fée descendait vers le bol et regardait dedans. L'une d'elles posa même une main minuscule sur le bord. Mais aucune ne but. La plupart restaient à distance.

Leur nombre atteignit plus d'une centaine. Mais elles ne buvaient toujours pas. Kendra essaya d'être patiente. Elle ne voulait pas les effrayer et les faire partir.

Soudain, le bruit d'un vent violent rompit le calme du matin. Kendra ne le sentit pas, mais elle entendait des rafales dans le lointain. Quand le bruit du vent diminua, un rugissement féroce retentit à travers le terrain. Les fées se dispersèrent.

Cela ne pouvait signifier qu'une chose.

– Attendez, s'il vous plaît, il faut que vous buviez ça ! Votre reine m'a demandé de le préparer pour vous !

Les fées voletaient, en proie à la confusion.

– Dépêchez-vous, le temps presse !

À cause des paroles de Kendra ou simplement parce qu'elles n'étaient plus déconcertées, les fées se rassemblèrent de nouveau autour du bol.

– Essayez, insista Kendra. Goûtez-le.

Aucune fée ne répondit à son invitation. L'adolescente plongea un doigt dans le bol et goûta l'élixir. Elle essaya de ne pas prendre un air dégoûté – c'était salé et désagréable.

– Mmm… Délicieux !

Une fée aux cheveux d'un noir de jais et aux ailes d'abeille s'approcha du bol. Imitant Kendra, elle y plongea un doigt et goûta la potion. Dans un tourbillon d'étincelles, elle grandit pour atteindre près d'un mètre quatre-vingts. Kendra sentit à nouveau l'odeur qui avait accompagné la Reine des Fées. La fée à taille humaine cligna des yeux, stupéfaite, puis s'envola dans les airs.

Les autres fées se pressèrent autour du bol. Une tornade d'étincelles fulmina à travers le terrain tandis que les fées se transformaient en des versions beaucoup plus grandes d'elles-mêmes. Kendra recula, se protégeant les yeux de ces éclairs étincelants. En quelques instants, elle se retrouva entourée d'une glorieuse troupe de fées à taille humaine, certaines debout sur le sol, la plupart voletant autour d'elle.

Les fées étaient toutes grandes et belles, avec une musculature souple de ballerine. Elles portaient des vêtements exotiques, aux tons vifs, et avaient conservé leurs magnifiques ailes. Elles émettaient toujours de la lumière, mais leur doux éclat était devenu une lueur brillante, pareille à des flammes. Le plus grand changement affectait leurs yeux : leur joyeuse malice était remplacée par une expression sévère et brûlante.

Une fée aux brillantes ailes argentées et aux cheveux bleus et courts se posa devant Kendra.

– Tu nous as appelées à la guerre, dit-elle avec un fort accent. Quels sont tes ordres ?

Kendra déglutit. Une centaine de fées de taille humaine occupaient beaucoup plus de place que la même quantité de petites. Elles étaient si mignonnes, avant. Désormais, elles étaient imposantes. Elle n'aurait pas aimé être l'ennemie de ces fiers séraphins.

– Pouvez-vous rendre la vie à Dale ? demanda-t-elle.

Deux fées s'accroupirent au-dessus de Dale, posèrent leurs mains sur lui et l'aidèrent à se lever. Il contempla Kendra avec un étonnement ahuri, en se tapotant comme s'il était surpris d'être intact.

– Que se passe-t-il ? demanda-t-il. Où est Stan ?

– Les fées vous ont guéri, répondit Kendra. Grand-Père et les autres sont encore en difficulté. Mais je pense que ces fées vont nous aider.

L'adolescente reporta les yeux sur la superbe fée argentée.

– Muriel la sorcière essaie de libérer un démon nommé Bahumat.

– Le démon est libre, dit la fée. Tu n'as qu'à commander.

Kendra pinça les lèvres.

– Il faut l'emprisonner de nouveau, et la sorcière avec lui. Et nous devons aussi sauver mes grands-parents Sorenson, mon frère Seth et Léna.

La fée aux cheveux bleus hocha la tête et donna des instructions dans un langage musical. Certaines des fées se mirent à farfouiller dans des plantes voisines et en sortirent des armes : une fée jaune extirpa une épée en cristal d'un massif de fleurs tandis qu'une fée violette changeait une épine de rosier en lance. La fée argentée transforma une coquille d'escargot en un magnifique bouclier, et un pétale de pensée devint une hache étincelante dans son autre main.

– C'est ta volonté, dit la fée argentée.

– Oui, confirma fermement Kendra.

Toutes ensemble, les fées s'envolèrent. Kendra se tourna pour les regarder partir. Puis une main saisit son bras gauche, une autre son bras droit, et elle décolla entre deux fées – une mince fée albinos aux yeux noirs et une fée bleue et velue. Kendra reconnut la bleue, la duveteuse lutine des fontaines qu'elle avait vue dans le bureau de Grand-Père.

La brusque accélération lui coupa le souffle. Elles volaient au ras du sol, frôlant des buissons, évitant des troncs d'arbres, se glissant entre les branches. Volant à l'arrière, Kendra s'émerveillait de voir l'escadron de fées se faufiler sans effort à travers les obstacles à une telle vitesse.

L'ivresse qu'elle ressentait l'envahissait tout entière. Le vent qui lui fouettait le visage lui donnait les larmes aux yeux. L'étang, avec les pavillons, passa à toute allure au-dessous d'elle. À ce rythme, elles atteindraient la Chapelle oubliée en quelques instants.

Mais que se passerait-il quand elles arriveraient ? Bahumat était censé être incroyablement puissant. Malgré tout, en considérant la légion de fées farouches qui l'entourait, Kendra avait confiance.

Elle regarda en arrière et ne vit pas d'autres fées. Apparemment, elles n'avaient pas emmené Dale.

La course folle à travers la forêt continua jusqu'à ce que les fées qui étaient en tête s'élancent vers le ciel. Celles qui tenaient Kendra suivirent, s'élevant comme des fusées au-delà des cimes des arbres. La subite ascension lui assécha la bouche et lui donna des fourmis dans l'estomac.

Et soudain, elle ne bougea plus. Kendra et son escorte voletaient sur place au-dessus des arbres, regardant les autres plonger vers la Chapelle oubliée. L'adolescente essaya de se remettre de l'excitation du vol et de comprendre ce qui se passait au-dessous.

Quatre créatures ailées montaient à la rencontre des fées, d'énormes gargouilles qui mesuraient au moins trois mètres de haut, avec des griffes aiguisées et des cornes ressemblant à celles de béliers. Quelques fées quittèrent le groupe pour les intercepter. Les monstres ailés lancèrent leurs serres sur leurs adversaires, mais les fées esquivèrent agilement les coups et leur coupèrent les ailes, les envoyant s'écraser au sol.

Quelque chose aveugla Kendra. C'était le soleil qui se levait à l'horizon.

– Allons-y ! dit-elle à ses compagnes.

Les fées plongèrent. Kendra sentit son estomac lui remonter dans la gorge tandis qu'elles piquaient vers l'église. Des mutards à taille humaine sortaient à flots de l'entrée, brandissant leurs poings et sifflant en direction des fées. Beaucoup d'entre elles jetèrent leurs armes et descendirent droit sur eux, les saisissant dans une étreinte brutale pour les embrasser sur la bouche. Dans d'éclatantes gerbes d'étincelles, chaque mutard ainsi embrassé se changea en une grande fée !

Kendra vit la fée aux cheveux bleus planter un baiser sur la bouche d'un mutard obèse. Il se changea aussitôt en une fée rondelette aux ailes cuivrées. Tandis que la fée argentée s'éloignait, la grosse fée s'empara d'un autre monstre, lui imposa un baiser, et en un éclair, il devint une mince fée de type asiatique aux ailes de colibri.

Les fées pénétrèrent en masse dans l'église. La plupart ne prirent pas la peine de passer par la porte, glissant par les fenêtres ou s'introduisant dans les trous de la toiture.

Les compagnes de Kendra la maintinrent au-dessus d'une ouverture du toit. Partout, des fées embrassaient des mutards tandis que d'autres repoussaient d'horribles créatures. L'une des fées se servit d'un fouet doré pour envoyer un monstre ressemblant à un crapaud s'écraser contre un mur. Une autre empoigna une bête pleine de croûtes par sa crinière blanche et l'expédia à travers une fenêtre. Une fée grise aux ailes de moucheron chassa un minotaure musclé par la porte d'entrée avec un jet de vapeur brûlante qui jaillissait de sa baguette. Beaucoup de créatures répugnantes s'enfuirent volontairement devant la terrible attaque.

Mais d'autres montèrent en première ligne.

Un nain démoniaque aux écailles noires bondissait à travers la salle en causant des ravages avec sa paire de couteaux. Une atrocité déchaînée qui ressemblait à un croisement entre un ours et une pieuvre frappait les fées de ses tentacules. Une créature huileuse crachait des boules gluantes dans l'air. Elle ressemblait à une grande tortue sans carapace, son corps évoquant une amibe au-dessous d'un long cou. Plusieurs fées s'écrasèrent sur le sol, les ailes prises dans la substance visqueuse.

Les fées, inébranlables, contre-attaquèrent. La moitié inférieure du nain fut changée en pierre. Ses tentacules tranchés, la pieuvre-ours battit en retraite. Un torrent d'eau emporta la tortue. Certaines fées soignaient leurs compagnes vaincues, guérissant leurs blessures et nettoyant leurs ailes.

Tandis que l'église se vidait, les fées chargèrent par la porte de la crypte.

– Emmenez-moi en bas ! demanda Kendra.

Les deux fées réagirent immédiatement et faillirent lui briser la nuque quand elles descendirent à pic dans l'église et volèrent jusqu'à la porte de la crypte. Elles durent replier leurs ailes pour s'engager dans l'escalier. Kendra descendit les marches avec elles.

La crypte s'était agrandie depuis la veille. Elle était plus profonde, plus large et plus longue. L'alcôve du fond s'était accrue également, et n'était plus entravée par les cordes nouées.

La salle était moins éclairée qu'avant, même si les fées apportaient leur propre lumière. Des graffitis hideux étaient gravés sur les murs. Dans un coin s'entassaient d'étranges trésors : des idoles de jade, des sceptres pointus, des masques ornés de pierres précieuses.

Kendra parcourut la crypte des yeux, en quête de sa famille. Le plus facile à repérer fut Seth. Il se trouvait dans un énorme bocal avec des trous percés dans le couvercle, pour respirer. Il était entouré de feuilles et de branches. Il n'avait pas grandi, mais il paraissait avoir cent ans. Des rides profondes creusaient son visage et il n'avait que quelques mèches de cheveux blancs sur la tête. Il plaça une paume flétrie contre le verre.

Kendra devina que l'orang-outang enchaîné au mur devait être Grand-Père. Le grand poisson-chat qui nageait dans un réservoir à côté de lui était sans doute Léna. Elle ne vit aucun signe de Grand-Mère.

Flanquée par son escorte féerique, Kendra se rua vers sa famille. Des dizaines de mutards hideux se bagarraient avec les fées. Ces combats ne duraient pas longtemps, car des baisers rendaient aux mutards leur forme d'origine.

Kendra atteignit le bocal géant.

– Tu vas bien, Seth ? demanda-t-elle.

Son vieux frère hocha faiblement la tête. Son sourire montra qu'il n'avait plus de dents.

Un mutard grondant se jeta sur Kendra. La fée bleue l'arrêta à mi-chemin, lui clouant les bras sur les côtés. Il ressemblait à celui qui s'en était pris à Seth un peu plus tôt. La fée albinos s'éleva et l'embrassa sur la bouche. Il se changea en une magnifique fée aux cheveux flamboyants et aux ailes irisées de libellule.

Seth se mit à taper sur le verre. Il désignait la fée, l'air excité. Kendra comprit que c'était celle qu'il avait transformée sans le vouloir.

La fée rousse s'approcha du bocal et agita un doigt sévère devant Seth.

– Je suis désolé, articula-t-il.

Il joignit les mains et fit un geste implorant. La fée le regarda, les paupières plissées. Puis, elle claqua des doigts et le bocal se brisa. Ensuite, elle se pencha et embrassa Seth sur le front. Ses rides s'estompèrent, ses cheveux se regarnirent et reprirent leur couleur, et il redevint rapidement lui-même.

Kendra tira la bouteille de lait de sa poche et la lui tendit.

– Gardes-en pour Grand-Père et Grand-Mère, dit-elle.

– Mais je vois...

Un rugissement à crever les tympans ébranla la salle. Une créature qui ne pouvait être que Bahumat sortit de l'alcôve. Le répugnant démon était grand comme trois hommes et avait une tête de dragon couronnée par trois cornes. Il marchait debout, doté de trois bras, de trois jambes et de trois queues. Des écailles noires et huileuses hérissées de pointes couvraient son corps grotesque. Ses yeux malveillants brillaient d'une intelligence ignoble.

À côté de Bahumat flottait la femme fantomatique que Kendra avait vue devant la fenêtre la nuit du solstice d'été. Ses vêtements d'un noir d'ébène s'agitaient d'une manière surnaturelle, comme si elle était sous l'eau. La sinistre apparition évoqua à Kendra le négatif d'une photographie.

De l'autre côté du démon se tenait Muriel, maintenant vêtue d'une robe aussi noire que la nuit. Elle jetait des regards mauvais aux fées et des coups d'œil pleins de confiance à l'imposant démon.

Il ne restait plus de mutards dans la crypte. Une foule de fées brillantes faisait face à ces derniers adversaires.

Bahumat se tapit. Une obscurité d'un noir d'encre se forma autour de lui. Il bondit en avant avec un rugissement pareil au tir de mille canons. Un mur noir, fait d'ombre, sortait du démon comme une vague de goudron et une obscurité totale envahit la salle. Kendra eut l'impression d'être brusquement devenue aveugle. Même avec les mains plaquées sur les oreilles, le grondement du démon était assourdissant.

L'ombre noire que Bahumat dégageait ne semblait pas avoir de substance. C'était simplement de la noirceur. Où étaient les fées ? Où était leur lumière ?

Le sol gronda, et un vacarme pareil à une avalanche domina le rugissement du démon. Soudain, la lumière du jour pénétra dans la crypte. Levant les yeux, Kendra vit un ciel bleu. Les rayons inclinés du soleil levant tombèrent dans la salle. La chapelle tout entière avait été soufflée !

Venant du ciel et chargeant de toutes les directions, les fées entourèrent Bahumat. Le démon frappa une fée avec l'une de ses queues, en griffa une autre d'un geste incroyablement rapide de ses serres. Faisant claquer ses mâchoires, il avala une fée jaune. Beaucoup de fées tombaient. Tandis que la majorité attaquait, d'autres posaient les mains sur les blessées, en guérissant rapidement la plupart.

Muriel affectait une pose théâtrale et psalmodiait des mots tremblants. Deux fées qui se trouvaient près d'elle se changèrent en verre et se brisèrent. Elle tendit une main tordue et une autre fée se transforma en cendres, puis se désintégra en un nuage gris.

De longs serpentins d'étoffe noire partaient de la femme spectrale et enveloppaient les fées les plus proches. Les fées prises au piège commencèrent à perdre leur éclat et à se flétrir. La fée argentée apparut, tranchant l'étoffe de sa hache de feu. D'autres fées se joignirent à elle et coupèrent le tissu noir avec des glaives étincelants.

Les fées qui tournoyaient autour de Bahumat tenaient maintenant des cordes. Elles ressemblaient à celles qui étaient tendues auparavant devant l'alcôve, sauf qu'elles paraissaient tissées d'or. Le démon continuait à rugir, à se balancer et à mordre, mais les cordes commençaient à l'entraver. Des nœuds se formaient. Les mouvements de la créature démoniaque se ralentissaient. Il fit claquer ses puissantes mâchoires, arrachant l'aile transparente d'une fée recouverte de pois comme une coccinelle.

La femme fantomatique se tourna et s'éloigna avec nonchalance ; ses voiles éthérés ne flottaient plus autant. Les fées ignorèrent son départ. Deux d'entre elles s'étaient emparées de Muriel et la lancèrent sur Bahumat. Bientôt, la sorcière fut liée au démon par les cordes. Elle rugit tandis que son corps se ratatinait et que sa robe se changeait en haillons.

Trois fées se posèrent sur la tête du démon. Elles attrapèrent chacune une corne et l'arrachèrent. Bahumat vagit. Des dizaines de fées saisirent les cordes qui le ligotaient et le précipitèrent dans l'alcôve. Puis, les fées se mirent à tendre activement les cordes nouées devant l'entrée.

Kendra se retourna. La fée bleue et velue fit un geste vers l'orang-outang, et les anneaux qui l'enchaînaient au mur s'ouvrirent. Un autre geste, et une explosion de lumière changea le singe en Grand-Père Sorenson.

La fée albinos prit le poisson-chat qui se convulsait dans le réservoir et lui redonna l'apparence de Léna.

– Où est ma grand-mère ? s'écria Kendra.

La fée rousse qui avait libéré Seth s'approcha de l'aquarium. Elle en sortit une dégoûtante petite limace qui s'accrochait à la paroi au-dessus de l'eau et la changea en Grand-Mère.

Cette dernière se massa les tempes.

– Et moi qui trouvais que j'avais l'esprit brouillé quand j'étais une poule… marmonna-t-elle.

Grand-Père se précipita sur elle et l'étreignit.

– Vous avez besoin de lait ? demanda Kendra en tendant la bouteille à Grand-Père.

Il secoua la tête.

– Nous n'avons pas dormi. Le voile n'a donc pas encore couvert nos yeux.

Un groupe de fées se rassembla près de l'alcôve. Elles tendirent les bras, paumes vers le sol. De la terre, de l'argile et de la pierre commencèrent à se mêler jusqu'à ce qu'Hugo renaisse. Le golem s'étira et poussa un grognement rivalisant avec les rugissements du démon captif.

Les fées s'activèrent à se soigner les unes les autres, réparant des ailes et cicatrisant des blessures. Des fées réunies en cercle étendirent les bras et des bouts de verre volèrent pour se rejoindre, prenant la forme d'un couple de fées qui revint à la vie. Plusieurs autres se donnèrent la main et se mirent à chantonner. Des particules de cendres tourbillonnèrent au milieu d'elles, mais refusèrent de s'agglomérer. Les fées se séparèrent et les cendres disparurent. Certaines fées, apparemment, ne pouvaient être sauvées.

Plusieurs fées saisirent Hugo et le soulevèrent pour le faire sortir de la crypte. D'autres firent la même chose pour Grand-Père, Grand-Mère, Léna, Seth et Kendra. De nouveau transportée dans les airs, Kendra vit ce qu'il restait de l'église. Les débris s'étalaient dans la clairière à deux ou trois cents mètres à la ronde. La Chapelle oubliée n'avait pas simplement été détruite – elle avait été effacée.

Les fées les déposèrent à une bonne distance des détritus et de la crypte. Tous, sauf Léna que deux fées emportaient. L'ancienne naïade se disputait avec elles dans leur étrange langue et luttait pour se libérer.

Kendra toucha le bras de Grand-Père Sorenson et désigna la scène d'un signe de tête.

– Il n'y a rien à faire, soupira-t-il, tandis que les fées entraînaient Léna.

Il passa un bras autour de Grand-Mère et la serra contre lui.

– Hé ! cria Kendra. Ramenez Léna !

Les fées qui tenaient la naïade ne firent pas attention à elle et disparurent dans les bois.

Les autres fées se rassemblèrent au-dessus de la crypte, formant un cercle gigantesque. Elles avaient plus que triplé leur nombre, avec tous les mutards qu'elles avaient récupérés. Kendra avait vu tomber beaucoup de fées au cours de la bataille, mais la plupart avaient été ressuscitées ou guéries par la magie de leurs compagnes.

Les fées rayonnantes levèrent les bras toutes ensemble et se mirent à chanter. La musique semblait improvisée, faite de centaines de mélodies qui s'entrelaçaient presque sans aucune harmonie. Tandis qu'elles chantaient, le sol de la clairière se mit à onduler. Les débris de la chapelle glissèrent à travers le champ et s'entassèrent dans la crypte ouverte. Le sol commença à trembler. Les murs de la crypte s'effondrèrent. Le terrain qui l'entourait se replia et l'engloutit. Le champ se soulevait comme une mer agitée.

Quand les ondulations cessèrent, la crypte avait été remplacée par une petite colline. Le chœur des fées devint plus aigu. Des fleurs sauvages et des arbres fruitiers commencèrent à pousser dans toute la clairière et sur la colline, s'épanouissant en quelques secondes. Des fleurs poussèrent aussi sur tout le corps d'Hugo, qui n'eut pas de réaction. Quand les chants se turent enfin, une colline avenante couverte d'un déploiement odorant de fleurs aux couleurs vives et d'arbres adultes avait pris la place de la Chapelle oubliée.

– Elles ont fait fleurir Hugo ! déplora Seth.

La légion de fées glissa jusqu'à eux, les souleva et les transporta à toute vitesse vers la maison. Kendra savourait cette procession pleine d'entrain, folle de joie que cette terrible nuit se soit si bien terminée. Quant à Seth, il poussa des cris tout le long, comme s'il était sur les montagnes russes les plus fantastiques de la planète.

Finalement, les fées les déposèrent sur le terrain, où Dale les attendait.

– Maintenant, j'aurai tout vu, dit-il quand Grand-Père et Grand-Mère Sorenson furent déposés à côté de lui.

La fée aux cheveux bleus et aux ailes d'argent se tenait devant Kendra.

– Merci, dit l'adolescente. Vous avez été formidables. On ne pourra jamais assez vous remercier.

La fée argentée hocha la tête, les yeux brillants.

Comme en réponse à un signal, les fées entourèrent Kendra, chacune lui donnant à son tour un bref baiser. Après chaque baiser, la fée reprenait sa taille initiale au milieu d'étincelles éblouissantes et s'envolait à tire d'ailes. La rapide succession de baisers provoquait chez elle des sensations époustouflantes. Kendra sentit de nouveau les parfums terriens de la Reine des Fées, une odeur de sol riche et de jeunes fleurs. Elle eut dans la bouche un goût de miel, de fruits et de baies, exquis au-delà de toute comparaison. Elle entendit la musique de la pluie, le chant du vent et le grondement de la mer. Elle avait l'impression que la chaleur du soleil l'étreignait et la parcourait. Les fées embrassaient ses yeux, ses joues, ses oreilles, son front…

Quand la dernière fée l'embrassa, Kendra chancela en arrière et tomba assise dans l'herbe. Elle ne se fit aucun mal. Elle était presque surprise de ne pas flotter, tant elle se sentait légère et étourdie.

Grand-Père et Dale l'aidèrent à se relever.

– Je parierais que cette jeune fille a une sacrée histoire à nous raconter, dit Grand-Père. Et je parierais aussi que ce n'est pas le moment. Hugo, va faire tes corvées.

Dale aida Kendra à rejoindre la maison. Elle se sentait euphorique et lointaine. Elle était contente que sa famille soit sauvée, mais elle se trouvait dans un état si inexplicablement divin, et les ennuis de la nuit semblaient si lointains, qu'elle commençait à se demander si tout cela n'avait pas été qu'un rêve.

Grand-Père tenait les mains de Grand-Mère.

– Je suis désolé qu'il ait fallu si longtemps pour te retrouver, dit-il doucement.

– Je peux en deviner les raisons, rétorqua-t-elle. Il faut qu'on parle de tous les œufs que tu as mangés.

– Ce n'étaient pas tes œufs ! protesta Grand-Père. C'étaient ceux de la poule que ton esprit habitait.

– Je suis contente que tu puisses être si détaché.

– Il doit en rester encore deux ou trois dans le frigo.

Kendra trébucha en montant les marches du porche. Grand-Père et Dale l'aidèrent à entrer dans la maison. Le mobilier était de retour ! Presque tout avait été réparé, avec quelques modifications. Un divan avait été converti en fauteuil, quelques abat-jour étaient faits d'une autre matière, des pierres précieuses avaient été ajoutées au cadre d'un tableau.

Comment les brownies avaient-ils pu travailler aussi vite ? Les paupières de Kendra tombaient. Grand-Père tenait la main de Grand-Mère et lui chuchotait quelque chose à l'oreille. Seth parlait, mais ses mots n'avaient pas de sens. Dale tenait Kendra par les épaules pour la guider. Elle eut juste le temps d'apercevoir l'escalier, mais elle ne pouvait plus garder les yeux ouverts. Elle se sentit tomber, des mains l'attrapèrent, et elle n'eut plus conscience de rien.

CHAPITRE DIX-NEUF

AU REVOIR, FABLEHAVEN

Kendra et Grand-Père s'adossèrent au siège du pousse-pousse tandis qu'Hugo les tirait le long de la route à une allure tranquille. Le matin était clair et lumineux, avec quelques petits nuages élevés qui existaient à peine, coups de pinceau accidentels sur une toile bleue. La journée s'annonçait très chaude, mais pour le moment, elle était agréable.

Deux fées qui voletaient à côté de la charrette firent un signe de la main à Kendra. Elle leur répondit et elles s'éloignèrent à toute allure, zigzaguant l'une autour de l'autre. Le jardin pullulait de fées, maintenant, et elles accordaient à Kendra une attention spéciale. Elles semblaient contentes chaque fois que l'adolescente les remarquait.

– On n'a pas vraiment parlé depuis que tout est arrivé, dit Kendra.

– Tu dormais la moitié du temps, répondit Grand-Père.

C'était vrai. Elle avait dormi deux jours et deux nuits d'affilée après les événements – c'était son record !

– Tous ces baisers m'ont mise K.-O., avoua Kendra.

– Tu es contente de revoir tes parents ?

– Oui et non.

Ses parents devaient venir les chercher, elle et Seth, dans l'après-midi.

– La vie à la maison va me paraître bien fade, après tout ça.

– Tu auras à te soucier de moins de démons.

Kendra sourit.

– C'est vrai.

Grand-Père croisa les bras.

– Ce que tu as fait est si exceptionnel que je ne sais pas comment en parler.

– Ça me semble à peine réel.

– Oh, ça l'était. Tu as dénoué une situation impossible, et tu nous as sauvé la vie à tous par la même occasion. Les fées n'étaient pas entrées en guerre depuis des siècles. Dans cet état, leur pouvoir est pratiquement sans égal. Bahumat n'avait aucune chance. Ce que tu as fait était si courageux, et en même temps tellement voué à l'échec, que je ne connais personne qui aurait ne serait-ce qu'essayé.

– C'était mon seul espoir. Pourquoi la Reine des Fées m'a-t-elle aidée, à ton avis ?

– Je ne le sais pas plus que toi. Peut-être pour sauver la réserve, peut-être parce qu'elle a perçu la sincérité de tes intentions. Ta jeunesse a dû aider. Je suis sûr que les fées suivraient bien plus volontiers à la bataille une adolescente qu'un pompeux général. Mais en vérité, je n'aurais jamais pensé que ça puisse marcher. C'est un vrai miracle.

Hugo arrêta le pousse-pousse. Grand-Père descendit et aida Kendra. Elle tenait le bol en argent qu'elle avait pris sur l'île. Ils s'engagèrent dans un petit sentier menant à une arche dans une haute haie en broussaille.

– C'est bizarre que je n'aie plus besoin de boire de lait, dit Kendra.

En allant à la fenêtre, le matin où elle s'était éveillée, elle avait vu des fées qui voletaient un peu partout. Il lui avait fallu un moment pour se rendre compte qu'elle n'avait pas encore bu de lait.

– J'avoue que cela m'inquiète un peu, déclara Grand-Père. Les créatures fabuleuses ne sont pas toutes confinées dans les réserves. Que les mortels ne puissent pas les voir peut être une bénédiction. Fais attention où tu regardes.

– Je préfère voir les choses comme elles sont, dit Kendra.

Ils passèrent sous l'arche. Un groupe de satyres jouait à s'attraper avec plusieurs minces jeunes filles qui avaient des fleurs dans les cheveux. Le pédalo avait dérivé au milieu de l'étang. Des fées frôlaient la surface de l'eau et volaient parmi les pavillons.

– Je serais curieux de savoir quels autres changements les fées ont provoqués en toi, dit Grand-Père. Je n'ai jamais entendu parler d'une chose pareille. Tu me le diras si tu découvres d'autres étrangetés ?

– Par exemple, si je réussis à changer Seth en morse ?

– Je suis content que tu arrives à en plaisanter, mais je suis sérieux.

Ils montèrent les marches du pavillon le plus proche.

– Je le jette dedans ? demanda Kendra.

– Je pense que ce serait le mieux, approuva Grand-Père. Si ce bol vient de l'île, tu dois le rendre.

Kendra lança le bol à la façon d'un frisbee. Il tomba dans l'eau. Presque aussitôt, une main surgit et le saisit.

– C'était rapide, observa Kendra. Le bol finira sans doute au fond avec Mendigo.

– Les naïades respectent la Reine des Fées. Sois sûre qu'elle le remettront à sa place.

Kendra regarda la jetée.

– Elle ne te reconnaîtra peut-être pas, dit Grand-Père.

– Je veux juste lui dire au revoir, qu'elle comprenne ou non.

Ils longèrent la promenade jusqu'au pavillon relié à la jetée. Kendra alla au bout de la digue, laissant son grand-père quelques pas derrière elle.

– Rappelle-toi : pas trop près de l'eau.

– Je sais, dit Kendra.

Elle se pencha en avant pour regarder dans l'étang. Il était beaucoup plus clair que de nuit. Elle sursauta un peu quand elle se rendit compte que le visage levé vers elle n'était pas son reflet. La naïade avait l'air d'une jeune fille d'environ seize ans, avec des lèvres pleines et d'abondants cheveux blonds tourbillonnant autour d'un visage en forme de cœur.

– Je veux parler à Léna, dit Kendra d'une voix forte, en détachant les mots.

– Elle ne viendra peut-être pas, observa Grand-Père.

La naïade regardait toujours Kendra.

– Allez chercher Léna, s'il vous plaît, répéta-t-elle.

La naïade s'éloigna.

– Elle va venir, assura l'adolescente.

Ils attendirent. Personne ne vint. Kendra scruta l'eau. Elle mit ses mains en porte-voix.

– Léna ! C'est Kendra ! Je veux vous parler !

Plusieurs minutes s'écoulèrent. Grand-Père attendit patiemment avec elle. Puis un visage monta presque jusqu'à la surface, juste au bout de la jetée. C'était Léna. Ses cheveux étaient toujours blancs avec quelques mèches noires. Elle ne paraissait pas plus jeune, mais son visage gardait sa beauté sans âge.

– Bonjour, Léna. C'est Kendra, vous vous souvenez ?

Léna sourit. Son visage n'était qu'à deux centimètres de la surface.

– Je voulais simplement vous dire au revoir. J'ai vraiment aimé nos conversations. J'espère que cela ne vous fait rien d'être de nouveau une naïade. Êtes-vous fâchée contre moi ?

Léna fit signe à Kendra de se rapprocher. Elle porta une main à sa bouche comme si elle voulait partager un secret. Ses yeux en amande paraissaient gais et excités. Ils n'allaient pas avec ses cheveux blancs. Kendra se pencha un peu.

– Quoi ? demanda-t-elle.

Léna leva les yeux au ciel et lui fit signe de se rapprocher encore. Kendra se pencha un peu plus, et à l'instant où Léna tendait la main pour l'attraper, Grand-Père la tira en arrière.

– Je t'avais prévenue, déclara-t-il. Elle n'est plus la même.

Kendra se pencha juste assez pour regarder par-delà le bord. Léna lui tira la langue et s'éloigna.

– Au moins, elle ne souffre pas, dit-elle.

Grand-Père la ramena au pavillon en silence.

– Elle m'a dit qu'elle ne choisirait jamais de redevenir une naïade, déclara Kendra au bout d'un moment. Elle l'a dit plus d'une fois.

– Je suis sûr qu'elle le pensait, agréa Grand-Père. De l'endroit où je me trouvais, elle n'a pas eu l'air de partir de son plein gré.

– Je l'ai vue aussi. J'avais peur qu'elle souffre. Je pensais qu'elle avait peut-être besoin qu'on la sauve.

– Es-tu satisfaite ? demanda Grand-Père.

– Je ne suis même pas sûre qu'elle m'ait reconnue, murmura Kendra. Enfin au début, si, mais je pense qu'elle jouait la comédie pour essayer de m'attirer et de me noyer.

– Probablement.

– Ça ne lui manque pas, de ne plus être humaine.

– Pas de son point de vue actuel, acquiesça Grand-Père, même si le fait d'être une naïade ne lui paraissait pas très enrichissant lorsqu'elle était mortelle.

– Pourquoi les fées lui ont-elles fait ça ?

– Je ne pense pas qu'elles l'aient vu comme une punition. Léna a été victime de leurs bonnes intentions.

– Mais Léna se disputait avec elles et ne voulait pas partir.

Grand-Père haussa les épaules.

– Les fées savaient peut-être qu'une fois qu'elle redeviendrait une naïade, elle changerait d'avis. Apparemment, elles avaient raison. Rappelle-toi, les fées mènent la même existence que les naïades. De leur point de vue, Léna était folle de vouloir être mortelle. Elles ont probablement pensé qu'elles la guérissaient de sa folie.

– Je suis contente qu'elles aient retransformé tout le monde, dit Kendra. Elles ont juste un peu trop transformé Léna.

– Tu en es sûre ? C'était une naïade, à l'origine.

– Elle n'aimait pas l'idée de vieillir. Au moins, maintenant, elle ne mourra pas.

– Non.

– Mais je pense quand même qu'elle préférerait être humaine.

Grand-Père fronça les sourcils.

– Tu as peut-être raison. En vérité, si je connaissais un moyen de récupérer Léna, je le ferais. Je crois qu'une fois redevenue mortelle, elle nous en saurait gré. Mais une naïade ne peut s'abaisser à la mortalité que volontairement. Dans son état actuel, je doute qu'elle ferait ce choix. Je suis sûr qu'elle est très désorientée. Peut-être qu'avec le temps, elle pourra prendre un peu de recul sur ce qui lui est arrivé.

– Je me demande comment elle vit ce changement.

– Impossible d'en être certain. Pour autant que je sache, c'est un cas unique. Apparemment, ses souvenirs de sa condition de mortelle sont faussés, si jamais elle en a.

Kendra tritura inconsciemment la manche de sa chemise, avec une expression peinée.

– Alors on la laisse là, tout simplement ?

– Pour le moment, oui. Je vais faire des recherches et y réfléchir sérieusement. Ne te torture pas avec ça. Léna ne le voudrait pas. Elle aurait pu être dévorée par un démon. J'ai l'impression qu'elle va bien.

Ils retournèrent vers le pousse-pousse.

– Et la Société de l'Étoile du Soir ? demanda Kendra. C'est encore une menace ? Muriel a dit qu'elle était en contact avec eux.

Grand-Père se mordit la lèvre inférieure.

– La Société sera une menace tant qu'elle perdurera. Il est difficile pour quelqu'un qui n'y a pas été invité d'entrer dans une réserve, qu'il soit mortel ou non. Certains diraient même que c'est impossible, mais la Société a montré à plusieurs reprises sa capacité à contourner des obstacles réputés invincibles. Par chance, nous avons déjoué leur tentative d'utiliser Muriel pour libérer Bahumat et détruire la réserve. Mais nous savons maintenant qu'ils connaissent l'emplacement de Fablehaven. Nous devrons être plus vigilants que jamais.

– Quel est l'artéfact qui est caché ici ?

– Il est malheureux que ta grand-mère ait dû partager ce secret avec vous. Je comprends que c'était une précaution, pour le cas où nous aurions été tous les deux frappés d'incapacité, mais ce savoir est un terrible fardeau pour des enfants. Vous ne devez jamais en parler. J'ai essayé d'inculquer cette idée à Seth – le Ciel nous vienne en aide ! Je suis le gardien de

Fablehaven et je sais peu de choses sur cet artéfact, à part qu'il est caché quelque part dans la propriété. Si des membres de la Société savent qu'il est ici, et nous avons toute raison de croire que c'est le cas, ils ne reculeront devant rien pour pénétrer nos défenses et s'en emparer.

– Qu'est-ce que vous allez faire ? demanda Kendra.

– Ce que nous faisons toujours, répondit Grand-Père. Consulter nos alliés et prendre toutes les mesures pour nous assurer que nos défenses restent intactes. La Société a connu l'emplacement de dizaines de réserves au fil des siècles et, cependant, elle n'est jamais parvenue à les infiltrer. Il se peut qu'ils nous accordent une attention particulière, mais à moins que nous n'abaissions notre garde, ils ne peuvent pas faire grand-chose.

– Et cette femme fantôme ? Celle qui s'est échappée pendant que les fées capturaient Bahumat ?

– Je ne connais pas son histoire, sauf qu'elle était manifestement de mèche avec nos ennemis. Il y a beaucoup de créatures obscures tapies dans les recoins inhospitaliers de Fablehaven et que je n'ai jamais rencontrées.

Ils atteignirent le pousse-pousse. Grand-Père propulsa Kendra à l'intérieur, puis grimpa à son tour.

– Hugo, ramène-nous à la maison.

Ils firent le trajet en silence. Kendra pensait à tout ce dont ils avaient parlé, le sort de Léna et la menace latente de la Société de l'Étoile du Soir. La nuit fatidique qui avait semblé marquer la fin de ses problèmes lui apparaissait désormais comme leur commencement.

Devant eux, sur le côté de la route, Dale était occupé à débiter un tronc d'arbre. Couvert de sueur, il abattait sa hache avec des gestes agressifs. Quand le pousse-pousse le dépassa, il leva les yeux vers Kendra. Elle lui sourit et lui fit un signe de la main. Dale eut un sourire crispé et détourna son regard, se remettant à sa tâche.

Kendra fronça les sourcils.

– Qu'est-ce qu'il a, Dale, ces temps-ci ? Tu crois que ça l'a traumatisé, d'avoir été changé en plomb ?

– Je doute qu'il ait rien senti. Il est préoccupé par autre chose.

– Par quoi ?

– Ne lui en parle pas, mais…

Grand-Père marqua une pause, regardant en arrière vers Dale, et poursuivit.

– Il a le cœur gros que son frère Warren n'ait pas été là quand les fées ont guéri tout le monde.

– Grand-Mère m'a dit que le frère de Dale n'a pas de réactions. Je ne l'ai pas encore rencontré. Les fées auraient-elles pu l'aider ?

Grand-Père haussa les épaules.

– Si on considère qu'elles ont remis Léna dans l'eau, changé les mutards en fées et reformé Hugo à partir d'un tas de débris, je suppose qu'elles auraient pu guérir Warren. En théorie, toute magie qui peut être réalisée peut aussi être annulée.

Il se gratta la joue.

– Tu dois comprendre une chose : la semaine dernière, j'aurais dit qu'il était impossible de guérir Warren. Crois-moi, j'ai bien creusé le sujet. Mais je n'avais pourtant jamais entendu parler d'un mutard redevenant une fée. Ce genre de chose n'arrive pas. Tout simplement.

– Je regrette de ne pas y avoir pensé, dit Kendra. Warren ne m'a pas traversé l'esprit.

– Ce n'est pas ta faute. Il n'était pas au bon endroit au bon moment, et je suis content que le reste d'entre nous l'ait été.

– Comment Warren est-il devenu comme ça ?

– Ceci, ma chérie, est une partie du problème. Nous n'en avons aucune idée. Il a disparu pendant trois jours. Le quatrième, il est revenu, blanc comme une feuille de papier. Il s'est assis dans le jardin et n'a pas dit un mot ni répondu à quiconque depuis ce moment-là. Il peut manger et marcher si on l'accompagne. Il peut même exécuter des travaux simples si on lui montre comment faire. Mais on ne peut pas communiquer avec lui. Son esprit s'est comme évaporé.

Hugo s'arrêta au bord du terrain. Grand-Père et Kendra descendirent.

– Hugo, fais ton travail.

Le golem partit avec le pousse-pousse.

– Cet endroit va me manquer, dit Kendra en contemplant les fleurs colorées autour desquelles voletaient des fées étincelantes.

– Ta grand-mère et moi avons attendu longtemps quelqu'un comme toi dans notre descendance, répondit Grand-Père. Fais-moi confiance. Tu reviendras.

– Kendra ! appela Grand-Mère dans l'escalier. Tes parents sont là !

– Je descends tout de suite !

Kendra était assise seule sur son lit, dans la salle de jeux. Seth était déjà en bas. Elle avait fait ses bagages et l'avait aidé à faire les siens.

Elle soupira. Quand ses parents l'avaient laissée là, elle avait compté les jours jusqu'à leur retour. Maintenant, elle n'avait quasiment pas envie de les revoir. Comme ils ne savaient rien de la nature magique de la réserve, ils ne pouvaient pas imaginer ce qu'elle avait vécu. La seule personne avec qui elle pouvait le partager était Seth. N'importe qui d'autre la prendrait pour une folle.

Rien que d'y penser, elle se sentait isolée.

Elle traversa la pièce pour aller au tableau qu'elle avait peint et qui représentait l'étang. C'était un parfait souvenir de son séjour ; une toile dessinée par une naïade qui montrait le lieu de l'acte le plus courageux qu'elle avait accompli dans sa vie.

Pourtant, elle hésitait à l'emporter. Est-ce que le tableau remuerait trop de souvenirs pénibles ? Beaucoup de ses expériences ici avaient été terribles. Sa famille et elle avaient failli être tuées. Et elle avait perdu une nouvelle amie quand Léna avait été rendue à l'étang.

En même temps, la toile pourrait lui rappeler le monde enchanté de la réserve. Tant d'aspects de Fablehaven étaient merveilleux. La vie lui paraîtrait si fade après les événements extraordinaires des deux dernières semaines.

Dans les deux cas, le tableau pourrait lui causer de la peine. Mais, après tout, ces souvenirs persisteraient avec ou sans la représentation de l'étang. Elle prit la toile.

Le reste de ses bagages était déjà en bas. Elle jeta un dernier regard sur la salle de jeux, engrangeant les détails, et franchit la porte. Elle descendit les marches du grenier, longea le couloir et s'engagea dans l'escalier qui conduisait au vestibule.

Son père et sa mère se tenaient là et lui souriaient. Ils avaient visiblement grossi, surtout Papa – il semblait avoir pris dix kilos ! Seth était près de lui, serrant le tableau du dragon qu'il avait peint au début de leur séjour.

– Tu as fait un tableau, toi aussi ! s'exclama Maman. Kendra, c'est superbe !

– J'ai été un peu aidée, dit Kendra en atteignant le bas des marches. Comment était la croisière ?

– Nous avons plein de beaux souvenirs, répondit Maman.

Papa se frotta le ventre.

– Personne ne m'avait averti qu'il y aurait autant de délicieux desserts !

– Tu es prête, mon chou ? demanda Maman en passant un bras autour de Kendra.

– Vous n'allez pas visiter un peu le domaine ?

– Nous l'avons parcouru pendant que tu étais en haut, et nous avons fait le tour des pièces du rez-de-chaussée. Tu voulais nous montrer quelque chose en particulier ?

– Non, pas vraiment.

– On doit y aller, dit Papa en ouvrant la porte d'entrée.

Quelques jours auparavant, une flèche était plantée dans le cadre de cette porte.

Dehors, Dale chargeait les derniers sacs dans le VUS. Grand-Mère et Grand-Père attendaient dans l'allée. Papa aida Seth et Kendra à ranger leurs tableaux pendant que Maman remerciait abondamment leurs grands-parents.

– Ce fut un plaisir, répondit Grand-Mère, très sérieuse.

– Il faudra que vous les laissiez revenir très bientôt, ajouta Grand-Père.

– J'aimerais beaucoup, dit Kendra.

– Moi aussi, renchérit Seth.

Les deux enfants enlacèrent leurs grands-parents pour leur dire au revoir, puis montèrent dans la voiture. Grand-Père fit un clin d'œil à Kendra. Papa démarra.

– Vous avez passé de bons moments, ici, les enfants ?

– Oui, répondit Seth.

– C'était incroyable, ajouta Kendra.

– Vous vous souvenez combien vous étiez inquiets quand nous vous avons laissés ? dit Maman en bouclant sa ceinture de sécurité. Je parie que c'était beaucoup moins effrayant que vous l'imaginiez !

Seth et Kendra échangèrent un regard qui en disait long.

www.AdA-inc.com
info@AdA-inc.com